Reinhard Holzegger

Die sechs Pilger

Roman

Eine Zeitenreise zwischen Gegenwart und Vergangenheit auf dem Camino Francés

Tirom-Verlag

Originalausgabe 2017 in deutscher Fassung
Erschienen im Tirom-Verlag, Österreich
© Reinhard Holzegger 2017 „Die sechs Pilger"
Umschlaggestaltung von Reinhard Holzegger
Gebundene Ausgabe in deutscher Sprache

Druck und Bindung: Christian Theiss GmbH
Printed in Austria
ISBN 978-3-903193-00-0

Unser Alphabet besteht aus lediglich 26
Buchstaben und dennoch gelingt es einigen
Menschen immer wieder, sie so zu ordnen, dass
wahre Wunderwerke der Sprache daraus
entstehen. Hätte ich nur ein wenig von dieser
Gabe, dann könnte ich Sie teilhaben lassen an
einem Zustand, der weit über die Grenzen
unseres angestammten Empfindens hinausragt.

Auch würde es mir nicht als ein stümperhafter
Versuch erscheinen, meine Gefühle für meine
Leser transparent zu machen. Und dennoch war
ich so unverschämt, diesen Schritt zu wagen, wie
ich den Schritt auf den Camino Francés wagte.

Die Pflicht

Die Pflicht

1
Anno 1134

Man sieht noch eine leichte Zeichnung des Weges, der mehr und mehr vom Schnee verschlossen zu werden droht. Nässe lässt den Schnee schwer werden. Tritt man darauf, zeichnen sich deutliche Spuren in den Untergrund. Es sind die Spuren von Adeline, Flore und Julien. Kleine Fußstapfen begleiten große, daneben kleine rote Punkte, die zu Flecken verlaufen, in einem Geflecht aus unzählig angehäuften Eiskristallen, weiß und kalt. Adelines Schritte zeichnen die großen Spuren ins Bild, Flore und Julien die kleinen und aus Flores Nase tropft es rote Punkte in den Schnee. Ein Bild, das schon kurz nach seinem Erscheinen verloren geht, so zahlreich breiten sich dicke Schneeflocken über das Land und heftige Sturmböen verschließen den Pfad.

Niemand sollte bei solch einem Wetter hier oben sein, auf den Gipfeln der Pyrenäen, und doch sehe ich ein kleines, lebendiges Häufchen, in dem noch ein Hauch von Wärme steckt, das sich gegen die Unwirtlichkeit des Augenblicks stemmt und zu erlöschen droht. Ich sehe in die beinahe schon leblosen und kalten Gesichter von Adeline, Julien und Flore. Fast übersehe ich den roten Faden, der von Flores Nase aus über ihre Wange läuft, so rot ist ihr Gesicht vor Kälte. Sie weint, doch sehe ich keine Tränen über ihr junges Gesicht laufen. Ein Gesicht, das Anmut verspricht, wenn es mit der nötigen Wärme und Liebe umsorgt wird. Adeline ist bereits erwachsen, beinahe acht Jahre älter als ihre kleine Schwester, und sie legt einen Arm schützend um sie. Die Knöchel ihrer Finger sind purpurrot und vor Kälte kaum noch bewegungsfähig und dennoch führen sie Julien, dessen Hand sie umschlossen halten. Sein Haupt ist tief gesenkt und er selbst wird durch die Kraft von Adelines Arm hochgehalten. Ihr Körper bietet ihm Schutz vor dem Schnee, der sie jetzt wild und heftig erfasst. Es wird immer schwieriger für Adeline, auf dem Weg zu bleiben, an den sich dunkle und tiefe Abhänge heften. Doch gerade diese Angst, den falschen Schritt zu gehen und damit die Existenz von Julien und Flore zum Erlöschen zu bringen, ein Leben das gerade erst begonnen hat und noch zu so vielen Fragen bereit ist, lässt sie achtsam sein und macht die Schmerzen und die Kälte, von der sie umschlossen sind, vergessen.

Die Schritte werden kürzer und das Gelände wird zusehends steiler. Fortwährend verlieren die Füße der drei den Halt und die Körper werden von den geschwollenen Knien Adelines aufgefangen, jedes Mal zerreißt ihr der Schmerz das Gesicht. Ein Gesicht, das starke Ähnlichkeit mit dem von Flore hat. Es ist reifer, von der Welt bereits unzählige Male begutachtet und damit der Scheu beraubt, gezeichnet von klaren geraden Linien, leicht verspielt. Glattes schwarzes Haar, das ihr bis an die Schulter reicht, auch wenn es jetzt durch den Schnee und die von ihm abtropfende Nässe verklebt und wild wirkt. Der Mantel, der nichts anderes ist als ein rechteckiger, um ihren Körper geschlungener Wollumhang, vermag es nicht, die zierliche, schmale Gestalt darunter zu verbergen. Eingehüllt in ein Bliaut, ein eng anliegendes, ihre schmale Figur betonendes Oberkleid aus Leinen, das ihr ganzer Stolz ist, auch wenn es bei näherer Betrachtung nicht so prunkvoll und vornehm aussieht, wie es vorzugeben scheint. Es reicht ihr bis an die Knöchel und lässt dort das ebenso lange Unterhemd in der Bewegung der Schritte abwechselnd hervorblicken. Die Füße werden von nach vorne hin spitz zusammenlaufenden und über den Rist

verflochtenen Lederstücken umhüllt. Es sind harte Leder-
stücke, die ihre Fersen mit Blasen übersehen und die Zehen
wund scheuern. Auch Flore und Julien tragen solche Schuhe
und würden über die wunden Stellen in deren Innerem
klagen, hätten sie die Kraft dafür. Ihre Körper werden ebenso wie Adelines durch einen rechteckigen Wollmantel, soweit es geht, vor der Kälte geschützt. Immer öfter glitzert es
von dessen Oberfläche, hervorgerufen von Eiskristallen, die
sich daran geheftet haben und von der das nun lichter werdende Wolkenband durchdringenden Sonne gespeist werden. Das Schneetreiben lässt nach und gibt die Sicht auf eine
weiße Landschaft frei. Es ist kein Weg zu erkennen. Adeline
hält an und sieht in die ausdruckslosen Gesichter von Julien
und Flore.

„Wir rasten kurz", sagt sie erschöpft. Julien lässt sich in den
Schnee fallen. Adeline mahnt ihn aufzustehen, doch Julien
reagiert nicht. Sie hebt ihn hoch und klopft den Schnee von
seinem Gesäß, der einen nassen Fleck auf dem Stoff hinterlässt. Die Schneeauflage ist nicht besonders dicht und das
darunter befindliche Gras ist nass. Adeline räumt ein Stück
Fels von Schnee frei, breitet ihren Mantel darüber und setzt
Julien darauf. Dann nimmt auch Adeline Platz, mit Flore in
ihren Schoß gebettet.
    Die Sonne findet jetzt vermehrt offene Stellen durch den
wolkenverhangenen Himmel, der Fels beginnt zu leben.
    „Ich habe Hunger."
    Adeline reagiert auf Juliens Verlangen und greift in ihren
Beutel, bricht ein Stück Brot ab und reicht es ihm, auch
Flore gibt sie ein Stück. Adeline entfernt den roten Faden,
der von Flores Nase aus über ihre Wange läuft, mit einer
Hand voll Schnee und betrachtet die Quelle der Entstehung.
Die Nase hat aufgehört zu bluten. Adeline reibt mit den

Händen ihre Knie, beugt und streckt sie, verfolgt von einem gelben Tuch, das sich mit Flores Haupt bewegt.

Sie hat dieses Kopftuch zu ihrem elften Geburtstag bekommen. Das liegt knappe vier Monate zurück und es war der schönste Tag in ihrem noch jungen Leben. Anfangs, danach hasste sie diesen Tag, aber sie liebt weiterhin ihr Kopftuch, die letzte Erinnerung an ihren Vater. Flores Mutter war bei der Geburt ihrer kleinen Schwester Merle gestorben. Das war vor vier Jahren und ein Jahr darauf starb auch Merle an nicht abklingendem Fieber. Zu jener Zeit trat auch Julien in ihr Leben. Er trieb sich ständig in der Nähe ihres Hofes herum. Es war Flore, der er als Erstes ins Blickfeld kam. Er wurde ein Teil der Familie und ihr Bruder, ihr kleiner Bruder, auf den sie achtgeben muss. Den Hof, den sie in La Romieu, einer kleinen Ansiedlung von Bauern und Teil der Besitztümer einer Benediktinerabtei in Marseille, bewirtschafteten, brachte genügend hervor, um davon leben zu können. Und manchmal reichte es auch für eine kleine Überraschung, wie an diesem elften Geburtstag von Flore. Ihre Lieblingsfarbe ist Gelb und sie wünschte sich nichts sehnlicher, als ihre langen schwarzen Haare mit einem gelben Kopftuch zu schmücken.

Mit der Sonneneinstrahlung setzt sich der Schnee und es zeichnet sich eine Richtung in die Landschaft. Zeit, weiterzugehen. Jeder Tritt lässt die Füße im tiefer werdenden Boden versinken und zehrt den letzten Rest der ohnehin bereits verbrauchten Kräfte aus ihren Leibern. Dieser Teil verläuft recht eben und der schmelzende Schnee wird von der Erde wie von einem Schwamm aufgesogen und festgehalten. Sie erkennen nicht, wie tief der nächste Schritt sie im Erdreich versinken lassen wird. Es sind keine Spuren vorhanden, die ihnen den Weg weisen könnten. Nach jedem Schritt sieht sich Adeline um. Ja, wir müssen hier richtig sein, sagt sie ständig vor sich her. Flore und Julien folgen ihr, ohne ein Wort zu sagen, aber sie nehmen es ihrer großen Schwester übel, sie hier hochgebracht zu haben.

Sie waten eine halbe Stunde, die ihnen wie eine Ewigkeit vorkommt, durch den Schlamm, bis sie wieder einigermaßen festen Boden unter den Füßen haben. Flore, die nun mit Julien ein Stück vorausgelaufen ist, sieht als Erstes ins Tal von Roncesvalles.

„Kinder, wir haben es geschafft, wir müssen am Col de Lepoeder sein", sagt Adeline mit vor Freude weinerlich klingender Stimme. „Kommt her, gebt mir die Hand, wir müssen vorsichtig sein beim Hinuntergehen." Sie wendet sich mit Nachdruck an die beiden, die von einer Seite zur anderen springen. Flore lässt es sich von ihrer Schwester bestätigen, dass sie als Erste hier oben war, noch vor Julien, und ist sichtlich stolz darauf.

„Aber nur weil ich ausgerutscht bin." Julien kann sich die Niederlage nur schwer eingestehen. Der Untergrund ist fest und mittlerweile frei von Schnee. Das schlechte Wetter hat die nach Süden hin gerichtete Seite des Berges verschont. Nebel zieht auf. Die Sicht wird mit jedem Schritt schlechter. Adeline fasst erneut nach den Händen ihrer Geschwister.

„Wo ist Julien?" Adeline blickt zu Flore.

„Ich weiß nicht, er war eben noch hier." Eine nicht besonders hilfreiche Antwort.

„Julien!", ruft Adeline.

„Julien!", ruft jetzt auch Flore. „Da vorne, siehst du ihn?"

„Julien, bleib stehen", ruft Adeline in seine Richtung. Doch Julien steht bereits und hebt den Arm.

„Seid still, hört ihr nicht?" Schweigen. „Hört doch, es kommt aus der vor uns liegenden Richtung." Julien flüstert dabei, als könnten die Geräusche durch seine Worte verloren gehen.

„Es sind Glocken." Vorerst noch etwas unsicher, aber dann sprudelt es aus Adeline hervor. „Ja, dort vorne muss sich das Hospital befinden, von dem mir Pater Raoul erzählt hat." Sie kramt in ihrer Tasche, bringt einen gefalteten Zettel zum Vorschein und liest: Großer Berg – Ibañeta-Pass – Hospital. „Wir sind auf dem richtigen Weg. Gott sei Dank." Julien und Flore nehmen die Heiterkeit, die von Adelines Gesicht ausströmt, in die ihren auf und lächeln, das erste Mal am heutigen Tag.

„Kommt, Kinder!" Sie werden von dem Geläut förmlich angezogen. Das Schlagen der Glocken wird lauter und Mauern treten ins Bild. „Seht, das Hospital, hier können wir übernachten", sagt Adeline.

„Bekommen wir auch etwas zu essen?", fragt Julien zaghaft.

„Sicherlich bekommst du etwas zu essen." Adeline streicht mit ihren Fingerrücken über seine kalte Wange.

Sie stehen nun vor einer großen Holztür, die sich öffnen lässt. Adeline blickt hinein. Ein großer Mann in einem braunen Umhang mit Kapuze, die ihm am Rücken baumelt, kommt den Flur entlang und begrüßt Adeline und ihre Begleiter, die der Reihe nach hinter Adeline den Flur betreten.

„Seid willkommen, ich bin Pater Nevio. Ihr habt doch sicher Hunger, folgt mir", begrüßt sie der Mann im Hospital. Ein karger, schmaler Raum, ebenso karg und schmal wie sein Gastgeber. Mit einer Kerze in der Hand führt sie der Mann in einen von mehreren Kerzen beleuchteten und von einem Feuer gewärmten Saal.

„Holz haben wir hier genug", bekräftigt Pater Nevio, als er beim Anblick der Kinder sieht, wie die angenehme Wärme in ihnen hochsteigt. „Ihr könnt am Feuer eure Kleider und die Schuhe trocknen."

14

Adeline beobachtet weitere vier im Raum befindliche Personen. Ein älterer Mann, der sich die Seele aus dem Leib zu husten droht, und eine Frau mittleren Alters, die ihm mit ihrer rechten Hand über den Rücken streicht, während sie ihm mit einem Tuch die Stirn betupft. Beide befinden sich gleich auf der rechten Seite neben dem Feuer. Ein weiterer, ihr abgewandter Mann blickt auf der linken Seite des Raumes aus dem Fenster. Obwohl barfuß und nur mit einem Unterhemd bekleidet, wirkt dieser Mann vornehm auf Adeline. Es sind seine Haare und die Art, wie er steht, die dies bewirken. Die vierte Person im Raum hantiert mit Schuhen am Feuer herum. Ein jüngerer Mann, vermutlich der Diener des Herrn am Fenster, denkt sich Adeline. Er nickt ihr zu. Sie vergräbt ihr Gesicht verlegen im Wollmantel.

„Kommt, ihr drei", sagt Pater Nevio und führt sie in den daneben liegenden Raum, wo sich die Küche befindet. „Es ist besser, wenn ihr eure Kleider und Schuhe hier trocknet. Das ist Bruder Noel." Pater Nevio deutet auf den Mann an der Feuerstelle.

„Er wird euch etwas zu essen geben. Die beiden Pritschen dort an der Wand", Pater Nevio zeigt mit seinem Kinn auf die rechte Seite des Raumes, „gehören heute Nacht euch. Ihr werdet alleine sein. Noel und ich schlafen draußen im Saal bei den anderen."

„Ihr habt Glück", sagt Bruder Noel zu seinen drei neuen Gästen. Er ist ebenfalls hager und groß gewachsen wie Pater Nevio. Seine Stimme ist laut und kräftig. „Die Navarresen – ich muss schon sagen, ein grimmiges und Furcht einflößendes Volk – haben uns ein Schaf gebracht. Sie haben gesagt, es wurde vom Blitz getroffen. Ich weiß nicht, ich trau denen nicht über den Weg, aber sie bringen uns ständig etwas zu essen, sei es drum. Hier, esst, wir haben heute genug."

Bruder Noel gibt jedem der drei ein großes Stück vom

gebratenen Lammrücken auf den Teller. Daneben stellt er eine Schüssel Getreidebrei für die hungrigen Mägen. Flore und Julien haben noch nie in ihrem Leben Lammfleisch gegessen. Schweinefleisch und Huhn, ja, das kennen sie, auch wenn es nicht gerade üppig in ihrem bisherigen Nahrungsumfeld vorhanden war, aber Lamm oder Schaf, was immer das sein mag, ist noch nie durch ihre Kehlen gerutscht. Ungeachtet dessen verschlingen sie es förmlich mit ihren Mäulern, sodass Adeline sie andauernd bremsen muss.

Später am Abend tritt Pater Nevio nochmals an Adeline heran.

„Woher kommt ihr?", fragt er. „Ihr seid doch auf Pilgerreise, wie ich es der Stickerei an deiner Tasche entnehme."

„Wir kommen von La Romieu und wollen ans Grab des heiligen Jakobus, und es freut mich, wenn Ihr uns als Pilger seht. Ich heiße Adeline und das sind Flore und Julien, meine Geschwister." Adeline fühlt sich seiner Worte geschmeichelt.

Pater Nevio blickt auf die beiden Kinder.

„Seid ihr alleine?", will er von ihr wissen.

„Ja", lautet die kurze Antwort.

„Dies ist nicht wirklich ein Platz für Kinder", ermahnt Pater Nevio Adeline. „Und damit meine ich auch dich", fügt er noch hinzu.

„Die beiden sind meine Familie und sie gehen mit mir, wohin ich auch gehen muss, und mich führt es nach Santiago, nach Compostela", erwidert Adeline.

„Du bist dir nicht bewusst, was euch auf dieser Reise erwartet. Kennst du überhaupt den Weg?"

Adeline holt den gefalteten Zettel aus ihrer Tasche hervor. „Hier stehen die Wegpunkte und ich kann lesen." Trotzig hält sie ihm das Blatt Papier vors Gesicht.

16

Pater Nevio entfaltet das Schriftstück, blickt darauf und sagt: „Wer hat dir das gegeben?"

„Vor langer Zeit, noch bevor mein Vater geboren war, hat sich ein Mann im heutigen La Romieu niedergelassen. Er war ein Einsiedler und erzählte den vorbeikommenden Menschen von seiner Reise zum Grab des heiligen Jakobus. Es kamen Leute, nur um seine Geschichte zu hören, und nach und nach ließen sich dort Menschen nieder. Dem Benediktinerkloster, dem diese Ländereien gehören, blieb dies nicht länger verborgen. Auch die Mönche lauschten, prüften seine Erzählungen und gaben schließlich diesem Ort den Namen La Romieu. So erzählte es mir mein Vater und ihm sein Vater. Dieses Stück Papier ist alles, was mir von ihm geblieben ist." Adeline blickt zu Pater Nevio. Dieser faltet den Zettel zusammen und gibt ihn Adeline zurück.

„Wo liegt La Romieu?", will er nun wissen.

„Unweit südlich von Agen."

„Ich weiß, wo Agen liegt. Ihr müsst dann an die sechs Tage unterwegs sein."

„Es sind zwölf", sagt Adeline.

„Dann meine ich ein anderes Agen." Pater Nevio zupft sich mit der Hand sein Kinn.

„Ihr meint schon das richtige Agen, Pater. Wir sind zuvor nach Conques gegangen, ans Grab der heiligen Fides. Sie sollte uns Kraft spenden für die Reise, vor allem aber Julien, der nicht der Kräftigste ist."

„Ich kenne diese Geschichte. Ein junges zwölfjähriges Mädchen, auf einem glühenden Rost gemartert, enthauptet und verbrannt. Es hatte sich geweigert, die heidnischen Götter anzubeten. Es geschah nur wenige Jahre bevor das Christentum als Religion anerkannt wurde. Die Gebeine des Mädchens wurden aber erst Hunderte Jahre später von Christen ins jetzige Conques geschafft. Es soll Wohl den

Kranken, aber auch den Gesunden spenden. Ihr habt richtig getan und ich gebe euch meinen Segen."

Mit einem „Danke, Pater" senkt Adeline demütig ihr Haupt.

Pater Nevio verlässt den Raum, öffnet eine versperrte Tür, die zu einem weiteren Raum rechts vom Saal führt. Eine kleine Kammer mit einem Tisch, einem Stuhl und einem Regal an der Wand. Er fasst ans Regal, holt ein Buch hervor und beginnt zu schreiben: „17. Mai, anno 1134 – das Hospital beherbergt heute sieben Menschen. Es sind sieben Pilger mit dem Ziel Compostela. Ein Ehepaar aus Le Puy (Notiz: Werde beide noch einen Tag hierbehalten, der Mann ist krank). Ein Edelmann aus Tours mit Diener. Adeline, Flore und Julien, Geschwister aus La Romieu (Notiz: 18, elf und zehn Jahre. Seltsam, wie erfreulich doch manchmal dieser Ort sein kann)."

Und ich sehe Leben in den Gesichtern von Adeline, Julien und Flore und ich spüre, wie sich Juliens Lungen mit Sauerstoff füllen.

2
Festigkeit

„Cafetería Palace" steht über der schmalen Eingangstür des Restaurants, das mir Kurt empfohlen hat. Ich sehe auch sogleich die Tafel, auf der mit Kreide das Menü für die Pilger des Camino Francés angeboten wird. An der zur Straße hin ersichtlichen Seite auf Englisch und an der abgewandten Seite in der Landessprache. Das Lokal ist gut besucht. Dem fragenden Blick des Kellners antwortend, sage ich: „Menü", und werde an einen noch freien Tisch geleitet. Daneben sitzen Leute, die ich schon gesehen habe. Ich erkenne Wolfgang und Anna, beide aus Deutschland, und grüße sie, nachdem sie mich bereits zuvor begrüßt haben. Auch die anderen am Tisch nicken.

Ich bekomme sofort eine Flasche Rotwein und aufgeschnittenes Baguette in einem Körbchen serviert und kurz darauf auch die Vorspeise, einen Salat mit Nudeln und Käse. Das fängt ja gut an, denke ich mir. Ich mag keinen Käse, stochere darin herum und lasse den Salat dann stehen. Ich erkläre dem Kellner, dass es nicht an der Qualität des Essens liegt, sondern dass ich keinen Käse vertrage, und betone es nochmals auf Spanisch. Das sind immer die ersten Worte, die ich in einem anderssprachigen Land lerne. „Sin queso." Der Kellner lässt daraufhin nicht locker und bringt mir einen neuen Salat, diesmal ohne Käse. Wow, das nenne ich Service.

Am Nebentisch, an dem Wolfgang und Anna sitzen, steht ein Mädchen auf. Es ist Gina, wie ich später noch erfahren werde. Wolfgang und die anderen am Tisch fordern mich auf, zu ihnen zu kommen, mit meiner Flasche Rotwein natürlich, die sie mit mir gemeinsam zu trinken gedenken. Ich ziere mich nicht lange, deute dem Kellner meinen Platzwechsel an und setze mich, die Flasche Wein in der Hand, an den frei gewordenen Platz neben Wolfgang. Es ist anfangs schwierig für mich, gegen die Aufmerksamkeit, die dem Rotwein entgegengebracht wird, anzukämpfen, aber schließlich halte ich doch länger durch als mein mitgebrachter roter Freund.

Wir stellen uns gegenseitig vor. Vielmehr ist es Wolfgang, der diese Aufgabe übernimmt und mich mit jedem bekannt macht. Vermutlich fühlte er sich dazu verpflichtet, da er wie ich Deutsch spricht, und ich bin ihm dafür auch dankbar. Mir gegenüber sitzt Chris, er ist mit 59 Jahren der Älteste am Tisch und kommt aus der Grafschaft Essex in England. Links von ihm sitzen Sherri, sie ist 57, und Kristi, 50, beide leben in Oregon. Wolfgang hält es für angebracht, auch gleich das Alter anzuführen. Am Kopf des Tisches befindet sich Steve, der 54-jährige Australier, und neben Wolfgang, er ist 49, sitzt Anna, 44 Jahre alt, sie kommt ebenfalls aus Deutschland.

„Reinhard", wiederholt Kristi meinen Namen, etwas anders eingefärbt, und sie gibt mir damit zu verstehen, dass der heutige Abend mit der englischen Sprache vorliebnehmen wird.

„Du kommst aus Österreich? Ein schönes Land, ich war schon mal in Salzburg und Wien."

„Wirklich?", mache ich auf erstaunt und werde sofort von Sherri unterbrochen, die Österreich ebenfalls schön findet. Sie weiß sogar, dass wir Österreicher Deutsch sprechen, auch wenn sie noch nie dort war.

Der Kellner bringt mir die Hauptspeise, ein gebratenes Hühnerfilet mit Kartoffeln, und bereits die Nachspeisen für meine Tischnachbarn. Ein weiterer Kellner, wie sich jetzt herausstellt der Chef des Hauses, stellt uns noch eine Flasche Rotwein auf den Tisch. Sherri und Kristi bekräftigen dies mit einem lauten Beifall und wir Übrigen stimmen freudig ein. Es ist mein dritter Abend in Spanien und es fällt mir schwer, die Gastfreundschaft, die uns Pilgern von den Einwohnern dieses Landstrichs entgegengebracht wird, zu verstehen. Ich habe gerade ein dreigängiges Abendessen verzehrt und eine Flasche Rotwein getrunken zu einem Preis, bei dem ich mich schämen sollte. Zu Hause würde ich nicht mehr als die Hauptspeise für dieses Geld bekommen. Ich will gerade meine Tischnachbarn darauf ansprechen, als am Tisch die Gläser zum Gruß ans Lokal erhoben werden. Ich bin mit voller Freude dabei und bringe mein Glas beinahe zu Bruch.

Mein Blick fällt auf den Tisch. Essensreste suhlen sich neben Rotweinflecken und machen die Tischdecke fast schon zu einem Kunstwerk. Daneben liegen zerknüllte Papierservietten, die diesen künstlerischen Aspekt unterstreichen. Wolfgang schnäuzt sich in seine Serviette und trägt zur musikalischen Untermalung dieses von mir bewunderten Ambientes bei. Es sind ausschließlich fröhliche Gesichter, die mich umgeben und immer wieder für Augenblicke mit mir Kontakt aufnehmen. Gerade diese wortlosen Blicke nehmen mich ein und sie geben mir ein Gefühl von Wärme und Geborgenheit. Wir nutzen die verbleibende Zeit bis zum Zapfenstreich um 22 Uhr für einen Bummel in der angrenzenden Altstadt von Pamplona.

Ich möchte hier noch kurz auf die Bedeutung des Zapfenstreichs eingehen. Bei allen öffentlichen, kirchlichen und städtischen Herbergen auf dem Camino Francés ist es Teil des Pilgerwesens, die Tore um 22 Uhr zu schließen und diese erst wieder am nächsten Tag um 6 Uhr zu öffnen. Diese Gepflogenheit diente früher dem Schutz der Pilger und wird auch heute noch beibehalten; auch viele private Herbergen halten sich an diese Abmachung.

Es ist kalt geworden, aber trotzdem herrscht Leben in den schmalen Straßen der Altstadt. Ein Freitagabend, an dem auch hier wie in den vielen anderen christlichen Städten und Gemeinden der Übergang vom arbeitsreichen Teil der Woche in die kurzen, erholsamen Tage zum Ende der Woche gefeiert wird, auch wenn laut der katholischen Kirche die Woche mit dem Sonntag beginnt. Viele Restaurants und Bars schmücken diesen Teil der Stadt. Zwei Gassen weiter stehen wir vor der Kathedrale Santa Maria, einem wuchtigen gotischen Kirchenbau. Die Eingangstore sind bereits geschlossen. Sherri fordert uns auf, oben am Ende der Stufen zur Kathedrale zusammenzurücken. Sie macht ein Foto, und wir schlendern weiter durch die Altstadt.

Chris bleibt vor einer Anzeigentafel mit Laufschrift stehen und murmelt etwas von 13 Grad. Auch ich blicke auf diese Tafel. Chris deutet auf die Laufschrift, die den Countdown bis zum Stiertreiben hinabzählt, das alljährlich in Pamplona stattfindet. Ich meine, dass es sich bei der letzten Zahl um Stunden handelt. Chris überlegt, dann müsste dieses Ereignis bereits kommendes Wochenende stattfinden. Es sind zwei Zahlengruppen, die angezeigt werden. Die zweite Zahlengruppe zeigt 2014, wir deuten diese als die Jahreszahl, die erste zeigt 44. Auch Wolfgang hat sich mittlerweile in unsere Diskussion eingeschaltet und wir sind uns jetzt sicher, dass es Tage sind, die zur Jahreszahl angezeigt werden. Der Stierlauf wird daher am 7. Juli seinen Anfang nehmen, so haben wir es beschlossen, und die Stiere werden diese Straße entlangkommen.

Ich denke, ich habe mal gelesen, dass Ernest Hemingway

in seinem Roman ‚Fiesta' von diesem Stierlaufen berichtet", sage ich zu Chris.

„Ist durchaus möglich", bejaht er und gibt mir dabei zu verstehen, dass er zwar Hemingway kennt, aber noch nichts von ihm gelesen hat.

„Durch dieses Buch soll der Stierlauf auch für die Amerikaner …" Kristi fällt mir ins Wort.

„Was ist mit den Amerikanern?", und treibt uns an weiterzugehen. „Es ist schon halb zehn, wir müssen zurück in die Albergue, wenn wir heute noch in einem warmen Bett schlafen wollen." Kristi unterstreicht es mit richtungsweisenden Armbewegungen.

„Meinst du, sie sind hier auch so streng, was die Sperrstunde angeht?", frage ich.

„Ja", antwortet Kristi. „Es ist schließlich eine Herberge der Jakobusbruderschaft Paderborn." Den Namen der Albergue spricht sie lang gezogen aus und lächelt dabei.

„Wir wollen es nicht darauf ankommen lassen", pflichtet ihr Chris bei.

„Ihr habt recht", sage ich, „und es ist auch nicht fair den anderen Pilgern gegenüber, die schlafen wollen, wenn wir im Zimmer so spät noch Radau machen."

Der Weg zurück entpuppt sich als kürzer als gedacht und wir setzen uns auf die Steinbrücke, die sich über den kleinen Fluss neben der Albergue spannt. Wir genießen noch für einen kurzen Augenblick das prächtige Farbenspiel des Sonnenuntergangs und mein Blick wandert zu unseren Füßen, die von der Brücke baumeln. Hier war es wieder, das Gefühl der Geborgenheit und der Wärme, das ich zum ersten Mal beim gemeinsamen Abendessen empfunden habe. Es ist der Camino, der sich beginnt mir zu öffnen, ein kleines Dankeschön für die Kräfte, die ich ihm über die

Pyrenäen geopfert habe, und eine kleine Wiedergutmachung für die Schmerzen, die er mir zugefügt hat und die ich ertragen habe, ohne auch nur den Funken eines Gedankens ans Aufgeben zu vergeuden. Ich hatte die Empfindung, geprüft zu werden für die Reise, die ich vorhabe, und war glücklich darüber und bin es nun umso mehr.

Wir umarmen uns wortlos und sehen gemeinsam auf unsere Füße. Die Füße, die uns noch Hunderte Kilometer durch das nördliche Spanien tragen werden, und wenn es in diesem Moment auch niemand sagt, so bin ich doch überzeugt, dass, wenn ein Wort dazu gesprochen werden sollte, es für jeden dasselbe sein würde: GEMEINSAM.

3
Am Anfang

Blicken wir zunächst aber noch zwei Tage zurück. Begonnen hat alles in Saint-Jean-Pied-de-Port, einem kleinen Ort auf der französischen Seite der Pyrenäen. Im Mittelalter war dieser Ort Teil des Königreichs Navarra, das sich heute auf die andere Seite der Pyrenäen begrenzt, die spanische Seite. Es hat die Nacht über geregnet. Ich habe es in den zahlreichen wachen Momenten der frühen Morgenstunden durch das offene Fenster vernommen und umso erleichterter bin ich jetzt, dieses Geräusch nicht mehr zu hören. Mit der Nacht und dem Schlaf hat sich auch der Regen verabschiedet. Ich bin froh, nichts wäre in diesem Moment schlimmer für mich gewesen, als meinen Weg im Regen anzutreten.

Meine Blase drängt mich ins Badezimmer. Besetzt. Wir sind sechs Personen im Zimmer und müssen uns das in einem Raum befindliche WC, das Waschbecken und die Dusche mit weiteren drei Personen im Nebenzimmer teilen. Es steht niemand vor dem Bad. Ich warte also zwischen der verschlossenen Tür zum Badezimmer und der offenen Tür zu meinem Schlafraum.

Ein junges Mädchen, es dürfte nicht älter als 22 oder 23 Jahre sein, zart, mit langen blonden Haaren, beginnt wieder mit der Beatmung, oder ist es die Reinigung seiner Lungen? Ich habe es schon gestern Abend dabei beobachtet, als ich vom Abendessen zurück ins Zimmer gekommen bin. Ich dachte zuerst instinktiv an eine Wasserpfeife, da die junge Frau dabei mit einem jungen Burschen in ihrem Alter im Bett saß. Wie ich dann aber leider feststellen musste, handelte es sich hierbei um kein Vergnügen für die beiden, sondern um eine technische Errungenschaft, die ihren Lungen beim Atmen half. Das Mädchen leidet offenbar an einem schweren Lungendefekt und der junge Mann, ich meine, es ist ihr Freund, half ihr beim Bedienen des Geräts. Ich kann nicht verstehen, was sie sagen, es klingt ein wenig nach einem skandinavischen Dialekt. Das Bad ist jetzt frei.

Ich verlasse beinahe gleichzeitig mit dem Mädchen und dem Jungen die Albergue, so nennt man auf dem Camino die Pilgerunterkünfte, und verabschiede mich von Rosa, die mit ihren sechs Katzen Besitzerin dieser Pilgerunterkunft ist. Es war meine erste auf dem beinahe 800 Kilometer langen Camino Francés, der auf mich wartet, und mein erster Massenschlafraum seit meiner neunmonatigen Pflichtzeit beim österreichischen Bundesheer. 30 Jahre sind seither vergangen und ich habe mittlerweile meinen 49. Geburtstag gefeiert, mehr oder weniger, eher weniger. Wir schreiben den 21. Mai 2014 und es ist kurz vor 8 Uhr. Die meisten der heute startenden Pilger sind bereits auf dem Camino. Ich kaufe mir noch ein Baguette und raus geht es durch das Stadttor, den ersten Anstieg auf die Pyrenäen hoch.

Im Geiste gehe ich nochmals die Checkliste durch, alles dabei? Mir schiebt sich gerade ein Abschnitt eines Buches vor Augen, das ich zur Einstimmung auf den Jakobsweg gelesen habe. Darin schreibt der Autor, dass er seinen Pilgerpass zu stempeln vergessen hatte. Es durchzieht mich ein Schauer. Ich drehe mich um 180 Grad und nehme Ziel auf Saint-Jean-Pied-de-Port, zurück durch das Stadttor und direkt ins Pilgerbüro. Nur noch vereinzelte Pilger befinden sich hier. Der erste Stempel erscheint in meinem Pilgerpass und ich bin ein klein wenig stolz und vor allem froh, mein Missgeschick noch rechtzeitig bemerkt zu haben. Ich starte meine Reise ein zweites Mal und nun baumelt auch eine Jakobsmuschel an meinem Rucksack.

Ich muss auf die Markierungen achten, denn Pilger sehe ich jetzt weit und breit keine mehr, weder vor noch hinter mir. Nach etwa 30 Minuten auf der leicht ansteigenden Asphaltstraße stoße ich auf das Mädchen mit den verklebten Lungen und ihren Freund. Sie werden begleitet von einem Mann mit einer riesigen Kamera, sie ist beinahe so groß wie mein Rucksack. Ich überhole die kleine Gruppe und nehme flotten Schrittes – meine Kondition ist prächtig – den Weg weiter nach oben. Wie ich später bei einem kleinen Halt erfahren werde, ist der Mann vom dänischen Fernsehen und filmt den Weg der beiden. „Länger als drei Tage sind finanziell nicht drin", wird er mir sagen. „Die Fernsehanstalt ist klein. Das Mädchen und der Junge werden aber noch bis Burgos gehen."

Es beginnt, leicht zu nieseln, und ich ziehe meine Jacke über. Eine leicht gefütterte Jacke gegen Wind und Regen. Es ist schon eigenartig, dass es gerade diese Jacke ist, die mich den heutigen Tag und auch die nächsten Tage ständig begleiten wird, habe ich sie doch bis zuletzt aus Platzgründen nicht mitnehmen wollen. Ich habe mich schließlich dafür entschieden, sie zumindest für die Überquerung der Pyrenäen einzupacken, danach könnte ich sie irgendjemandem auf der Straße schenken, um sie nicht durch das sonnendurchflutete Spanien schleppen zu müssen. Es sollte anders kommen.

Der leichte Nieselregen verwandelt sich in einen Schauer und ich ziehe auch noch meinen Regenponcho über, was sich aber nicht als ganz so einfach herausstellt. Als richtiger Laie, was Wanderungen betrifft, habe ich den Regenschutz nicht griffbereit, sondern ihn inmitten meines Rucksacks verstaut und dies stellt sich jetzt als ziemlich dumm heraus.

Inzwischen haben der Camino und ich die asphaltierte Straße verlassen. Ich habe schon zu mehreren vor mir gestarteten Pilgern aufgeschlossen und auch so manchen überholt. Der Regen hat nachgelassen und hört jetzt vollends auf. Mir wird warm beim Gehen und ich streife den Regenponcho ab. Ein Blick zum Himmel: Es ist heller geworden, ich verstaue den Poncho außen an meinem Rucksack. Der Weg hat an Steilheit zugenommen und ich sehe vereinzelt Pilger an seinem Rande stehen, die nach Luft schnappen. Meine Heimat verschafft mir jetzt einen kleinen Vorteil. Die Topografie meiner Wohngemeinde ähnelt dieser hier doch sehr. Nicht dass ich zu Hause Wanderungen mit vollem Gepäck gemacht hätte, aber über die eine oder andere Anhöhe bewegt man sich doch und auch das absolvierte Schwimm- und Lauftraining machen sich beim Anstieg auf diesen Berg bezahlt. Ich bin mit meinen 1,87 Metern auch größer gewachsen als die meisten meiner Begleiter und außer den zwölf Kilo auf meinem Rücken und der Wasserflasche an meinem Gürtel schleppe ich nur mein Normalgewicht mit mir, 84 Kilogramm waren es zuletzt.

Ich habe Spaß am Gehen und erreiche auch schon Orisson, eine kleine private Albergue, die sich auf der leicht abgesetzten Anhöhe am Ende des vier Kilometer langen und steilen Anstiegs ins Gelände schmiegt. Hier gönne ich mir einen Kaffee mit Milch oder, wie man hier zu sagen pflegt, einen Café au lait, und ein Croissant. An die 25 Pilger zähle ich. Sie bilden kleine Einheiten, die sich vermutlich schon vor Antritt der Reise gekannt haben. Eine Sechsergruppe, der Sprache nach zu urteilen Franzosen, peppt ihren Kaffee mit Cognac auf. Das Bild eines fröhlichen Wandertags. Ich genieße den Kaffee und die herrliche Sicht in das darunter liegende Tal, das von weißgrauen Wolkenteppichen verziert wird.

Ich muss weiter, wenn ich heute noch Roncesvalles erreichen will. Das steilste Stück der heutigen Etappe habe ich
laut Reiseführer hinter mich gebracht. Ich folge einer schmalen Straße über eine karge und felsige Landschaft, die heute
von einem bunten Band aus Pilgern durchzogen wird, immer weiter aufwärts. Es wird windig und kälter. Einige Radfahrer überholen mich. Ein Blick zum Himmel verrät nichts
Gutes, dunkle Wolken ziehen mir entgegen. Der Pilgerstrom
hat Löcher bekommen, die Abstände dazwischen sind größer geworden. Regentropfen klatschen auf den Asphalt.
Zeit, um wieder unter meinen Regenponcho zu schlüpfen.

Der Regen wird stärker und heftige Windböen peitschen
mir nass ins Gesicht. Von den Knien abwärts, denn so weit
reicht mein Poncho, wird es nasskalt. Jetzt ist das eingetreten, wovor ich mich so gefürchtet hatte. Die Gedanken von
Kälte, Nässe und nach der Sinnhaftigkeit meines Unterfangens springen durch meinen Kopf, kreisen umher und lassen
die Umgebung, ohne sie zu bemerken, an mir vorüberziehen. Meter für Meter, bis ich auf der vor mir erscheinenden
Anhöhe etwas wahrnehme. Es sieht nach einem Fahrzeug
aus, nach einem Kleinbus, vermutlich ein Ausschank. Ich
habe wieder ein Ziel vor Augen und dies hilft mir, meine
Gedanken zu ordnen und das Infragestellen meiner Reise zu
verdrängen.

Ich verspüre ein leichtes Ziehen in meinen Oberschenkeln. Erste Mangelerscheinungen machen sich in meiner
Muskulatur bemerkbar. Viereinhalb Stunden ständig aufwärts ohne wirkliche Nahrungszufuhr, ich hatte auch kein
Frühstück, fordern ihren Tribut. Ich besinne mich der Mag-
nesiumtabletten, die ich für anstrengende Wegstücke eingepackt habe. Meine Gedanken durchleuchten den Rucksack.
Hier sind sie, im unteren durch einen Reißverschluss ge-
trennten Teil meines Rucksacks, dort, wo ich meine Toilet-

tenartikel verstaut habe, in der größeren Tasche von beiden. Nur noch das kleine Wegstück bis zum Bus. Ich kann ihn jetzt schon deutlich erkennen, auch ein Vorzelt sehe ich. Dort nehme ich eine Jause zu mir und die Magnesiumtablette, auch einen heißen Kaffee, wenn es denn einen geben sollte, denke ich vor mich hin und ich werde vom Regen emporgepeitscht.

Endlich, ich habe mein zuvor gestecktes Ziel erreicht und es gibt heißen Kaffee, mit dem ich mich nicht nur innerlich wärme, auch meinen Händen gefällt dieses mollige Gefühl. Nicht viele Personen haben hier Unterschlupf gefunden. Kurz vor mir ist ein Mädchen, nicht viel älter als 20, mit seiner Freundin eingetroffen, es weint heftig. Ich finde, das Mädchen steht kurz vor einem Nervenzusammenbruch. Seine Freundin macht dem Mann am Ausschank klar, dass er ein Taxi rufen soll, was er auch macht. Eine ältere Frau versucht, es zu beruhigen.

Zwei Männer, der Besitzer des Ausschanks und ich versuchen, das Vorzelt, das nun von heftigen Windböen gebeutelt wird, zu stabilisieren. Weitere Personen befinden sich nicht an diesem Punkt der Pyrenäen, der jetzt mehr und mehr in den Mittelpunkt eines Weltuntergangsszenarios rückt. Die Regentropfen sind zu Eiskristallen mutiert und treffen uns jetzt von der Seite, angefacht von einem mächtigen Sturm, der uns das Vorzelt aus den Händen reißt und durch die Luft wirbelt. Ständig wird mir die Sicht vom Regenschutz, der sich über meinen Kopf wickelt, genommen, was mich der eisigen Nässe freigibt. Der Camino versucht, mich abzuwerfen, aber irgendetwas in meinem Inneren befiehlt mir, weiterzugehen und mich dieser Urgewalt zu stellen. Es ist auch das Vernünftigste in dieser Situation. Dem einzigen Unterschlupf auf diesem nackten Bergrücken beraubt, entschließe ich mich, so wie die beiden Männer und die Frau, weiterzugehen.

Ich blicke nochmals zurück zu den Mädchen, die an dem Kleinbus kauern und auf das Taxi warten. Der Weg erhebt sich wie ein scheuendes Pferd. Das Wasser schießt beinahe bachartig über den felsigen Untergrund und wird unaufhaltsam von den gefrorenen Wassermassen gespeist, die sich vom Himmel ergießen. Ich bin ein Spielball der Naturgewalten, aber aus irgendeinem Grund umspült mich eine Gelassenheit, lasse ich die Kräfte der Natur auf mich einwirken und mir scheint, ich bin sogar dankbar dafür. Vergessen ist die Kälte, die meinen Körper umhüllt, die Nässe, das Brennen in meinen Oberschenkeln, mir ist, als trage mich die volle Aufmerksamkeit des Camino. Ich blicke mich um, sehe niemanden und doch spüre ich eine Verbundenheit, eine Verbundenheit, die ich jetzt mit Tränen der Freude, die über mein Gesicht auf den Camino tropfen, unterstreiche. Für einen kurzen Augenblick löst sich ein Gedanke, eine Erinnerung in meinem Kopf und verschwindet sogleich wieder in den unendlichen Windungen meines Gehirns. Es war wie ein schöner Traum, den man am Morgen noch verspürt, aber so sehr man sich auch anstrengt und sich daran zu erinnern versucht, er ist frei von Bildern, er versprüht nur ein schönes, angenehmes und behagliches Gefühl.

Das Wetter beruhigt sich, Regen und Wind lassen nach und der Weg wird zunehmend flacher. Irgendwo hier habe ich die Grenze zu Spanien überschritten. Ich stoße auch wieder vereinzelt auf Pilger. Sie wissen nichts von einem derartigen Unwetter. Es hat stark geregnet, ja, das siehst du am Matsch, durch den wir waten, höre ich sie sagen. Ich versuche, die tiefen Stellen im Morast zu umgehen, und werde daran von den sich immer dichter an den Pfad heftenden Bäumen gehindert. Ich merke erst nach einiger Zeit, dass der Regen mittlerweile von den Blättern fällt und nicht mehr vom

Himmel. Die Bäume werden spärlicher und ich stehe am höchsten Punkt, dem Col de Lepoeder.

Die nächsten vier Kilometer führen mich durch ein steil abwärts gerichtetes Waldgebiet. Der Boden ist aufgeweicht und glatt. Vorsichtig schreite ich hinunter, suche Halt am glitschigen Erdreich und versuche stets, das Gleichgewicht zu halten, was mir nicht immer leichtfällt mit dem Gewicht auf meinen Schultern. Ich überhole zwei Pilger. „Buen Camino", stoßen wir fast gleichzeitig hervor. Der Gruß auf dem Camino, den ich heute sicherlich bereits 50 Mal gehört und gesagt habe.

Abschnittsweise ist es sehr ruhig und einsam, so wie jetzt, wo ich seit 30 Minuten niemanden zu Gesicht bekomme, und hier ist es wieder, dieses seltsame, ich möchte beinahe schon sagen unheimliche Geräusch, das mich bereits seit mehreren Minuten verfolgt. Ein Knarren, ein Klopfen, als ob man Stöcke aufeinanderprallen lässt. Holzarbeiter? Ich blicke mich um, ich sehe niemanden. Es ist ruhig, kein Laut ist zu vernehmen. Ich gehe weiter und da höre es von Neuem, dieses Reiben und Klopfen. Immer nur kurz, manchmal auch hintereinander. Ich blicke nach oben. Ein Wassertropfen löst sich vom Blatt einer Buche und explodiert mitten auf meiner Stirn. Das ist es, ich habe die Ursache gefunden. Hier wachsen Buchen und Tannenbäume dicht aneinander, paarweise, sie kreuzen sich im Wachstum und der Wind lässt sie von Zeit zu Zeit aneinanderschlagen, sehr effektvoll.

Ein Wegweiser schreibt „Roncesvalles – 1 km". Ich bin erleichtert, es ist bereits 16 Uhr und es war ein langer und anstrengender Tag. Ich blicke auf einen riesigen Komplex aus Ziegel und Stein. Das Kloster von Roncesvalles, wo aber ist der Ort? Ich frage einen gerade vorbeigehenden Einheimischen, wo ich hier bin.

„Das ist Roncesvalles", erklärt er mir mit einem französischen Akzent.

„Das ist Roncesvalles? Nur das Kloster?", reagiere ich etwas ungläubig.

„Ja, oberhalb des Klosters befinden sich noch ein Hotel und ein Restaurant. Mehr als 28 Einwohner gibt es hier nicht", bekomme ich dem Sinn nach in einem Gemisch aus Englisch, Französisch und Spanisch zur Antwort. Ich blicke mich nochmals um, nehme die Steinstufen, die zum Gebäude hochführen, und stehe vor einem großen Holztor, das nur ins Schloss gelehnt ist. Mit einem kräftigen Druck schiebe ich das Tor zurück und blicke in einen großen Raum, in dem sich zahlreiche Rucksäcke vor mir ausbreiten. Ich werde von einem großen und sportlich aussehenden Mann begrüßt. Er fragt mich, woher ich komme, zunächst auf Englisch. Nachdem ich mich als Österreicher zu erkennen gegeben habe, erklärt er mir auf Deutsch, dass er und die übrigen Angestellten hier aus Holland kommen und zeitlich begrenzt ihre Dienste verrichten. Er verweist mich zur Rezeption, wo meine Daten aufgenommen werden und ich ein Bett für die Nacht zugeteilt bekomme.

Ich stelle mich in die Reihe, die aus acht Pilgern besteht, und bekomme einen Zettel, auf dem ich meine Personalien bekannt zu geben habe und einige wenige Fragen zu beantworten sind. Meine Mundwinkel krümmen sich leicht nach oben, als ich beim Ankreuzen zur Frage des Fortbewegungsmittels neben „zu Fuß" oder „mit dem Fahrrad" auch „mit dem Pferd" lese. Ich bezweifle die Aktualität dieser Formulare. Zu Pferd? Wie sich herausstellen wird, werde ich dies in den nächsten Tagen zu revidieren haben. Ich bekomme das Bett mit der Nummer 135 im dritten Stock zugeteilt und schließe daraus, der 135. Pilger zu sein, der am heutigen Tag in diesem Kloster Unterschlupf sucht.

„Insgesamt haben 180 Pilger Platz", erklärt mir Gillis, der Holländer von zuvor, den ich nun beim Namen kenne.

„Und so wie es aussieht, werden wir diese Betten heute auch alle benötigen. Für Notfälle gibt es aber noch den alten Trakt mit 120 Betten", erklärt er mir weiter und zeigt mir den Weg zu den Unterkünften, um mich zuvor aber noch auf die Waschküche im Kellergeschoss und den im Erdgeschoss befindlichen Aufenthaltsraum und die Küche für die Selbstversorgung aufmerksam zu machen. Die Schuhe musste ich bereits zuvor in einem eigens dafür vorgesehenen Raum abstreifen. Niemand darf mit den Wanderschuhen die oberen und unteren Räumlichkeiten betreten.

Der Schlafraum beherbergt 40 Betten, die auf jeder Seite nach zwei Betten mit einer brusthohen Trennwand unterteilt sind. Dazu verfügt jeder Schlafplatz über einen geräumigen Spind und zwei Steckdosen. Der ganze Saal ist sehr hell und durch Holzgiebel an der Decke begrenzt. Der dritte Stock ist also der letzte in diesem Gebäude. Auf der anderen Seite des Schlafraums führt ein Lift ins Kellergeschoss, wo sich die Waschküche befindet, die ich nun als Erstes aufsuche, um meine nasse und durch Schlamm verschmutzte Jeans zu waschen, per Hand, denn die zwei Waschmaschinen sind restlos ausgebucht. Ich finde einen beheizten Trockenraum und wasche auch noch mein durchnässtes T-Shirt sowie Hemd und Socken. Wer weiß, wie es in den nächsten Tagen wird.

Im großen Innenhof des Klosters, der jetzt von der Sonne erhellt wird, breitet sich ein Meer von Wanderschuhen und Pilgern aus. Auch ich nutze dieses Schauspiel zum Reinigen meiner Schuhe, um sie anschließend zum Trocknen in die Sonne zu stellen. Hier sitze ich nun, tippe auf meinem Tablet-PC und lasse meinen ersten Tag am Camino Francés Revue passieren.

4
Pamplona

Es war eine unruhige Nacht. Obwohl ich erschöpft und müde von diesem ersten Tag in den Pyrenäen war, wurde ich unentwegt aus dem Schlaf gerissen. Zuerst durch das Schnarchorchester, das den Saal zu seiner Spielfläche erklärte, dem ich aber durch Ohrstöpsel, die ich tief in meine Ohrgänge schob, weitgehend entkommen konnte. Danach wurde ich von unangenehmer Kühle, die meinen Körper erfasste, aus dem Schlaf gerissen, da das Seideninlett, mit dem ich mich begnügen musste, mir nicht die nötige Wärme spendete. Aus Platzgründen hatte ich auf einen Schlafsack verzichtet, da ich mir schon wärmere Temperaturen für diese Jahreszeit in Spanien vorgestellt hatte. Es gelang dann doch, mir die nötige Wärme zu verschaffen, indem ich Socken, Jeans und noch ein T-Shirt überzog und auch noch Handtuch und Regenponcho über mich warf. Für die krönende Untermauerung dieser Nacht sorgte ein stechender Schmerz in meinem linken Knie.

Um 6.30 Uhr wurde der Saal mit künstlichem Licht geflutet und ich von der Pein dieser Nacht erlöst. Als ob man in einen Ameisenhaufen stochert, begann der Saal zu leben. In alle Richtungen verteilten sich die Leute. Die einen in Richtung Waschküche, um sich die gewaschenen und über Nacht getrockneten Kleidungsstücke zu holen, die anderen zog es in den Waschraum und zu den Toiletten. Es gab jeweils zwei Toiletten für die weiblichen und die männlichen Gäste dieses 40 Personen umfassenden Schlafsaals. Erstaunlicherweise gab es keine Warteschlangen, weder vor den Toiletten noch vor den Waschbecken. Nach einer Stunde war der Saal leer. Beinahe. Ich und drei weitere Personen stopften noch die letzten Utensilien in den Rucksack und machten sich für den heutigen Teil des Weges fertig.

Ich verlasse wieder als einer der Letzten die Unterkunft, diesmal das Kloster von Roncesvalles, und stehe nun nach nicht ganz zwei Kilometern vor der ersten großen Herausforderung des heutigen Tages: Ein lediglich etwa sieben Meter kurzes, steil abfallendes Stück, das die asphaltierte Straße zur weiterführenden, markierten Wegstrecke des Camino Francés trennt, entpuppt sich für mich als unüberwindbar. Der erste Schritt, der mich abwärtsführt, bringt mein linkes Knie zum Explodieren. Ein stechender Schmerz entspringt dem Knie, fährt hoch bis an meine Schläfen und lässt mein Gesicht zu einer Fratze werden. Ich stehe wie versteinert da, entlaste mein linkes Bein, beuge und strecke es vorsichtig. Keine großen Schmerzen. Ich stelle mein Bein abermals in den Boden. Scheiße! Schweißtropfen bilden sich auf meiner Stirn, nicht vor Erschöpfung, nein, vor Schmerzen.

Es scheint mir wie eine Ewigkeit, bis ich dieses kurze Gefälle überwunden habe. Tausende Gedanken durchfluten mein Gehirn. Keine Gedanken von Aufgeben, aber an Rückreise, Krankenhaus und Versager. Ich beneide die Pilger, die mich jetzt überholen, die fast an mir vorbeilaufen und „Buen Camino" rufen. Selbstmitleid steigt in mir hoch und lässt mich beinahe an lächerlichen sieben Metern des 800 Kilometer langen Camino durch den Norden von Spanien zerbrechen.

Noch nicht, denn mit jedem weiteren Schritt in der Ebene lassen auch die Schmerzen nach. Sie reduzieren sich auf ein erträgliches Maß, das mir erlaubt, mit normalem Tempo weiterzumarschieren. Es stellt sich bald heraus, dass es gerade die abwärtsgerichteten Wegstücke sind, die meinem linken Knie zu schaffen machen und den Schmerzpegel ansteigen lassen. Lang gezogene und gerade abfallende Strecken nehme ich jetzt im Eiltempo. Diese bereiten mir weniger Unbehagen. Ich vermeide es damit, mein Bein in den Weg zu stemmen und es zu belasten. So komme ich ganz gut über die ersten 15 Kilometer. Ich bin nicht der Einzige, der humpelt. Es haben auch andere Probleme mit ihren Gliedmaßen. Mitunter regnet es leicht. Die Landschaft ist hügelig und einsam, wäre da nicht die Flut an Pilgern, die ich bei offenem Gelände nie aus den Augen verliere.

In Bizkarreta, einer kleinen Ortschaft, nutze ich einen Parkplatz neben einem Imbiss für eine kleine Mahlzeit. Der größere Teil der heute in etwa 180 Menschen umfassenden Pilgerschar ist schon hier durchgekommen oder macht sich gerade wieder bereit zu gehen. Es ist trocken bei vielleicht 17 Grad Celsius und die Sonne blinzelt scheu durch den Wolkenvorhang. Mir leisten noch sieben weitere Pilger Gesellschaft, drei sind im Anmarsch. Ich esse ein Stück von der Trockenwurst, die ich noch von zu Hause mit mir führe, und ein Stück Baguette, mit dem ich mir auch gleich die Unterlippe aufschneide, so scharf ist die Kruste und so empfindlich sind meine Lippen geworden. Liegt es an der vielen frischen Luft, der ich den ganzen Tag ausgesetzt bin, oder am Wasser?

Eine Frau, sie hockt neben mir auf der kniehohen Steinmauer, macht mich darauf aufmerksam, dass ich blute. Ich sehe es am Baguette, von dem ich abgebissen habe. Rote Flecken entlang der Rinde. Ich erkläre ihr, dass ich mich an der scharfen Kruste aufgerissen haben muss, meine Zähne sind in Ordnung. Wir plaudern ein wenig, sie heißt Anna und kommt aus Koblenz in Deutschland. Mir macht mein Bein zu schaffen und ich verspüre kein besonderes Verlangen nach Unterhaltung. Also fasse ich mich kurz und zeige auch keinerlei Initiative für ein ernsthaftes Gespräch. Ich erfahre nur, dass sie alleine unterwegs ist. Zwei Wochen hat sie Urlaub und will es bis Burgos schaffen. Wir machen uns erneut auf den Weg, getrennt voneinander.

Ich erinnere mich jetzt, dass ich sie bereits in Bayonne am Busbahnhof gesehen habe, wo ich auf den Anschlussbus nach Saint-Jean-Pied-de-Port gewartet habe und mit mir weitere 60 bis 70 Pilger. Frauen mit langen, schwarzen Haaren fallen mir einfach auf. Auch wenn ihre Haare nicht ganz so lang sind.

Es geht wieder aufwärts, hinauf auf einen großen Hügel, Berg wäre zu viel gesagt. Das Hochgehen klappt ganz gut mit dem Knie, aber auf der anderen Seite wird es dann zweifelsfrei hinuntergehen und das bereitet mir Sorgen. Ich gehe durch bewaldetes Gebiet und es ist nach wie vor trocken, auch wenn sich auf der Nordseite mächtige dunkle Wolken zusammenschieben. Der Pilgerstrom hat sich jetzt etwas auseinandergezogen. Ein langer, gerader Anstieg gibt mir die Sicht auf den zu erwartenden Weg frei. Ich erblicke zwei Mädchen. Ich kann aus der Entfernung erkennen, dass es sich um jüngere Personen handeln muss. Sie verlassen den ausgetretenen Pfad und suchen stattdessen die Gegenwart der Sträucher auf, die sich in unmittelbarer Nähe befinden. Ich schließe auf ein menschliches Bedürfnis, dem sie nachzukommen gedenken und welches sie, bevor ich an sie herankomme, bereits verrichtet haben. Zwei junge Mädchen aus Kanada, Ashley und Sara, wie ich in einem Gespräch im Vorbeigehen erfahre.

Mir fällt jetzt auf, dass ich über dem Altersschnitt der Pilger, die mit mir zusammen gestartet sind, liege. Ich war davon ausgegangen, zum jüngeren Kreis der Pilgerschar zu zählen. Nun zeigt sich mir, dass nur wenige ältere Menschen, viele in meinem Alter und sehr viele jüngere bis ganz junge Leute, wie Ashley und ihre Freundin, den Camino gehen. Ich hatte nicht damit gerechnet, dass so viele Personen im berufstätigen Alter den Jakobsweg bestreiten. Eine Strecke, die, wenn man sie bis Santiago de Compostela gehen will, schon fünf bis sechs Wochen von einem abverlangt. Ein Zeitfenster, das die meisten Berufsgruppen nicht zu öffnen vermocht hätten. Umso mehr verwundert es mich, so viel Jugend und auch Fröhlichkeit um mich herum zu begegnen. Ich werde plötzlich von Leichtigkeit umspielt, die die unentwegte Aufmerksamkeit an mein beleidigtes Knie ablöst. Der schönste Moment an diesem Tag.

Ein Wegweiser zeigt sieben Kilometer bis nach Zubiri, meinem heutigen Etappenziel. Abermals beginnt es zu regnen, nicht besonders stark, aber doch so viel, dass ich unter meinen Regenumhang schlüpfe. 20 Minuten später ist der ganze Spuk vorbei und vereinzelte Sonnenstrahlen ersetzen die Regentropfen. Das Szenario des Vortages wiederholt sich auch heute. Regenponcho an, Regenponcho aus.

Die weitere Strecke nach Zubiri führt mich durch dichte Laubwälder, die von einem breit angelegten Pilgerpfad durchschnitten werden. Ich habe heute viele Pilger überholt und das mit diesem Knie, denke ich mir und werde auch gleich von drei Pilgern auf Fahrrädern überholt, die mir ihr Herankommen durch ein Klingelzeichen ankündigen. Ich muss mich wohl inmitten des Weges befunden haben, in Gedanken und nicht bedacht, dass auch mich jemand überholen könnte.

Das Terrain wird abschüssig und es tritt ein, was ich befürchtet habe: Schmerzen. Ich versuche, mein Gewicht so gut wie möglich auf meine rechte Körperhälfte zu verlagern, ohne viel Erfolg. Immer öfter bleibe ich stehen, versuche, mein Knie zu entlasten, anzuheben und zu strecken, reibe daran, beiße die Zähne zusammen und gehe weiter.

Ich stoße auf Spanier. Zwei Männer, zwei Frauen. Einer hinkt den anderen ein klein wenig hinterher. Unser Weg kreuzt sich.

„Buen Camino."

„Buen Camino."

Der Mann bemerkt mein Humpeln. „Ich habe Schmerzen im linken Knie", sage ich auf Englisch. „Vor allem beim Abwärtsgehen." Der Mann spricht nur Spanisch. Er deutet auf mein Knie und gibt mir zu verstehen, ich solle es anwinkeln und danach strecken. Es ist nicht möglich, die Schmerzen sind zu groß. Er senkt den Kopf und zieht die Lippen auf der einen Seite etwas nach oben. Ich spreche zwar kein Spanisch, ein paar Brocken Französisch und kann so etwas wie „Ce n'est pas bon", was so viel heißt wie „Das ist nicht gut", aus seinen Worten entnehmen. Er hat zwei Trekkingstöcke und besteht darauf, dass ich einen davon nehme. Ich ziere mich etwas, nehme aber schließlich dankend an.

„Ich heiße Fausto." Ein paar Wörter, die ich wieder einordnen kann.

„Mein Name ist Reinhard", erwidere ich auf Französisch. Es ist wirklich besser. Ich kann mein Gewicht damit von meinem linken Bein nehmen und somit das Knie entlasten. Wir holen die anderen drei Spanier ein, seine Frau Teresa und ein befreundetes Ehepaar. Teresa spricht ein wenig Englisch. Sie übersetzt die mit wild gestikulierender Untermalung geführten Wortgefechte von Fausto.

„Sie sollen in Zubiri unbedingt einen Arzt aufsuchen. Es gibt dort auch ein Sportgeschäft. Sie brauchen einen Stock, wenn Sie weitergehen wollen."

Ich bejahe es in einer Weise, dass es auch Fausto versteht. Fausto und ich übernehmen die Führung der nun fünfköpfigen Pilgergruppe. Fausto redet ununterbrochen und ich verstehe so gut wie gar nichts davon. Der Pfad ist steinig und vor allem schmerzhaft, trotz des helfenden Stockes. Fausto läuft ständig vorneweg, um dann wieder auf seine Frau und seine Begleiter zu warten. Mal befinde ich mich vor ihm, mal hinter ihm. Auf einmal sind die Bäume, die den Weg begrenzen, verschwunden und ich blicke auf eine kleine Ansiedlung.

„Zubiri" kann ich den spanischen Worten neben mir entnehmen. Endlich, ich bin erleichtert. Ich gebe Fausto seinen Trekkingstock zurück und bedanke mich mehrfach, indem ich ihm auch versichere, zum Arzt zu gehen und mir einen Stock zu besorgen. Ich warte nicht mehr auf seine Frau und das Ehepaar, die doch weiter zurückliegen, als ich zuvor gedacht habe. Mit einem „Gracias" in Richtung des Spaniers führt mich der Wanderpfad über eine kleine Brücke nach Zubiri.

Gleich nachdem ich den Fluss überquert habe, befinde ich mich im Ortskern von Zubiri. Auf der linken Straßenseite fällt mir sofort ein Sportgeschäft ins Auge. Später, denke ich mir. Es ist 13.30 Uhr und ich sollte mich zuerst um eine Unterkunft kümmern. Die erste Albergue, die ich erblicke, sieht von außen sehr schön und freundlich aus. Mehr werde ich davon auch nicht zu Gesicht bekommen. Es sind gerade zwei Pilger abgewiesen worden, mit dem Wort „completo" wurden sie per Handzeichen in Richtung Hauptstraße verwiesen. Ich folge ihnen.

Der Ort ist nicht besonders groß, laut Reiseführer hat er 420 Einwohner. Er zieht sich aber in die Länge und es dauert doch, bis wir die angewiesene Herberge entdecken. Sie ist im Bungalowstil angelegt und verfügt über zwei Schlafräume zu je zwölf Stockbetten, bietet also Platz für 48 Pilger. Die Nasszelle ist über den Hof zu erreichen und trennt zumindest die Duschkabinen der Geschlechter. Für acht Euro pro Nacht ganz passabel. Ich frage den Mann am Empfang nach einem Arzt. Er deutet mir die Richtung, sieht auf die Uhr und bewegt dabei seine flach ausgestreckte rechte Hand hin und her, um mir anzudeuten, dass er sich nicht sicher ist, ob noch jemand dort ist um diese Uhrzeit. Ich entscheide mich, später zu duschen, und humple auf gut Glück in die angezeigte Richtung die Hauptstraße entlang.

Ich komme an einer Schule vorbei, einem Restaurant, einem Busbahnhof, bis ich schließlich nach ungefähr einem Kilometer die Arztpraxis erreiche. Die Tür lässt sich öffnen und ich trete ein. Hinter dem Empfangstresen sehe ich ein Mädchen, ansonsten scheint niemand hier zu sein.

Die junge Frau sagt „Hola", ich erwidere „Hola". Sie hat langes blondes Haar, ist etwa 1,70 groß und leicht mollig. Ihr ist bald klar, dass ihre Muttersprache jetzt nicht viel ausrichten kann, sie sucht nach englischen Wortfetzen bis in die letzten Winkel ihrer Gehirnwindungen und schafft es dabei, nie ihr Lächeln zu verlieren. Schließlich fordert sie mich auf, Platz zu nehmen. Der Arzt sei außer Haus, werde aber jeden Moment zurückerwartet, erklärt sie mir dabei.

Es ist schon komisch, wie schwierig es ist, in einem Raum voller leerer Stühle den richtigen zu finden. Es gelingt mir gleich beim ersten Versuch, ich reibe an meinem Knie und warte. Nach etwa 15 Minuten betreten ein Mann und eine Frau die Praxis mit dem üblichen „Hola" und verschwinden im angrenzenden Raum. Das sollte doch der Arzt gewesen sein, denke ich mir. Ich warte weitere zehn Minuten. Der Mann verlässt das Gebäude und man ruft mich in die Praxis. Aha, dann handelt es sich also um eine Ärztin.

Ich betrete das Behandlungszimmer und werde mit „Hola" begrüßt. Mein erster Eindruck ist gut. Ich schätze die Frau Doktor auf Ende 30. Sie hat mittellanges dunkelblondes Haar, eine sehr weibliche Figur, mittlere Größe und sieht sehr gepflegt aus, was ihre Attraktivität noch weiter betont. Ihre Stimme ist angenehm, jedoch haben wir wieder dieses Problem mit dem Verstehen des Gesprochenen. Jetzt bedaure ich es sehr, nicht Spanisch zu sprechen. Wir einigen uns auf Zeichensprache und ich zeige auf mein linkes Knie. Ich ziehe meine Schuhe und Jeans aus und lege mich auf die per Handzeichen angewiesene Liege. Die Ärztin bewegt mein Knie in die verschiedensten Richtungen und sucht fragend in meinem Gesicht nach Reaktionen. Ich versuche, sie dabei mit meiner Mimik zu unterstützen. Sie lächelt leicht, ich bin vermutlich nicht der erste Pilger, der auf dieser Liege Platz genommen hat. Ihre Augen sind grün und werden durch eine dezente Bemalung ihrer Augenlider hervorgehoben. Der Augapfel ist strahlend weiß und wird von keinerlei roten Äderchen durchzogen. Ich habe einmal gelesen, je reiner der Augapfel ist, desto gesünder ist der Mensch. Ihre Augenbrauen sind dunkel, aber nicht schwarz. Das lässt darauf schließen, dass ihre Haarfarbe natürlichen Ursprungs ist. Ich sehe gerne in ihr Gesicht.

Sie weist mich an, aufzustehen und mich anzukleiden. Mein Knie benötigt einige Tage Schonung, versucht sie mir klarzumachen und ich ihr, dass dies nicht möglich ist. Die Ärztin gibt mir schließlich eine Spritze für die akuten Schmerzen und verschreibt mir Tabletten für die nächsten Tage. Sie versucht, mir noch mitzuteilen, dass sich die Apotheke 200 Meter stadteinwärts auf der linken Straßenseite befindet und erst um 17 Uhr öffnet. Ich bedanke mich noch recht herzlich, auch bei dem Mädchen am Empfang, und gehe erst mal zurück in die Albergue, diesmal ohne nennenswerte Knieprobleme. Noch mehr als zwei Stunden, bis die Apotheke öffnet. Genügend Zeit für Körperpflege und sonstige Anliegen.

Es ist inzwischen kurz vor 17 Uhr und die Albergue ist bis auf das letzte Bett gefüllt. Ich kenne niemanden. Doch, ich habe Pedro erkannt, einen 26-jährigen Brasilianer. Er hat ebenfalls Probleme mit den Beinen, scheut sich aber, zum Arzt zu gehen. Der Kontakt zu den anderen Pilgern hält sich vorerst noch in Grenzen.

Ich hole mir die verschriebenen Tabletten von der Apotheke und gehe weiter zum Sportgeschäft. Ein kleiner Laden, nur ein Raum mit vielleicht zehn mal zehn Metern. Ein junger Mann, er spricht sehr gut Englisch, empfiehlt mir einen Trekkingstock, den er für 15 Euro im Angebot hat. Ich nehme ihn und sehe mich noch bei den Trekkingsandalen um. Meine habe ich bei der Anreise in Paris verloren. Na ja, einen davon, den anderen habe ich dann entsorgt. Auch hier habe ich wieder Glück und bekomme ein Paar Teva-Sandalen um lediglich 39 Euro, viel günstiger als zu Hause. Ich hätte mit allem gerechnet, aber sicherlich nicht damit, dass ich in einem Sportgeschäft mitten in der Provinz, das von Pilgern sämtlicher Nationen durchrannt wird, Markenschuhe günstiger bekomme als bei den größten Onlinehändlern. Der Mann ist wirklich nett und ich kaufe ihm auch noch eine Bandage für mein Knie ab, die ich aber am nächsten Tag nicht tragen werde, da sie mich in der Bewegung zu sehr einengt.

Zum Abendessen gibt es ein halbes Grillhähnchen mit Pommes. Das Lokal ist freundlich, die Bedienung ist nett, es gibt einen WIFI-Anschluss und ich habe eine Steckdose neben dem Tisch für meinen Tablet-PC. Ich bearbeite meine Bilder des gestrigen und des heutigen Tages, lade sie auf meine Website hoch und beginne zu schreiben. Nach drei

Stunden, einem guten und ausreichenden Abendessen, eineinhalb Liter Bier und neuem Schwung für den morgigen
Tag mache ich mich auf in meine Schlafkammer.

Heute habe ich vor, bis Pamplona zu gehen oder sogar noch
ein wenig weiter. Mein Frühstück besteht aus einem Stück
Baguette, das mir von gestern übrig geblieben ist, frischem
Wasser aus der Leitung, das man hier bedenkenlos trinken
kann, es schmeckt nur ein wenig nach Chlor, und einer
Tablette.

Ich bin mir nicht sicher, ob die Tabletten, die ich ver-
schrieben bekommen habe, mein Knie wieder in Ordnung
bringen oder nur die Schmerzen lindern sollen. Ich werde sie
laut Anweisung der Ärztin dreimal täglich, beginnend beim
Frühstück, dann zu Mittag und schließlich nach dem
Abendessen, einnehmen. Die gestrige Injektion hat jedenfalls ihre Wirkung verloren und ich schlurfe hinkend durch
das Gelände der Albergue, bis ich meine Toilette verrichtet,
meinen Rucksack fertig gepackt und gefrühstückt habe.

Es nieselt leicht, als ich losmarschiere, heute einmal nicht
als Letzter. Ich konzentriere mich zunächst auf mein Knie
und bin ganz froh, dass ich Pilger in Sichtweite habe und
mich nicht um die Wegzeichen kümmern muss. Mit Trekkingstock und Tablette lässt es sich doch ganz ordentlich
marschieren, wenn man vom Wetter absieht. Es beginnt
stärker zu regnen und mein Regenponcho muss wieder
herhalten. An einem kleinen überdachten Platz haben sich
Pilger versammelt und blicken fragend gen Himmel. Ich
geselle mich dazu und mache es ihnen gleich. An manche
Personen erinnere ich mich. Da sind wieder die beiden
älteren Damen aus Deutschland, die ich im Kloster von
Roncesvalles bereits gesehen habe. Ich erkenne auch Pedro
und Anna und da ist auch noch Wolfgang, mit dem ich auf

dem Weg über die Pyrenäen ein paar Worte gewechselt habe. Wie eine erste, zaghafte Berührung, wenn man jemandem näherkommt, mehr ist es nicht, aber es nimmt mir ein wenig die Befremdung in dieser Abgeschiedenheit, fern von zu Hause und dem gewohnt Bekannten.

Ich vernehme keinerlei Anzeichen der Sonne, sich eine Bahn durch das dichte Wolkengeflecht zu schaffen, und gehe weiter. Neben mir nur vereinzelte Gebäude, die mir den Weg weisen. Es regnet mal stärker, mal leichter, aber es regnet ständig. Ich lasse die mit Asphalt bedeckte Straße und die winkenden Häuser hinter mir und laufe jetzt ins Feld hinein, wie es mir der Camino Francés mit seinen gelben Pfeilen und blauen Muschelmalereien zeigt. Sie sind allgegenwärtig, an jeder Straßenkreuzung oder Abzweigung und jedes Mal, wenn sich der eingeschlagene Pfad teilt, weisen sie mir den rechten Weg, den Weg nach Santiago de Compostela.

Die Zeichen führen mich entlang eines kleinen Baches, der eingebettet in einen durch Laubbäume verzierten Landstrich seinen Atem in engen Bahnen schlängelt. Fortwährend schlagen mir die herabhängenden, mit nassen Blättern geschmückten Zweige ins Gesicht. Es ist eine wahre Herausforderung, auf diesem vom Regen aufgeweichten, glatten Untergrund nicht auszurutschen, gleichzeitig mit dem Stock mein Knie zu entlasten und auf die herabhängenden Zweige zu meinem Haupt zu achten.

„Scheiße", soeben ist mir ein Ast nicht gerade sanft durch mein Haar gefahren und hat mir die Kapuze des Ponchos abgezogen. Ich fasse mir einige Male an die vom Ast gekratzte Stelle auf meinem Kopf. Kein Blut, ich gehe weiter. Eine alte, gewölbte, steinerne Brücke schiebt sich mir in den Weg. Ein gelbes Zeichen fordert mich auf, hinüberzugehen und die Seite zu wechseln. Ich sehe mich um und mir wird bewusst, dass ich komplett alleine bin. Ich setze über. Eine blaue Muschel auf einem Stein führt mich auf einen links und rechts mit hohem Gras bedeckten, schmalen und vermutlich durch Pilgerfüße ausgetretenen Steig. In der Ferne erblicke ich jetzt zwei Personen, zwei Pilger. Ich meine, sie zu kennen. Der Abstand zu ihnen verringert sich und ich denke, es könnten Fausto und Teresa sein. Ich bin etwas kurzsichtig, verzichte aber auf eine Brille, da ich gehört habe, dass man im Alter weitsichtig wird, und somit sollte es sich dann wieder ausgleichen, auch wenn ich weiß, dass man es so nicht sehen darf.

Es trennen uns noch ungefähr 20 Meter. Der Mann blickt sich um. Es ist Fausto. Er bleibt stehen, ebenso wie seine Frau Teresa. „Buen Camino", unsere Begrüßung. Er freut sich, mich zu sehen, aber mehr noch schätze ich, dass ich seinem Rat gefolgt bin und mir einen Stock gekauft habe. Ich berichte ihm auch, dass ich beim Arzt war und Tabletten für mein Knie bekommen habe. Besser gesagt, ich erzähle es Teresa und sie übersetzt es für Fausto. Wir gehen ein Stück des Weges gemeinsam. Beide sind ebenfalls am 21. Mai von Saint-Jean-Pied-de-Port aus gestartet. Sie haben jedoch nicht in der Ortschaft selbst, sondern in der Albergue Orisson geschlafen, die sich bereits ein paar Kilometer auf der Anhöhe zum Col de Lepoeder befindet. Die Überquerung der Pyrenäen war daher etwas leichter für sie und sie wurden auch nicht von dem scheußlichen Wetter, mit dem ich konfrontiert war, heimgesucht.

Nach einem gemeinsamen Kaffee in einer Bar verlasse ich die beiden wieder und gehe alleine weiter. Es ist 10.30 Uhr. Trotz meiner Knieprobleme ist mir das Tempo von Teresa doch zu schleppend.

Ich begegne jetzt auch wieder Pilgern entlang der Strecke. Das Gelände ist übersichtlich und gibt nun mehr Einsicht in die Natur frei. Ein riesiger Erdhügel türmt sich vor mir auf. Ich sehe in der Ferne, wie sich Leute mit Rucksäcken im Gänsemarsch einen Weg nach oben bahnen, um den Bergrücken herum. Dahinter muss Pamplona liegen. Zum Teil sind Stufen aus Holz in dieses Erdmassiv eingebettet worden. Vermutlich um einem Abrutschen auf dem glatten Erdreich an den steilsten Stellen entgegenzuwirken. Dieses Wegstück setzt meinem Knie extrem zu. Ständiges Auf und Ab.

Schließlich habe ich den Bergrücken umwandert und befinde mich jetzt auf einer asphaltierten, schmalen Straße talwärts. Nach ein paar Biegungen sehe ich Häuser. Es sollte Villava sein, ich verzichte aber auf einen Blick in den Reiseführer.

Aufs Neue führt mich eine Brücke in den Ort, der sich sogleich entfaltet, rund um eine enge Gasse, die geradeaus in den Boden schlägt. Alte Gemäuer umgeben mich und weisen mir die Richtung mit gelben Pfeilen. Die Gasse wird zu einer Straße, auf der sich Fahrzeuge bewegen. Immer breiter wird die Straße und immer dichter der Verkehr. Abbildungen von Jakobsmuscheln weisen mich auf Bürgersteigen durch die Stadt. Ich blicke mich um. Viele Menschen tummeln sich entlang der Gehsteige und überqueren die Straßenkreuzungen. Ich sehe aber niemanden mit Rucksack, keine Pilger weit und breit. Ich fühle mich ein wenig verloren. Bin ich auf dem richtigen Weg? Habe ich eine Abzweigung übersehen? Auch Zeichen habe ich seit geraumer Zeit keines mehr gesehen, fällt mir jetzt ein. Es regnet nicht mehr und ich entschließe mich, hier zu rasten, um etwas zu essen. Es ist 13 Uhr und eine Sitzbank neben einem Supermarkt lädt mich ein, Platz zu nehmen. Die Sonne blinzelt durch die Wolken und ich verstaue noch den Regenschutz, bevor ich mich über meine Trockenwurst und das Baguette hermache, das ich am Morgen bei einem Bäcker in Zubiri gekauft habe.

Jetzt, da ich mein Knie endlich entlasten kann, beginnen sich die Schmerzen wie im Lauffeuer auf das ganze Bein auszubreiten. Wo sind meine Tabletten? Ich hätte schon früher Mittag machen sollen. Die Wirkung der Morgentablette hat sich bereits verflüchtigt. Ich brauche eine, jetzt sofort. Wie lange wird es dauern, bis sie wirkt? Eine Vielzahl an Gedanken durchströmt meinen Kopf und sie alle führen nur in eine Richtung, in Richtung meines linken Knies. Ich finde es weniger schmerzhaft, wenn ich stehe, bemerke ich und so verzehre ich mein Mittagessen im Stehen. Ich sehe mich ständig nach Artgenossen, also Pilgern um. Niemand. Mir fällt ein, dass ich am Anfang, als ich in den Ort gekommen bin, zwei Herbergen gesehen habe. Vermutlich übernachten die anderen dort. Aber doch nicht alle und ich verwerfe diesen Gedanken schließlich.

Genug gegessen, ich entscheide mich weiterzugehen. Ich muss auf eine Wegweisung achten, blinkt es in meinem Kopf und da sehe ich auch schon einen gelb leuchtenden Pfeil, der mich von der Hauptstraße fortführt. Ich folge seiner Anweisung und werde durch enge Straßenschluchten geführt, bis ich an einen Fluss gelange, über den sich eine weit über die Begrenzungen des Flusses hinausgehende Brücke spannt. Ein Zeichen dafür, dass der Fluss die Kontrolle seines Gewichts nicht im Griff hat und mitunter sehr launisch sein kann. Doch mir zeigt das Gewässer ein Bild der Freude, denn am anderen Ende der Brücke stehen zwei Männer. Nichts Besonderes, sollte man meinen, hätten sie da nicht dieses riesige Gepäckstück auf ihrem Rücken. Pilger, ich bin auf dem richtigen Weg.

Ich überquere die Brücke und mache Bekanntschaft mit Manfred und Karl. Beide kommen aus Massenbachhausen in Deutschland und sind wie ich seit Saint-Jean-Pied-de-Port auf dem Camino. Ich schätze die beiden auf ein paar Jahre älter, als ich es bin. Sie machen einen frischen, kräftigen Eindruck, sind einen Kopf kleiner als ich und sehen zudem wie richtige Wanderburschen aus.

„Ich bin Reinhard und komme aus Österreich", trete ich ihnen entgegen. Nachdem auch sie sich vorgestellt haben, bekräftige ich ihnen gegenüber meinen nun endgültig gefassten Entschluss, heute nur noch bis Pamplona zu gehen.

„Aber das ist Pamplona", sagt Manfred.

„Wirklich?" Ich bin ein wenig verblüfft, aber noch mehr erfreut in Anbetracht meines schmerzenden Knies. Karl hat seinen Reiseführer zur Hand und ich erkenne auf der Abbildung, dass Villava ein Vorort von Pamplona ist und nahtlos in diese Stadt übergeht. Karl zeigt mit seinem Zeigefinger auf eine Herberge. Diese liegt nur 200 Meter von hier und soll sehr hübsch sein. Sie wird von der Jakobusbruderschaft Paderborn geführt. Es ist mir, als würde ich Glocken läuten hören und mein Mund formt sich zu einem Lächeln. Wäre ich den beiden nicht begegnet, ich wäre an Pamplona vorbeigezogen, einer beinahe 200.000 Einwohner zählenden Stadt.

„Wir gehen noch ein Stück", sagt Manfred.

Mit einem „Buen Camino" verlassen mich die beiden und ich hoffe, dass sie noch gehört haben, wie sich mein Knie bei ihnen bedankt hat. Die Abzweigung nach links führt mich in das Stadtinnere und nach wenigen Metern erblicke ich ein abgeschieden an der Straße stehendes Gebäude mit der Aufschrift „Albergue Paderborn".

Ich werde von Doris und Kurt in meiner Muttersprache empfangen. Kann es noch schöner kommen? Im Geiste bedanke ich mich nochmals bei Manfred und Karl und genieße den Kaffee, den ich bei der Aufnahme meiner Daten für die Statistik oder was auch immer von Doris erhalte. Sie zeigt mir auch meine heutige Schlafstelle. Diesmal, soweit es möglich ist, nach Geschlechtern getrennt. Drei Stockbetten befinden sich in dem mir zugewiesenen Raum und erst ein Bett ist belegt. Ich kann mir also aussuchen, wo ich liegen möchte, und entscheide mich spontan für die untere Liege im Stockbett neben dem Fenster.

Ich nutze den frühen Nachmittag, um meine Wäsche in Ordnung zu bringen. Dabei unterhalte ich mich mit einem Ehepaar, dem ich bereits auf dem Weg nach Zubiri begegnet bin. Es ist mir deshalb aufgefallen, weil es so eine Art Kinderanhänger für seinen kleinen Sohn dabeihat. Ein überdachter Anhänger, gedacht zum Befestigen an Fahrrädern. Nur dass die beiden zu Fuß unterwegs sind und das Gestänge ihnen zum Schieben oder Ziehen des Gefährts dient. Sie wollen mir gerade weismachen, dass es sich nicht um ihren Sohn, sondern um ihren Enkelsohn handelt.

„Ihr wollt mich wohl verarschen!", sage ich ein wenig belustigt.

„Du bist nicht der Erste auf dieser Reise, der uns das nicht glaubt."

„Ich schätze, du bist gerade mal 40?", richte ich mich an die Frau.

„42", antwortet sie kurz.

„Unser Patrick ist sechs Jahre alt und ich bin 46. Ich heiße übrigens Walter und meine Frau, das hast du immerhin richtig erkannt, wir sind ein Ehepaar, heißt Sybille."

Mir fehlen die Worte. Die beiden erklären mir noch, wie es zu diesem Umstand gekommen ist, dass ich mich hier in Pamplona mit ihnen unterhalten kann, gehen dabei aber nicht näher auf ihre wahren Beweggründe ein. Ich respektiere das und stelle keine weiteren Fragen. Ich lerne außerdem Daniel kennen, einen 22-jährigen Studenten aus Bonn in Deutschland.

„Bonn", sagte er, als ich ihn fragte, ob er auch von Saint-Jean-Pied-de-Port aus gestartet sei.

„Ist nicht dein Ernst", erwidere ich jetzt. „Du bist in Bonn losmarschiert?"

„Ja, ich bin bereits 66 Tage unterwegs. Ich habe mein Studium unterbrochen, weil ich den Drang verspürt habe, nach Santiago de Compostela zu gehen", lächelt mir der junge Mann entgegen.

Verrückt, denke ich mir. Da glaube ich, etwas Besonderes zu sein, weil ich den gesamten Camino Francés zu gehen versuche, und der Kerl ist bereits durch halb Deutschland und durch ganz Frankreich gewandert. Ich komme mir plötzlich sehr nackt vor. Ich bin sogar etwas froh, als sich Kurt, der Wächter der Herberge, in unser Gespräch mischt. Nach einem kleinen Update seiner Aufgaben die Albergue betreffend empfiehlt er mir ein Restaurant, das preiswerte und, wie er sagt, sehr gute Menüs für Pilger anbietet. Er kennzeichnet mir die Stelle in einem Stadtplan, den er mir freundlicherweise aushändigt. Ich bedanke mich und versichere ihm, heute Abend dort hinzugehen. Nach und nach füllt sich Paderborn.

Später am Abend werde ich neue Freunde gefunden haben, auf der Brücke rückseits der Albergue sitzen und meine Füße von ihr baumeln lassen.

5
Fürsorglichkeit

Eine Schar von Menschen durchflutet die in das üppige
Grün gebettete Stadt. Viele bewegen sich hin und her, gehen
die überfüllten Straßen entlang und verschwinden zum Teil
in den sich, wie in einem Spinnennetz zerstreuenden, dunklen Gassen. Andere wiederum schaffen Schubkarren heran,
um ihre Waren an den unübersichtlich aus zahlreichen mit
ungehobelten Brettern zusammengenagelten Verkaufsstän-
den feilzubieten. Mitten unter ihnen steht Adeline mit Flore
und Julien. Sie sind in Pamplona angekommen, der Haupt-
stadt des Königreichs Navarra. Den gesamten gestrigen Tag
und heutigen Morgen waren sie unterwegs, nachdem sie das
Hospiz in der Nähe von Roncesvalles verlassen hatten. Eine
Zeit der Einsamkeit und Nässe. Den vollen Tag und die
ganze Nacht hatte es geregnet. Nur für wenige kurze Momente hatte der Himmel seine Schleusen geschlossen, um sie
anschließend noch weiter zu öffnen. Die drei Kinder stehen
am Marktplatz und genießen die Sonnenstrahlen, die sie jetzt
so kräftig erfassen, dass man beinahe sehen kann, wie die
entwichenen, verängstigten Seelen in ihre Leiber zurückkehren und von Neuem zu leben beginnen.

In sichtbarer Entfernung zu Adeline, Flore und Julien
lehnt, hinter einem Holzverschlag verborgen, ein Mann. Er
steht so im Marktgeschehen, dass er die drei jederzeit sehen
kann, selbst aber von ihnen nicht bemerkt wird. Es ist ein
großer, hagerer Mann mit langen blonden Haaren, einem
Beutel über seinen Schultern und seine rechte Hand umfasst
einen hölzernen, langen Gegenstand mit einer zur Spitze

geschlagenen und in Eisen gefassten Formation. Seine Blicke bohren sich förmlich in das Fleisch von Adeline.

Zwei Männer, die einen Schubkarren vor sich herschieben, drängen Adeline und die beiden Kinder zur Seite. Der Geruch von verdorbenem Kohl und vergammelten Schweinefüßen dringt in ihre Nasen und lässt das Hungergefühl, das sich in den letzten beiden Tagen in ihnen immer stärker ausgebreitet hat, abrupt verschwinden. Der Gestank setzt sich an den Härchen im inneren ihrer Nasen fest und wird ihnen das Verlangen nach Nahrung für die nächsten Stunden rauben. Julien spuckt auf den Boden und Flore vergräbt ihr Gesicht in Adelines Kleid, deren Augenpaar sich auf eine Menschenansammlung auf der anderen Seite des Platzes richtet.

„Habt ihr Durst?", fragt Adeline mit ruhiger Stimme, ohne den Kopf in Richtung der Kinder zu bewegen.

„Ja", sagt Julien. „Ich kann nicht einmal mehr richtig spucken, so trocken ist mein Mund", und spuckt nochmals auf den Boden, um seiner großen Schwester zu demonstrieren, wie lächerlich klein doch seine Spuckergebnisse sind, fast nicht zu sehen. Doch Adelines Kopf bleibt starr auf die Menschenmenge gerichtet und würdigt das Schauspiel Juliens keines Blickes. Lediglich Flore hebt ihren Kopf aus Adelines Kleid hervor und sieht zu Julien, der weiterhin seinen Spuckkünsten frönt.

Gelächter dringt jetzt immer stärker bis in die am weitesten verschlungenen Winkel des Platzes. Julien unterbricht seine Spucktiraden und blickt gemeinsam mit Flore in Richtung des heiteren Treibens. Die beiden überblicken jedoch nicht die vor ihnen aufgebaute Mauer aus menschlicher Lustbarkeit. Lediglich Adeline verfolgt das Treiben, bei dem ein Esel um den Brunnen geführt wird, mit Argwohn. Eine Frau und ein Mann sitzen auf dem Tier, beide nackt. Der

Mann verkehrt herum, den Schweif des Esels in den Händen haltend, mit dem Rücken zur Frau.

„Was geschieht dort?", drängt Flore ihre große Schwester.

„Heb mich hoch", wirft Julien ein und streckt seine Arme Adeline entgegen.

„Ein Mann und eine Frau reiten auf einem Esel. So wie es aussieht, haben die anderen Leute ihren Spaß daran." Adeline wendet ihren Blick ab, als Kot beim Hochhalten des Schweifs auf das Pflaster fällt. Eine Frau hebt die noch warme Hinterlassenschaft mit ihren bloßen Händen auf und wirft sie dem Mann mit Schwung an die Stirn. Der Großteil davon fällt wieder zu Boden, aber nicht ohne eine schleimige Spur auf dem Gesicht des Mannes zu hinterlassen. Das Schauspiel wiederholt sich.

Glocken ertönen von einer sich in der Nähe befindenden Kirche. Das Läuten dringt in Adelines Ohr. Sie umfasst die Hände von Julien und Flore und schiebt die beiden mit den Worten „Dort gibt es frisches Wasser" fort vom Platz in Richtung des Glockenschlags.

Die Gasse wird enger und es riecht nach Fäkalien. Das Sonnenlicht dringt nicht mehr bis zu ihnen durch und das Geschrei der Menschen ist kaum noch wahrzunehmen. Der Klang der Glocken ist verstummt und Adeline versucht, mit ihrer Erinnerung daran den Weg zu finden. Sie betritt, ihre Geschwister an den Händen haltend, einen kleinen Platz, nicht größer als 70 Ellen umspannend, der linksseitig die Häuserflucht durchbricht und ebenfalls von den Sonnenstrahlen gemieden wird.

Drei Gestalten schrecken aus der Ecke gleich am Beginn dieses Platzes hoch und treten an Adeline heran, die die Männer erst jetzt erblickt. Sie drückt Julien und Flore instinktiv fest an sich, das Blut pocht in ihren Adern und eine kratzende, nach Verfaultem riechende Stimme dringt an ihr Ohr.

„Sehet, meine Freunde, eine Abgesandte des Ordens der Barmherzigkeit tritt zu uns. Habt Ihr Geschmeide bei Euch, meine Schwester?" Die Münder der beiden anderen Männer werden zu nach oben hin gerichteten Halbmonden und geben braun bis schwarz verfärbte Zinken frei. Die drei fallen jetzt ins Gelächter ein und zwingen Adeline durch ihre Bewegungen in die Ecke des Platzes. Einer der Männer entreißt ihr die Kinder und hält die beiden fest. Der zweite schmiegt sich an ihren Rücken und überkreuzt ihre Arme zwischen sich und Adeline. Sie spürt seine raue und nasse Zunge im Nacken. Adeline tritt mit den Beinen in Richtung des dritten Mannes, der sich, die Tritte mühelos abwehrend, immer näher an sie heranschiebt. Adeline blickt in sein von Wanzen zerfressenes Gesicht, in dem sich eine Zunge über braune Zahnfragmente von links nach rechts bewegt. Flore beginnt zu weinen, während Julien seine Zähne in der Hand seines Peinigers vergräbt und dafür mit einem Fausthieb seiner Sinne beraubt wird. Adeline spürt, wie eine stählerne Hand ihre linke Brust quetscht, eine weitere Hand über das Kleid zwischen ihre Schenkel fasst und der Speichel des Mannes in ihrem Rücken auf ihren Nacken tropft. Sie hält die Augen geschlossen und sieht nicht, wie ein Stück Holz den Mann an ihrer Rückseite an der Schläfe trifft. Der Knochen berstet und der Augapfel baumelt aus der Augenhöhle. Der Mann geht in die Knie. Ein Schlag, der so heftig und geräuschlos kam, dass es der Mann vor Adeline und auch sie selbst noch gar nicht mitbekommen haben. Dem Mann, der sich an sie geschmiegt hat, versagen durch einen harten Schlag in den Rücken die Beine und er sinkt ebenfalls zu Boden. Sogleich bohrt sich die eiserne Spitze eines Stockes in den Oberarm des gekrümmt am Pflaster liegenden Individuums. Der Mann, der Flore noch festhält, lässt von ihr ab und sucht schnellen Schrittes das Weite. Adeline blickt in die

Augen eines großen, schlanken, blonden Mannes, der verlegen zu ihr sieht. Für einige Minuten geschieht nichts. Man hört lediglich das Keuchen und Jammern der beiden verletzten Angreifer. Flore durchbricht diese Lethargie des Schweigens.

„Was ist mit Julien?"

Er liegt immer noch regungslos am Boden, niedergestreckt durch den Faustschlag des nun geflüchteten Kerls. Adeline kniet sich zu ihrem kleinen Bruder, hebt mit der linken Hand seinen Kopf empor und befühlt mit den Fingern der rechten Hand die aufgeschürfte Stelle an seinem linken Backenknochen. Tränen tropfen darauf. Der blonde Mann sagt etwas, was Adeline aber nicht verstehen kann, und sie blickt fragend zu ihm hoch. Der Kopf in ihrer Hand bewegt sich. Julien kommt wieder zu sich.

„Was ist passiert?", fragt er mit zaghafter Stimme und das Tränenspiel in Adelines Gesicht wird durch ein schönes und liebevolles Lächeln untermalt.

„Wir müssen von hier weg", sagt jetzt der Fremde mit einem starken Akzent, aber in einer für alle jetzt doch verständlichen Sprache.

„Kannst du aufstehen?", fragt Adeline Julien.

„Ja, sicher, es fehlt mir nichts", kommt es verwundert von dem kleinen, tapferen Burschen zurück. Adeline packt Julien und Flore an den Händen und folgt dem Retter in die dunkle Gasse hinein.

Kurz darauf stehen sie vor der Kirche. Es sind nur wenige Menschen, die den Platz darum queren.

„Lasst uns zum Brunnen dort drüben gehen", sagt Adeline und schreitet schnurstracks darauf zu. Gefolgt von Julien, Flore und dem blonden Mann.

„Wie ist Euer Name und woher kommt Ihr?", fragt sie im Gehen ihren Retter und noch immer Fremden.

„Ich heiße Jan de Oddrrafn und komme aus Rouen, dem Normannenreich auf dem Festland, nordwärts von Frankreich." Jan fühlt sich durch Adelines fragenden Blick aufgefordert, ein wenig mehr von sich zu erzählen. „Obwohl wir zu England gehören, sehen sich die meisten Einwohner als Franzosen. Daran hat auch die Heirat der englischen Königin Matilda mit unserem Gottfried von Anjou nichts geändert. Stellt Euch vor, er zählte gerade mal 16 Lenze bei seiner Verehelichung vor fünf Jahren."

„Das weist darauf hin, dass wohl Matilda die Zügel in der Hand hat", fällt ihm Adeline ins Wort.

„Ja, und das weiß auch das Volk und es deutet vieles auf einen Krieg hin", ergänzt Jan.

„Ein seltsamer Name, Oddrrafn?" Adeline beabsichtigt mit dieser Frage, das Thema vom Krieg wegzuführen.

„Es ist ein nordischer Name, viele Normannen sind über Jahrhunderte hinweg über das nördliche Meer in dieses Land gekommen und Oddrrafn bedeutet so viel wie Rabenpfeil."

„Was bedeutet der Name?"

„Ich bin mir nicht ganz sicher, ich habe ihn von meinem Vater bekommen, aber er soll daher rühren, dass einer meiner Vorfahren einen Raben nach dem Wegfliegen von hinten mit seinem Pfeil durchbohrt hat. Der Pfeil war schneller als der Rabe." Adeline bemerkt ein leichtes Lächeln in Jans Gesicht. Sie erwidert es zaghaft und sagt zu ihm, dass sein Akzent sehr stark ist, sie ihn aber dennoch gut verstehen könne. Jans Mundwinkel werden breiter, auch Adelines und sie bewundert die klaren Linien in seinem Gesicht. Nur Flore und Julien schauen noch etwas misstrauisch zu dem groß gewachsenen Normannen auf, der seinen Blick direkt an Adelines Gesicht gerichtet hält.

„Ich bin 21 Jahre alt", sagt Jan schließlich.

„Ich werde bald 19 und das sind Flore, elf Jahre, und

Julien, zehn Jahre." Adeline begutachtet dabei nochmals die Schürfwunde in Juliens Gesicht. „Und wir kommen aus La Romieu, einer kleinen Bauernansiedlung, und ich, nein, wir sind Euch zutiefst dankbar, mein Herr", ergänzt sie. Jan nickt leicht. Ihr Blick wandert von seinen blauen Augen zu den bis an die breiten Schultern reichenden Haaren, seinem bartfreien Kinn und der schlanken Figur bis zu dem Beutel auf seinem Rücken.

„Euer Herr", beginnt Adeline, als sie Jan unterbricht.

„Ich bin nur ein einfacher Mann, wie die meisten Normannen in meiner Heimat, sagt nicht ‚Euer Herr' zu mir, bitte."

„Dann sprechen wir ohne Umschweife miteinander", bekräftigt Adeline, die sich zu den beiden Kindern bückt und an deren Hinterteilen riecht.

„Was hast du, ja, was hast du?", sagen Julien und Flore beinahe gleichzeitig.

„Jan, etwas riecht hier so streng, als klebe jemandem sein verdautes Essen am Hintern." Sofort wehren sich die Kleinen lautstark einer etwaigen Anschuldigung. „Ich denke, es kommt aus deiner Richtung, Jan", fügt Adeline hinzu. Jan blickt etwas verdutzt hinter sich zu Boden und schnieft mit der Nase.

„Joie?", stößt er in einem verwundert fragenden Tonfall hervor. „Verzeih, ich muss dir jemanden vorstellen", spricht er weiter und greift nach dem über seinen Schultern hängenden Bündel. Er hält es vor sich und zieht es mit seinen Armen auseinander, sodass Adeline einen Blick hineinwerfen kann. Kohlschwarze Augen, die sich mitten in einem runden Gesicht befinden, strahlen sie fragend an. Der kleine Körper ist eingewickelt in eine Anzahl von Tüchern, die sich zum Teil mit Exkrementen vollgesogen haben und jetzt verstärkt ihren Duft durch die Öffnung des Beutels abgeben. Adeline kann es nicht vermeiden, kurz wegzuzucken, ein Instinkt, den ihre Nase hervorruft.

„Ach du meine Güte, Jan? Wer ist das?"

„Meine Tochter Joie", erwidert Jan grinsend.

„Sie ist ja praktisch noch ein Baby", spricht Adeline ihre Gedanken laut aus und Jan ergänzt sie mit: „Ja, 16 Wochen."

„Was machst du hier mit ihr und wo ist ihre Mutter?"

„Ihre Mutter ist tot. Joie und ich sind auf dem Weg nach Santiago, wie vermutlich auch ihr, so wie ich es der Stickerei an deiner Tasche entnehmen kann."

„Ja, aber wir sollten uns zuerst einmal um Joie kümmern", bringt Adeline die Plauderei zu Ende und lässt Taten folgen. Sie fasst nach dem Baby, nimmt es aus dem Beutel und geht mit Joie in Richtung Brunnen. Die anderen folgen ihr. Sie fordert Jan auf, den Eimer mit Wasser zu füllen, als ein Mann in einer braunen Kutte mit den Worten „Haltet ein!" an sie herantritt. Jan hievt den Eimer auf die Mauersteine des Brunnens und blickt wie jetzt auch Adeline und ihre kleinen Geschwister dem heranschreitenden Mann entgegen.

„Ihr werdet doch nicht so töricht sein und dieses Wasser zum Reinigen eurer Habseligkeiten", er blickt kurz zu Adeline mit dem Kind in ihren Armen, „zum Waschen verschwenden. Viele sind schon wegen kleinerer Vergehen an den Pranger gestellt worden in dieser Stadt." Der Geistliche stößt den Eimer zurück in den Brunnen. „Folgt mir", fordert er die Pilger in schroffer Tonlage auf und sie folgen ihm durch das riesige Holztor ins Innere der Kirche. Dort fordert er sie auf, gleich rechts nach dem Eingang Platz zu nehmen.

„Ich bin Pater Matteo und Diener des Priors zu Santa Maria und des Königreichs Navarra. „Woher kommst du?", spricht der Pater in nun ruhiger Tonlage zu Adeline.

„Aus La Romieu", antwortet sie.

„Liegt das in Frankreich? Ich habe das Zeichen der Jakobusbruderschaft an deinem Beutel gesehen", fügt Matteo hinzu, bevor Adeline antworten kann.

„Ja, Herr."

„Nennt mich Pater Matteo", unterbricht sie der Geistliche.

„Pater Matteo, ich denke, wir sind seit 14 Tagen unterwegs", spricht Adeline weiter.

„Du siehst mir nicht wie ein Franzose aus", wendet sich Matteo nun an Jan, „und ich vermag auch kein Zeichen einer Pilgerschaft an dir zu erkennen. Was verbindet euch?"

„Ich bin Normanne", antwortet Jan und bestätigt ihm, dass auch er an das Grab des heiligen Jakobus pilgert.

„Und das ist Joie, seine Tochter, wir sind uns hier in Pamplona das erste Mal begegnet", bringt Adeline Jans Ausführung zu Ende.

„Ich weiß nicht, wie es bei euch Normannen ist, aber du, mein Kind", den Blick an Adeline gerichtet, „solltest doch wissen, dass es streng verboten ist, seine Kleider oder sich selbst an einem öffentlichen Brunnen zu waschen. Ich weiß, dass es auch in Frankreich strafbar ist", meint der Pater zu wissen.

„Ja, aber", setzt Adeline an und der Geistliche unterbricht sie sofort.

„Genug gesagt. Ich bringe euch Wasser und ich gestatte es euch, hier in der Kirche …", er sucht nach dem Namen von Joie, blickt sich fragend nach Adeline um und bekommt das gesuchte Wort durch Jan vermittelt, worauf er fortfährt, „… Joie zu säubern und zu waschen. Die Tücher wascht ihr dann besser unten am Fluss."

Nach wenigen Minuten kehrt Pater Matteo mit einem Eimer voll Wasser in seiner Rechten und einem Krug gefüllt mit

Wasser in seiner Linken zurück. Er stellt den Eimer vor Adeline und ruft Julien und Flore zu sich.

„Hier, trinkt, ihr müsst schrecklichen Durst haben, kein Wort kommt über eure Lippen." Julien ist der Erste, der den Krug an seinen Mund führt, und gibt ihn anschließend an Flore weiter. Der Krug macht die Runde. Nach einer kurzen Weile, in der alle mit Wasser versorgt und auch Joie von ihren Exkrementen befreit wurde, ist es laut geworden vor der Kirche.

„Diese Narren", kehrt Pater Matteo schimpfend in die Kirche zurück. „Sie treiben diese armen Geschöpfe bereits den halben Tag durch die Stadt. Ich kann es nicht verstehen, dass Menschen so viel Freude am Leid anderer Menschen verspüren." Jan richtet sich jetzt an den Geistlichen.

„Was ist deren Vergehen?"

„Soviel ich weiß, Beischlaf. Sie hat ihren Mann betrogen und wird deshalb bestraft. Du musst schon wissen, dass es in den Köpfen dieser Menschen seit jeher eingebrannt ist, dass Männer ihre Frauen hintergehen dürfen, ja sogar gute Sitte ist, aber umgekehrt ist es ein schweres Verbrechen."

„Aber warum sitzt auch ein Mann auf dem Esel?", will Jan vom Pater wissen.

„Seine Dummheit wird bestraft. Er hat es zugelassen, dass ihn seine Ehefrau betrügt. Er ist zu schwach, um sein Weib in Zaum zu halten. Sie hat ihn lächerlich gemacht und er sitzt daher verkehrt auf dem Esel, den Schweif des Tieres in den Händen haltend."

Während dieser Unterhaltung hat sich Julien zur Tür hinausgeschlichen, um dem Treiben beizuwohnen. Die durch Stufen gebildete Erhöhung vor der Kirche verschafft ihm genügend Überblick auf das Geschehen. Er erblickt zwei nackte Menschen auf dem Rücken eines Esels. Das Tier wird jetzt von der Menge in Juliens Richtung geführt.

Er kann die Gestalten auf dem Esel kaum erkennen, beschmiert mit Kot und Blut und den Kopf nach unten gesenkt. Julien zuckt zusammen, als er erkennt, dass es sich in Laufrichtung des Maultiers um eine weibliche Gestalt handeln muss. Es ist das Fettgewebe, die beiden Ausformungen an der Brust der Person. Er weiß um die Formen des weiblichen Geschlechts Bescheid. Diese aber erschrecken ihn. Die linke Brust ist aufgerissen und lässt die daran hängende Brustwarze im Trab des Esels baumeln. Das Blut darum ist bereits gestockt und mit Exkrementen vermischt. Julien kneift gerade die Augen zusammen, als ihn eine Hand am Genick packt und ihn unsanft in die Kirche zurückschleift.

„Dieser neugierige kleine Bengel", schmunzelt Pater Matteo und ermahnt dabei Adeline und Jan, auf ihn achtzugeben. „Bleibt noch, bis die Meute da draußen weitergezogen ist. Geht danach in Richtung des Flusses hinunter. Dort werdet ihr auf das Kloster zu Santa Maria stoßen. Es befindet sich zwar noch in Bau, aber einen Platz zum Nächtigen und eine bescheidene Mahlzeit werden euch zuteilwerden. Sagt, dass ihr von mir kommt." Der Pater murmelt noch etwas und geht weiter ins Kircheninnere, wo er alsbald hinter einer Tür verschwindet.

Nachdem der Radau am Platz vor der Kirche verstummt ist, setzt sich die kleine Gruppe, angeführt von Jan, in Bewegung. Es ist noch früher Nachmittag und Adeline drückt das Gesicht von Joie an ihre Brust, um sie vor der prallen Sonne zu schützen. Julien und Flore springen voraus, sich immer wieder im Kreis drehend, um zu sehen, ob ihnen Jan folgt. Ein riesiger Komplex aus Steinen und Mörtel breitet sich vor ihren Augen aus. Menschen irren von einer Seite zur anderen, hieven mittels Seilen große Balken gegen den Himmel und sorgen für reges Leben in einem sonst eher recht ruhigen Teil der Stadt. Die fünf entschließen sich, auf Adelines Geheiß hin zuerst zum Fluss zu gehen, um sich und ihre Kleidung zu reinigen. Das Wasser sei gut, hat ihr Pater Matteo geflüstert. Noch bevor es richtig dunkel ist, sind sie zurück auf der Klosterbaustelle. Ein Junge stellt sich ihnen in den Weg.

Mit „Ich kenne euch nicht, wer seid ihr?" unterstreicht er seine Wichtigkeit an diesem Ort. Er trägt Beinlinge aus Leinen, die bis unter die Knie reichen und mit der darüber getragenen Cotte, einem Schlupfkleid aus Leinen, das im Hüftbereich mit einem Seil umwickelt ist, abschließen. Sein Haar reicht bis etwas unter seinen Nacken, ist stark gewellt und mit Holzspänen verziert. Sein Gesicht ist von der Sonne braun gebrannt, etwas frech und genauso schmutzig wie seine nackten Füße.

„Wer will das wissen?", entgegnet ihm Jan.

„Ich heiße Marlon. Ich bin ein Freund des Priors zu Navarra und von ihm beauftragt, hier nach dem Rechten zu sehen. Ich frage euch also nochmals: Was wollt ihr hier?"

„Soso", sagt Adeline. „Wenn du ein Freund des Priors bist, dann sind wir bei dir goldrichtig. Pater Matteo hat uns Unterkunft für die Nacht zugesagt."

„Pater Matteo sagst du? Schon schlimm, diese große wuchernde Nase in seinem Gesicht."

„Du bist ein schlaues Bürschchen", entgegnet ihm Adeline. Pater Matteo ist etwa so groß wie ich, sein Bauch spannt die darüber liegende Kutte, seine Stirn reicht weit über sein rundes Gesicht zurück und seine Nase ist nicht viel größer als die deine."

„Ist gut, ihr kennt ihn. Verzeiht mir, aber es treibt sich viel Gesinde herum." Kaum hat Marlon die Worte ausgesprochen, packt ihn Jan an der Schulter.

„Pass mal auf, ich werde dir zeigen …" Adeline geht

dazwischen und macht dem jungen Mann mit freundlichen Worten klar, dass sie einen Nachtplatz suchen. Marlon entschuldigt sich nochmals und betont dabei, dass sie bei ihm absolut richtig seien.

„Ihr könnt euch auf mich verlassen", bekräftigt er aufs Neue, während er die fünf in den hinteren Teil des Bauwerks geleitet. Marlon besorgt ihnen auch etwas zu essen und plaudert pausenlos vor sich hin. Er erzählt ihnen, dass er eigentlich aus Frankreich kommt und nun bereits ein Jahr für den Bau verantwortlich ist, gemeinsam mit dem Prior natürlich, seinem Freund.

„Ich habe den Prior vor Dieben geschützt, müsst ihr wissen", fährt er fort. „Ich habe gesehen, wie einige Männer Holzbalken für den Bau angeboten und einen Teil davon nachts wieder weggetragen haben." Flore und Julien horchen gespannt zu, während Jan und Adeline seiner Flunkerei immer weniger abgewinnen können.

„Ein fantasiereicher Junge", flüstert Adeline zu Joie und bettet sie in das warme und trockene Stroh. Julien hat noch das Bild mit der flatternden Brustwarze vor Augen und flüchtet zu Adeline, die neben Joie im Stroh lehnt. Er blickt auf das kleine Geschöpf mit den dunklen Haaren und den unter ihren Lidern verborgenen kohlschwarzen Augen, befühlt mit seinem Zeigefinger die kleinen Hände und sieht ihr ein wenig beim Schlafen zu, bis er selbst nach diesem ereignisreichen Tag in den Schlaf fällt.

6
Offenheit

Um 6.30 Uhr erhellt Kurt den Schlafraum und fordert uns schroff auf, in die Gänge zu kommen. Bei mir dauert es noch ein wenig und ich meine auch zu hören und an der Bewegung des Bettes zu spüren, dass Wolfgang, der über mir liegt, seinen Körper nochmals an die Dunkelheit spendende Mauer dreht. Es ist nicht der Schlaf, der mich im Bett hält, und nicht die Müdigkeit. Es sind Gedanken, die es zu ordnen gilt, und ich verspüre noch keinen verstärkten Drang, meinen morgendlichen Bedürfnissen nachzukommen. Also überlasse ich den anderen den Vortritt.

Nach einem für mich spärlichen Frühstück mit Milchkaffee und einem Stück trockenem Baguette vom Vortag, ich sage deshalb spärlich für mich, da Butterbrote mit Marmelade und Käse gereicht wurden und beides nicht zu meinen Nahrungsquellen zählt, treffe ich jetzt neben Wolfgang, Chris und Steve auch die übrigen von gestern Abend vor der Albergue Paderborn.

„Gina kennst du noch nicht", sagt Wolfgang und zeigt auf ein Mädchen, das gerade von seinem Rucksack verschlungen zu werden droht, den es in diesem Moment in nach vorne gebeugter Haltung auf seinen Rücken zu bekommen versucht. Gina dreht sich etwas zur Seite und hebt ihren Kopf zu mir. Ich gehe auf sie zu, auf ein Mädchen mit kurz geschnittenem schwarzem Haar, das sichtlich mit der Größe und Schwere seines Rucksacks zu kämpfen hat. Ich blicke in zwei kohlschwarze Augen, als sich unsere Fingerkuppen der rechten Hand berühren, in der Absicht, die Hände zu schütteln. Ein elektrischer Schlag durchfährt meinen Körper und ich ziehe instinktiv meine Hand zurück. Nach einem beiderseitigen „Wow", denn auch Gina hat diesen Schlag verspürt, müssen wir beide lachen und geben uns schließlich ohne weiteren Zwischenfall die Hände.

„Ich mache immer etwas Gymnastik am Morgen nach dem Aufstehen. Vermutlich haben sich meine Schuhe dadurch aufgeladen", versucht Gina, diese Reaktion zu erklären.

„Ja, auch ich strecke mich morgens mit ein paar Lockerungsübungen. War wohl doch zu viel", ergänze ich und komme mit ihr ins Plaudern, auf die englische Sprache konzentriert. *Es wird auch so sein, dass die weiteren Gespräche in der Gruppe, in der ich mich nun befinde, auf Englisch stattfinden. Der Einfachheit halber werde ich es nicht jedes Mal erwähnen. Landsleuten und deutschsprachigen Pilgern trete ich in der deutschen Sprache gegenüber, wenn sie sich als solche zu erkennen geben.*

„Freut mich, dich endlich kennenzulernen. Du bist ja gestern schon früher gegangen."

„Freut mich auch, wir haben uns noch kurz gesehen, bevor ich in die Kirche gegangen bin."

Gina hat ein zauberhaftes Lächeln, das einen gefangen nehmen kann, was man, wie mich dieser Augenblick fühlen lässt, auch gerne bereit ist, geschehen zu lassen. Ich erfahre von ihr noch, dass sie aus Chicago kommt und 32 Jahre alt ist. Es wird Zeit, aufzubrechen.

Es ist stark bewölkt, aber trocken. Die ersten eineinhalb Kilometer führen uns durch Pamplona und unser Weiterkommen wird regelmäßig durch Ampeln und ein Radrennen, das gerade stattfindet, unterbrochen. Bei einer dieser unfreiwilligen Pausen zeigt mir Gina unseren heutigen Weg in ihrem Reiseführer.

„Dies ist der Alto del Perdón, da müssen wir rauf. Danach geht es runter bis Puente la Reina. Es sind an die 25 Kilometer und wir wollen dort übernachten. Wie sieht es bei dir aus, Reinhard?"

„Ich, besser gesagt wir haben uns gestern Abend dazu entschieden, die nächsten Tage gemeinsam zu gehen. Ich denke, es wird auch meinem Knie nicht schaden, den Camino etwas ruhiger anzugehen." Nach ein paar klärenden Worten mein Knie betreffend ist die zu überquerende Straße frei geworden und wir spazieren weiter.

Bevor wir den Anstieg auf den Alto del Perdón in Angriff nehmen, kommen wir noch durch eine kleine Ortschaft. Aus zwei Bussen strömt eine Schar von Wanderern und läuft auf den Berg zu. Sie haben nur leichtes Gebäck und ich vermute, ich hoffe, es sind nur Tagestouristen, die den Berg erklimmen wollen. Ich hoffe es deshalb, da es sonst sicherlich zu Engpässen bei den Herbergen in Puente la Reina kommen wird. Ein Umstand, den ich jetzt mit meinen Begleitern zu erläutern versuche und der unsere Schritte unbewusst schneller werden lässt. Die Schrittfolge von Kristi und die meine sind von der Geschwindigkeit ident und wir haben uns ein gutes Stück vom Rest unserer Gruppe abgesetzt. Lediglich Steve befindet sich, alleine gehend, noch in Sichtweite vor uns. Kristi ist eine Frohnatur, wie ich schnell in ihren jugendlich wirkenden Gesichtszügen feststelle. Die strohig blonden, bis in den Nacken reichenden Haare sind mit einer Schirmkappe bedeckt. Hätte sie mir gestern nicht gesagt, dass sie 50 Jahre alt ist, ich würde es nicht glauben. Ihre olivfarbenen Shorts lassen mir genügend Einsicht auf ihre muskulösen Oberschenkel und Waden.

„Gefallen dir meine Beine?", sagt sie nach meinen nun doch zu aufdringlich gewordenen Blicken.

„Nein, ja, doch", sage ich etwas stotternd.

„Was jetzt?", will sie wissen und erklärt mir, dass sie mitunter ausgedehnte Bergwanderungen unternimmt, auch an Marathonläufen nimmt sie immer noch gerne teil. Nicht mehr so häufig wie früher, aber zumindest zwei- oder dreimal pro Jahr lässt sie es sich nicht nehmen. Sie blickt zu mir und genießt sichtlich meine Verlegenheit und die einsetzende Wandlung meines Gesichtsausdrucks in Erstaunen für ihre Leistungen. Ich suche nach den richtigen Worten, kann sie aber nicht finden und beschränke mich auf ein „Alle Achtung!". Sie lächelt leicht und bringt unsere langsamer gewordenen Schritte wieder in Schwung. Die Umgebung ist grün und neben Weizenfeldern auch mit Erbsenfeldern durchzogen, wie Kristi gerade feststellt.

„Versuch mal", fordert sie mich auf. „Das sind Erbsen", will sie mir erklären und reicht mir ihre Hand. Ich löse die Kügelchen mit dem Daumen aus der Schale, wodurch sie in meine Handfläche rollen, und sauge sie in meinen Mund.

„Was machst du?", höre ich meine Begleiterin verwundert rufen.

„Ich pule die Erbsen aus."

„Die kannst du doch als Gesamtes mit der Schale essen", belehrt sie mich. „Die Schale schmeckt auch süß", und sie verzehrt eine, um es mir zu zeigen.

„Ich glaub es dir ja, aber man weiß nie, mit welchen Chemikalien diese Felder gespritzt werden." Ich betone Chemikalien, um sie davon abzuhalten, die Schale zu essen.

„Sieht nicht so aus, als ob sie gespritzt sind", erwidert sie und stopft sich die nächste Erbsenschote in den Mund.

Es ist wärmer geworden und die Sonne kommt durch die Wolken hervor. Das erste Mal richtig, wenn man es mit den zaghaften und auf wenige Stunden beschränkten Versuchen der letzten Tage vergleicht. Wir kommen zu einer Gabelung des Weges, in dessen Mitte sich eine Bank befindet, auf der sich einige Pilger niedergelassen haben, auch Steve.

„Hallo Freunde", begrüßt er uns. Ich nutze die Gelegenheit und lasse meine Jacke im Packbeutel verschwinden, den ich anschließend mit einem Karabiner an meiner Jeans befestige. So verteile ich auch das Gewicht etwas, damit nicht alles über den Rucksack auf meinen Schultern lastet. Ich habe bereits leichte Probleme damit und schnüre meinen Hüftgurt enger, nachdem ich bei diesem Halt meine Unterarme und auch mein Gesicht mit Sonnencreme eingeschmiert habe. Wir rasten nur kurz, denn vor uns liegt noch eine kleine Ortschaft, bevor es schließlich zum Alto del Perdón hochgeht. Diese wollen wir für einen Kaffee und eine Jause nutzen. Unsere Gruppe sollte dann auch wieder vereint sein, denn Wolfgang, Anna und Sherri sehen wir bereits herankommen.

Der Weg wird beschwerlicher. Die Sonne brennt jetzt in den Nacken und die Höhenmeter werden auch mit kürzeren Schritten zurückgelegt. Der lang gezogene Bergrücken des Alto del Perdón, des Berges der Winde, wie ich ihn nenne, denn der Kamm des Berges ist übersät mit Windmühlen, ist bereits deutlich zu erkennen. Aufgereiht wie auf einer Perlenkette stehen sie in geringen Abständen nebeneinander, mehrere Kilometer über den Bergrücken verteilt. Ich nutze wie alle anderen Pilger auch jede Gelegenheit, um Fotos zu schießen. So wie jetzt, dieses Bild vor Augen.

Im für mich beinahe unaussprechlichen Ort Zariquiegui mit seinen laut Wanderführer 160 Einwohnern treffen wir während eines kleinen Snacks in einer Bar schließlich alle zusammen. Es haben uns mittlerweile viele Pilger oder Wanderer überholt, so genau lässt sich das heute nicht unterscheiden, und die nächsten zwei Kilometer geht es im Gänsemarsch, einem schmalen Pfad folgend, steil aufwärts.

Ich gehe diesen Teil des Weges alleine und bin auf die Bereitschaft der vor mir gehenden Leute angewiesen, wenn ich bei ihnen vorbeigehen will. Ich stoße auf Steve und wir steigen Stück um Stück, schweigend und keuchend empor. Steve deutet mit seiner rechten Hand auf einen beschriebenen Stein, aus dem ein Rinnsal entspringt.

„Hier soll nach Überlieferungen der Teufel den Pilgern zu trinken angeboten haben, wenn sie Gott, die Heilige Jungfrau oder zumindest den heiligen Jakobus verleugnen, was sie aber natürlich nicht getan haben."

„Ehrlich, woher weißt du das?"

„Gina hat es mir heute in ihrem Reiseführer gezeigt."

„Danke, Gina, für den Unterricht", denke ich mir und nehme mir vor, öfter mal in den Reiseführer zu sehen.

Die erwartete starke Brise beim Erreichen des Gipfels fällt heute aus. Nur leichter Wind bläst mir entgegen, was mich aber nicht weiter stört. Es ist fast auf den Punkt 12 Uhr, wie ich dank der eigens für diese Reise angeschafften Armbanduhr feststelle. Ich trage zu Hause nie eine Uhr. In meiner Wohnung hängt eine an der Wand, diese zeigt mir, wenn es Zeit wird, in die Arbeit zu gehen, und auch im Büro habe ich eine, die mich anweist, wenn es Zeit geworden ist, wieder nach Hause zugehen. Ich habe einen Wecker, auch wenn ich meist schon vor seinem Geläute wach bin. Was brauche ich eine Uhr, wenn ich mal abends mit Freunden ausgehe? Hier auf dem Camino ist es etwas anderes. Diese Armbanduhr ist mein einziger Bezug zur Zeit und ich sehe darauf. Nicht oft, manchmal vergesse ich sogar, dass ich sie mithabe. Aber nicht jetzt, denn mein Knie beginnt höllisch zu schmerzen. Schon komisch, nach all der Anstrengung den Berg herauf, wo ich es kaum belastend fand, fängt es nun, da ich auf einem Stein sitze und es an mir runterbaumeln lasse, zu stechen und brennen an. Die Uhrzeit erlaubt mir die Einnahme einer weiteren Tablette. Ich weiß es nach wie vor nicht, sind diese Tabletten gegen die Entzündung, die Zerrung oder machen sie nur die Schmerzen erträglich?

Neben Gina, Chris und Anna, die als Letzte aus unserer acht Köpfe umfassenden Gruppe angekommen sind, sehe ich auch andere bekannte Gesichter, wie Carola und Franziska, die beiden Damen aus Deutschland. Sie befinden sich mittlerweile auch in einer kleinen Gruppe, einer rein deutschsprachigen, mit Daniel und Martin, die ich beide in der Albergue Paderborn kennengelernt habe, und Sandra, einem 21-jährigen Mädchen, das ich eben erst zu Gesicht bekomme. Auch fast alles Leute, die einzeln gestartet sind und dennoch den Camino nicht alleine gehen. Ich weiß nicht viel von den anderen Personen auf diesem Berg, aber ich bin gerne unter ihnen.

Wolfgangs Schmerzen in seinem rechten großen Zeh sind stärker geworden und er begibt sich als Erster auf den circa 15 Kilometer langen Abstieg nach Puente la Reina.

„Ich gehe langsam voraus", sagt er noch beim Weggehen. „Die Probleme mit dem Zeh sind erst heute Morgen aufgetreten. Ohne Vorzeichen. Ich habe mich weder daran gestoßen noch ist mir etwas darauf gefallen", hatte er uns versichert.

„Es könnte sich um Gicht handeln", hatte ich zu ihm gesagt. „Wir haben gestern Abend doch etwas viel Wein getrunken und es könnte damit zusammenhängen." Er schmetterte es mit einem kurzen Kopfnicken ab und entschied sich, seinen Bruder, er ist Arzt, am Abend anzurufen.

Steve stößt mich leicht an, als eine junge hübsche Frau mit langen blonden Haaren auf einem weißen Pferd das Plateau erreicht, gefolgt von einem etwas älteren Herrn auf einem braunen Pferd. Sie traben auf der Ebene des Gipfels hin und her, steigen aber nicht von ihren Rössern ab. Ich beachte sie nicht weiter, denn der zuvor getätigte Blick auf den Weg, der uns nach unten führen wird, bereitet mir Sorgen. Große Steine bilden den Untergrund und ich meine zu hören, wie mein Knie verzweifelt um Hilfe ruft.

Ich trete gemeinsam mit Kristi und Sherri diesen Abstieg an und bereits die ersten Schritte lassen mich zurückbleiben. Ich kann das Tempo der beiden nicht halten und versuche, so viel Gewicht wie möglich an meinen Trekkingstock abzugeben. Meter für Meter stelle ich mich dieser Qual. Kämpfe mich auf dieser Halde aus Steinen abwärts. Manchmal schreie ich laut auf. Leute überholen mich. Mein Blick und meine Gedanken sind ständig auf die Steine am Weg gerichtet und versperren sich der übrigen Landschaft. Ich bewege mich in einem Tunnel und erhoffe nach jeder Biegung, die ich durchschreite, Licht zu sehen. Bei jedem Schritt, den ich unbedacht setze, bestraft mich mit einem bohrenden Schmerz mein linkes Knie. Manchmal spüre ich, wie er sich über meinen Nacken bis an meine Schläfen schleicht.

Unbemerkt haben sich Schleierwolken zwischen der Sonne und mir gebildet und die Schatten sind blass geworden. Da merke ich, dass sich grober Sand und Kiesel unter meinen Füßen befindet und sich meine Körperhaltung wieder zu einem aufrechten Gang gewandelt hat. Ich weiß nicht genau, wo ich mich befinde. Ich bin von mannshohen Büschen umgeben und suche nach gelben und blauen Boten, die mir den Weg weisen. Nach der nächsten Krümmung trete ich in offenes Gelände und erspähe weit vor mir zwei Menschen mit Rucksäcken. Auch einen gelben Pfeil sehe ich, etwas ausgewaschen und von der Sonne gebleicht, auf einen Stein gemalt. Ich nehme den Kontakt zum Leben wieder auf, danke.

Keine Ahnung, wer von meiner Gruppe vor mir oder

hinter mir ist, ich vermute aber, dass die meisten vor mir sind. Meine Schritte spannen sich wieder und werden schneller. Sie sind im Einklang mit meinem Stockeinsatz. Und die Schmerzen in meinem Knie? „Welche Schmerzen?" Ich spreche mit mir selbst und bin glücklich, dass sie sich auf ein erträgliches Maß verringert haben.

Das Umland öffnet sich und der Camino zieht seine Bahn nun sichtbar durchs Land. Meine noch kaum gebräunten Unterarme werden jetzt aufgrund eines milchigen Schleiers, der sich zwischen mich und die Sonne gelegt hat, verschont und mich überkommt gerade die Lust auf einen Schluck Wasser. Die Wasserflasche ist noch fast voll. Ich erinnere mich daran, sie in dem Dorf mit dem unaussprechlichen Namen nachgefüllt zu haben. Ebenso, dass ich am Alto del Perdón eine Tablette mit einem kräftigen Schluck durch meinen Rachen gespült habe. Mir fällt gerade auf, dass ich mich kaum an die letzte halbe Stunde erinnern kann, an den Weg den Berg herunter. Ich denke nach. Wolfgang ist bereits einige Minuten vor uns losgegangen. Danach Kristi, Sherri und ich. Die anderen erst nach mir. Ich habe Sherri und Kristi beim Abstieg verloren. Sie und Wolfgang müssten demnach vor mir sein und die anderen hinter mir. Ich überlege noch und entschließe mich weiterzugehen, da ich auch meine, in den beiden Personen, die ich in weitem Abstand vor mir sehe, Carola und Franziska zu erkennen.

Es dauert nicht lange und ich habe die beiden Damen eingeholt. Wir begrüßen einander mit dem für uns Pilger üblichen „Buen Camino" und wechseln ein paar Worte, bis Franziska plötzlich zu laufen beginnt. Ich sehe fragend zu Carola und diese erklärt mir, dass Franziska früher eine aktive Marathonläuferin war und gelegentlich diese Läufe braucht, um ihren Körper wieder in Gleichgewicht zu bringen. „Ja, mit vollem Gepäck", kommt sie meiner Frage zuvor. Ich lächle ein wenig und Carola erwähnt so nebenbei, dass sie den Camino bereits das zweite Mal geht.

„Die ganze Strecke von Saint-Jean?", frage ich.

„Richtig", antwortet Carola knapp.

„Wie kommt man dazu, den Weg zweimal zu gehen?", will ich von ihr wissen. Die zweifache Pilgerin schnauft tief durch, wartet ein wenig, sieht mir in die Augen und beginnt zu erzählen.

„Weißt du, Reinhard, beim ersten Mal, als ich den Camino Francés gegangen bin, es war vor fünf Jahren und ich bin ihn damals alleine gegangen, war ich innerlich total leer. Fast zwei Jahre davor kam es zur Scheidung. Du musst wissen, ich habe meinen Mann sehr geliebt und ich denke, ich liebe ihn noch immer. Nicht mehr so wie früher, auf eine andere Art. Wir sind auch nicht in Streit auseinandergegangen. Wie du dir vielleicht denken kannst, hat er eine andere kennengelernt, eine Jüngere. Wir sind beinahe gleich alt. Mein Mann, mein damaliger Mann, war lediglich ein knappes Jahr älter als ich. Wir waren 24 Jahre lang verheiratet und haben einen gemeinsamen Sohn aus dieser Ehe, Severin. Er feierte im vorigen Monat seinen 30. Geburtstag. Das Traurige an Scheidungen ist, dass du auch Freunde verlierst. Personen, die du all die Jahre lieb gewonnen hast und die auch ein Teil von dir geworden sind. In meinem Fall sind es nicht viele, die mir geblieben sind. Was wollen Pärchen mit einer alleinstehenden, alternden Frau? Man sieht sich anfangs noch öfters und du beginnst zu merken, wie die Anrufe oder die Gespräche bei einem zufälligen Zusammentreffen immer kürzer werden. Noch mehr schmerzt es dann, wenn du mitbekommst, und du bekommst es mit, wie die neue Freundin deines Mannes deinen Platz einnimmt. Ich habe ihnen ihr Glück nicht gegönnt und habe dadurch auch den kleinen Kreis Freunde, der mir noch geblieben war, nach und nach verloren. Eineinhalb Jahre nach der Scheidung habe ich dann auch meinen Arbeitsplatz verloren. Die Finanzkrise, die 2008 durch die Lehman-Pleite gerade begonnen hatte."

„Ich falle ihr mit einem „Ich kann mich noch gut daran erinnern" ins Wort und verstumme sofort wieder, um ihrer Erzählung keinen Abbruch zu leisten.

„Es war eine kleine regionale Bank, in der ich als Maklerin beschäftigt war", fährt sie fort. „Die Bank ist in Schieflage geraten und musste einen Großteil ihrer Belegschaft abbauen. Ich war damals 55 und zu alt für neue Arbeitgeber. Dies ist der Punkt, wo viele in Depressionen verfallen. Man fühlt sich nicht mehr gebraucht. Man beginnt, alles nur Erdenkliche für diese Situation verantwortlich zu machen, nur sucht man die Schuld nicht bei sich selbst. Der Fahrstuhl, in den ich gestiegen war, führte nach unten. Er übersprang jede Etage, niemand wollte zusteigen und ich konnte nicht aussteigen. Ich hatte die Kraft nicht dazu, einen kleinen Knopf zu drücken. Ich denke, es war höhere Macht, die mich dann auf den Camino geschickt hat. Was soll ich viel sagen? Der Weg, den ich damals gegangen bin, hat mir wieder Leben eingehaucht. Ich war wie ein dürrer Baum und der Camino hat mich mit Wasser versorgt. Mann, was habe ich geheult entlang des Weges, aber es waren Tränen der Freude, des Glücks und sie haben mich wieder ins Gleichgewicht gebracht. Sie sind nur so aus mir herausgeschossen und ich habe bestimmt so manche Sträucher auf dem Weg zum Grünen gebracht. Ich musste mich ständig bei den anderen Pilgern, die ich kennengelernt habe, für das ständige Geflenne entschuldigen. So wie ich den Pflanzen entlang des Weges durch meine Tränen zum Leben verhalf, so hat auch der Camino mir zum Leben verholfen und ich bin unsagbar dankbar dafür. Ich weiß heute, dass das Leben ein Geschenk Gottes ist und du Körper und Geist gesund halten musst, um dieser Verantwortung gerecht zu werden. Heute gehe ich den Jakobsweg nochmals. Franziska hat mich darum gebeten. Sie hatte Angst davor, ihn alleine zu gehen, und ich gehe den Weg gerne mit ihr."

Mir fehlen völlig die Bilder der Landschaft für die letzten 20 Minuten, aber Carolas Worte haben all meine Sinne in Anspruch genommen. Die Worte haben mich festgehalten und ich sehe zurück auf den Pfad, der das Gelände durchschneidet, auf dem ich gerade gegangen bin, und wieder erinnere ich mich seiner nicht. Ich blicke zu Carola, ihre Augen sind nicht feucht, sie strahlen und funkeln vor Klarheit, inmitten puren Lebens.

„Spürst du den Camino?", fragt sie mich und ich antworte mit einem zögerlichen „Noch nicht so richtig".

„Du wirst ihn spüren, da bin ich mir sicher. Jeder spürt ihn, auf seine Weise. Der Camino lebt und du bewegst dich auf etwas Lebendigem, wie ein Baby in den Armen seiner Mutter. Du sehnst dich nach der Wärme und du fühlst es, wenn sie dich verlässt. Solange dieses Gefühl bei dir ist, wirst du dich nie verlaufen."

Wir schließen zu Franziska auf, die nach ihrem Sprint wieder ein gemächliches Tempo eingeschlagen hat. Aber zuvor flüstert mir Carola noch ins Ohr: „Ich erzähle das nicht jedem, ich weiß nicht, ob ich das außer Franziska und dir noch jemandem erzählt habe, und ich kann mich auch nicht erinnern, dass mir die Worte so in den Mund gekommen sind wie eben, aber ich glaube, sie haben den Weg zu dir gesucht." Wieder mit etwas Abstand versichert sie mir, dass es ihr heute gut geht.

„Mein Mann, Verzeihung, mein Exmann, hat nach meiner Rückkehr aus Spanien das Haus übernommen. Es ist mir zu groß geworden. Er hat mir stattdessen in Konstanz am Bodensee, ich bin dort aufgewachsen, eine kleine Eigentumswohnung, eine Art Reihenhaus mit Garten und Blick auf den See, gekauft. Dort habe ich alte Bekannte aus meiner Kindheit getroffen, so wie Franziska. Ich bin mittlerweile in Rente, bin auch finanziell gut abgesichert und das Leben hat mich wieder."

Ich umarme sie und kann meinen Tränenkanal um den einen oder anderen Tropfen nicht mehr verschließen. Carola und Franziska gönnen sich ein wenig Rast und ich marschiere mit einem „Man sieht sich" alleine weiter.

Ich treffe kaum auf Menschen. Die Gruppe aus den beiden Bussen dürfte anscheinend nur den Berg hochgewandert sein. Kurz vor Obanos sehe ich in einer Grünanlage einen Mann liegen. Es ist Wolfgang. Er macht den Eindruck, als hätte er gerade noch geschlafen, während er sich aufrichtet.

„Wie geht's?", begegne ich ihm, meinen Rucksack auf den Boden stellend. Er sieht auf die Uhr.

„Nicht besonders, mein Zeh." Sein Schuh liegt neben ihm im Gras. Er greift danach und schlüpft hinein.

„Kann ich dir etwas abnehmen?", frage ich ihn.

„Nein, schon gut, es geht", lautet seine knappe Antwort und er macht sich bereit zu gehen.

„Hast du die anderen gesehen?", will ich noch wissen und er verneint meine Frage. Wir gehen noch gemeinsam durch den Ort, wo gerade ein Fest in Gange ist. Es ist Samstagnachmittag und der Zeitpunkt ist gut gewählt. Schleierwolken schützen vor der prallen Sonne und die Temperatur macht es einem angenehm, an diesem bewegten Platz zu verweilen. Verkleidete Menschen unter großen Köpfen verborgen und auf Stelzen tanzend zieren das Geschehen. Ich halte mich aber nicht allzu lange hier auf. Mein Knie macht sich erneut bemerkbar und mir wäre es lieber, schon bald in Puente la Reina zu sein. Wolfgang habe ich in der Menge verloren. Ich gehe also alleine weiter.

Es ist 14.30 Uhr, als ich auf einer weißen Tafel aus Blech in roter Schrift „Puente la Reina" lese. Gleich am Anfang der Ortschaft befindet sich eine Albergue, geführt im Stile eines Hotels. Am Empfang erfahre ich, dass noch genügend Betten frei sind. Es sind Bilder der Schlafplätze und der Räumlichkeiten an der Wand angebracht und mir gefällt, was ich da sehe. Ich setze mich also auf das kleine Grasstück vor dem Gebäude und warte. Es dauert nicht lange und Wolfgang taucht auf.

„Die Albergue sieht schön aus, auch innen, es gibt Bilder davon", empfange ich ihn. Er sieht daran vorbei und macht mir klar, dass er heute in einem Hotel schlafen wird. Er braucht Ruhe und etwas Abstand. Ich soll es den anderen erklären und er bekräftigt nochmals, dass ihn niemand überholt habe.

Ich setze mich also ins Gras und warte fast eine volle Stunde, bis die Gruppe geschlossen eintrifft. Wir entschließen uns nach einer kurzen Unterredung, hier zu übernachten. Es war eine gute Entscheidung, wie sich herausstellt. Wir kommen alle gemeinsam in einem Raum unter. Es ist sauber, gut durchlüftet, die sanitären Anlagen sind neu hergerichtet und es entspricht mit acht Euro den üblichen Preisen. Für 13 Euro bekommen wir heute Abend ein Buffet, inklusive Wein und Bier und selbstverständlich auch Wasser, wer es will. Das Essen ist so umfangreich und reichhaltig, dass es einem schwerfällt, sich für etwas zu entscheiden. Dazu Bier und Wein im Überfluss.

„Habt ihr gewusst, dass die Stadt übersetzt, Brücke der Königin' heißt?", gibt uns Gina Unterricht. Ich habe es nicht gewusst und auch die anderen nicht.

„Puente la Reina heißt Brücke der Königin?", wiederhole ich.

„Ja, wir müssen morgen unbedingt Fotos davon machen", fordert Gina alle am Tisch auf.

Mit uns sitzen auch noch Sylvie und Rod am Tisch. Beide sind in unserem Alter, von Gina einmal abgesehen, kannten sich zuvor ebenfalls nicht und kommen aus Kanada. Wir kommen uns heute Abend noch weiter näher, während wir das Prasseln des Regens an die großzügig in die Wand gefasste Fensterfläche hören.

7

Eigenart

Unser heutiges Ziel ist Estella. Das beschließen wir in einer Taberna bei Kaffee und Kuchen. Die Zeit in den Morgenstunden verrinnt viel schneller und der geplante Abmarsch wird selten eingehalten. Meist sind auch die Gelegenheiten, wo es heißen Kaffee gibt, von Pilgern überfüllt. Diesmal warten wir aber auf Steve, der in unserer Runde noch fehlt. Steve ist nochmals zurückgegangen, um nach Kristi zu sehen. Sie war nach ein paar Abzweigungen durch den Ort auf einmal verschwunden. Nach einigen Minuten, die wir neben der Straße auf Kristi gewartet hatten, ging Steve zurück und wir in das nächste Lokal. Mittlerweile ist Kristi bei uns angekommen und wir warten auf Steve.

Bars oder Tabernas, wo wir uns jetzt gerade eingefunden haben, sind entlang des Jakobswegs meist kleine Gaststätten, die morgens heiße Getränke und Mehlspeisen servieren und, je näher der Abend rückt, natürlich auch Rotwein und Bier. Nebenbei wird auch immer ofenfrisches Gebäck angeboten und ich nutzte diese Gelegenheit meistens, um mir ein knuspriges Baguette für den Tag zu kaufen. Ich teile es heute mit Kristi, das ganze Stück ist mir zu viel. Mit Wasser versorge ich mich an den zahlreichen Brunnen entlang des Camino, wie auch meine Freunde und die vielen anderen Pilger.

Nach dem kleinen Missverständnis ist unsere Gruppe wieder komplett und wir überqueren die von Gina an uns herangetragene Brücke der Königin. Ein steinerner, der Länge nach einige Meter einnehmender Torbogen lädt uns

81

ein, über die Brücke zum anderen Ufer überzutreten. Sie spannt sich weiter als zuvor gedacht über den darunter fließenden Fluss Arga, der der Legende nach zu den guten Flüssen zählt. Er soll aber einen kleinen Nebenfluss gehabt haben, der durch todbringendes Wasser gespeist wurde und der Überlieferung nach als Salzbach bekannt war. Historische Aufzeichnungen geben Zeugnis einer Pilgerreise von dazumal und benennen gute und schlechte Flüsse entlang des Camino Francés. Ich kann es nicht einordnen, aber ein eigenartiges Gefühl befällt mich beim Überqueren der Brücke. Ich blicke nochmals zurück auf den aus Steinen gespannten Bogen, der über den Fluss führt. Der Anzahl der Personen nach, muss bereits die gesamte Menschheit über diese Brücke gegangen sein. Wie viel Schweiß von nackten Füssen mag auf ihr liegen und wie viel Blut wurde auf ihr vergossen? Ich bin mir sicher, es wurden viele Schicksale auf dieser Brücke geschlagen und sie verrichtet nach wie vor, wie vor 900 Jahren, denselben Dienst, nämlich die Menschen zu vereinen.

Es hat erst in den frühen Morgenstunden, ich war bereits aufgestanden, zu regnen aufgehört. Der Boden ist tief und glitschig auf den zum Glück kurzen Pfaden, die die einzelnen Wege miteinander verbinden. Meist führen uns die Wegweiser entlang einer breiten und festen Schotterpiste. Wolfgang haben wir heute noch nicht gesehen. Anna hat gesagt, dass sie mit ihm am Morgen telefoniert hat und er sich entschuldigen lässt. Er braucht Zeit für sich, aber seinem Zeh geht es besser.

Wie üblich bröckelt unsere Runde nach den ersten Kilometern auseinander und es bestätigt sich, dass Kristi und ich das gleiche Tempo anschlagen, zumindest solange es eben ist und die Anstiege und Gefälle nicht zu stark werden. Mein

Handicap ist immer noch voll im Spiel und ich befürchte, dass ich ohne die Pillen, die ich dreimal täglich in mich hineinwerfe, einem Abbruch nicht entsagen könnte, auch wenn ich Kristi gegenüber ständig betone, dass es doch recht gut geht. Ich habe gestern beim Abendessen in der Albergue Jakue von ihr erfahren, dass sie Stewardess bei Delta Airline ist und jetzt erzählt sie mir weiter, Sherri über ein soziales Netzwerk kennengelernt zu haben.

„Sherri hat eine Begleitung für den Camino gesucht. Sie wollte nicht alleine gehen. Ich habe ihr geschrieben, dass ich eventuell Interesse habe und so weiter", erzählt sie.

„Ich habe gedacht, ihr habt euch schon zuvor gekannt, da ihr beide aus Portland oder aus der Nähe von dort kommt." Ich bin etwas verwundert.

„Nein, wir haben uns vorher noch nie gesehen, aber wir verstehen uns mittlerweile prächtig, kann ich nur sagen. Aber alle anderen habe ich hier getroffen, so wie dich, Reinhard." Sie bekräftigt es mit einem warmen Lächeln.

„Findest du es nicht eigenartig, dass gerade wir einander gefunden haben? Wir kommen aus verschiedenen Staaten, ja sogar Kontinenten. Australien, USA, Europa", zähle ich auf.

„Und vergiss nicht, du sprichst auch eine andere Sprache", ergänzt Kristi und folgert weiter: „Auch wenn Englisch bei uns anderen die Muttersprache ist, so ist es nicht immer einfach, den verschiedenen Dialekten zu folgen. Ich tu mir zum Beispiel bei Steve oft schwer, wenn er schnell spricht. Seine Betonung der Wörter ist anders, als ich es gewohnt bin."

„Das kann ich nur bestätigen", sage ich und verfolge nochmals den Umstand unseres Zusammentreffens. „Wäre da nicht das Problem mit meinem Knie, ich wäre an Pamplona vorbeigezogen. Wir hätten uns wahrscheinlich nie gesehen. Und nach wie vor beeinträchtigt mich das Knie beim Gehen und lässt uns beieinander bleiben. Und ich empfinde diesen Umstand als bestimmt, als seien wir zusammengeführt worden."

Kristi stoppt, hält mich am Arm und flüstert mir scherzhaft zu. „Meinst du, der Camino hat die Finger im Spiel?"

Ich presse die Lippen zusammen und richte meine Augen nach oben.

„Wie seid ihr, du und Sherri, mit den anderen in Kontakt gekommen?"

„Wolfgang und Anna haben wir in Saint-Jean, nein, eigentlich schon im Bus, der uns dorthin gefahren hat, kennengelernt, und sie gehen nur bis Burgos", sagt sie mit etwas abgehackten Pausen dazwischen.

Wie war es mit Steve, mit Chris oder Gina?" Ich sehe sie fragend an und nicke ihr zum Weitergehen zu. Kristi denkt nach und antwortet etwas zögerlich.

„Mit Chris und Gina haben wir uns in Roncesvalles, im Restaurant oberhalb des Klosters, beim Abendessen bekannt gemacht. Die sind sich wiederum schon zuvor auf dem Weg dorthin nähergekommen. Es waren auch noch andere Leute am Tisch. Die sind aber früher als wir gegangen und irgendwann war dann auch Steve da", wundert sie sich ein wenig. „Ich weiß noch, es waren so viele Pilger in diesem Restaurant, aber mir ist jetzt, als hätten wir uns gesucht."

„Und gefunden", ergänze ich.

„Ja, und dasselbe Empfinden hatte ich, als du an unseren Tisch gekommen bist." Ihre Stimme wird am Ende des Satzes leiser.

Das leichte Nieseln, das während unseres Gesprächs eingesetzt hat, weitet sich nun zu einem Starkregen aus und unterbricht unsere Unterhaltung. Meinen Regenponcho habe ich jetzt immer griffbereit. Wen wundert es, nach diesen regenreichen Tagen? Die gelben Pfeile weisen uns an, den aus festem Sand geformten Weg zu verlassen und in einen schmalen, mit großen Steinen als Hindernisse angelegten Pfad einzutreten. Er liegt etwas höher und lässt das viele Wasser, das vom Himmel fällt, gut ablaufen. Vereinzelt bilden sich ausgedehnte Pfützen, die ich aber mühelos mit ein paar weit gespannten Schritten umgehen kann. Kristi befindet sich hinter mir und ich sehe nicht, ob ihre doch um einiges kürzeren Beine beim Umgehen der Wasserlachen so problemlos mitspielen. Ich versuche es erst gar nicht, mich nach ihr umzusehen, da die Kapuze meines Ponchos die Sicht ohnehin erheblich einschränkt.

Die nächsten Schritte führen mich in tieferes Gelände. Nicht nur was die Höhe an sich betrifft, auch der Boden wird weicher und schlammiger. Meine Schuhe versinken oft knöcheltief im Morast und es gibt keine Möglichkeit, diesen zu umgehen. Die für weite Blicke offene Ebene ist vom vielen Regen völlig aufgeweicht. Ich sehe Pilger vor mir im Zickzackkurs am Pfad entlang der Felder hüpfen, auf vermeintlich festere Stellen. Bilder, die ich mir vor Antritt der Reise nicht auszumalen vermochte, von einem sonnendurchfluteten Spanien, das ich bisher ausschließlich als Urlaubsland gekannt habe. Umso mehr schlagen mir die letzten Tage aufs Gemüt, begleitet von den andauernden Schmerzen in meinem linken Knie, die mich sogar in den Nächten nicht verschonen. Lediglich das physische Umfeld, in dem ich mich glücklicherweise seit Pamplona befinde, hält meine Psyche noch in Gleichgewicht und verknüpft sie zu einem Geflecht, dessen Ausmaß mir noch nicht bewusst ist. Ich habe darin Halt gefunden, aber dieses Netzwerk, in dem ich mich befinde, weist mich auf dunkle Stellen, die es zu ergründen gilt.

Auf einem sicherlich schon vor Jahrhunderten gemauerten Steingebilde, das eine Brücke zwischen zwei Pilgerwegen darstellt, sitzt Steve. Ihm leisten Rod und Sylvie Gesellschaft, die beiden Kanadier von gestern Abend. Der Pfad, von dem aus ich das Geschehen erblicke, hat sich zu einer gefestigten und breiten Schotterpiste gewandelt und die Wolken sammeln Wasser für die nächste Bewässerung des Landstrichs.

Es ist mittlerweile Mittag und der sich noch zurückhaltende Regen lässt die alte Brücke zum Picknickplatz werden. Kurz nach mir und Kristi gesellen sich noch Gina und Chris hinzu. Der schon leicht angetrocknete Schlamm verziert meine Schuhe und reicht bis an die Oberschenkel. Ein Bild, das sich, wenn ich durch die Runde sehe, ausnahmslos wiederholt. Im Gegensatz zu den meisten anderen sind meine Füße aber trocken geblieben und mich überfällt heute das erste Mal Zufriedenheit in Anbetracht dessen, mich für die richtigen Wanderschuhe entschieden zu haben.

Wir erreichen beinahe geschlossen unser Etappenziel. Es ist noch früher Nachmittag und der Regen hat uns auf den letzten Kilometern bis Estella wieder eingefangen. Wir kommen in einer gemütlichen Albergue unter und bezahlen auch gleich noch je ein Bett für Anna und Sherri, die sich noch auf dem Weg hierher befinden. Chris wartet am Eingang, um sie einzuweisen.

Der Nachmittag verstreicht mit Waschen der verdreckten Jeans, Reinigen der Schuhe und weiteren Eintragungen auf meiner Website, auf der ich meine Reise für andere transparent mache. Die ursprüngliche Idee dahinter war, damit Kontakt zu meinen Eltern zu halten, die alles andere als erfreut waren, dass ich diesen Weg gehe. Zu lange schien ihnen meine Abwesenheit zu werden, zu groß die Zahl der Tage und Wochen, an denen ich sie nicht besuchen werde.

Es war auch nicht leicht, ihnen mein Vorhaben zu erklären und Verständnis dafür von ihnen zu erhalten. Schließlich haben mein jüngerer Bruder und meine ältere Schwester es geschafft, sie zu überzeugen, und ich habe versprochen, jeden Tag einen Bericht meiner Reise zu verfassen und ins Netz zu stellen, mit Bildern natürlich. Es sind zusätzliche 2,1 Kilogramm meines Tablet-PC, die ich mit mir schleppe, aber es verschafft mir die Möglichkeit, andere an meiner Reise teilhaben zu lassen. Aus Rücksicht auf meine Eltern, beide sind bereits über 80 Jahre alt, deute ich meine Knieprobleme darin nur an und spiele sie notgedrungen etwas herunter. Was mir auch unheimlich viel bedeutet, ist die Segnung meiner Reise durch den Gemeindpfarrer meiner Heimatstadt Judenburg, und ich führe auch das kleine Holzkreuz, das ich von Kaplan Laurentius bekommen habe, immer bei mir. Das Kreuz ist übrigens ein Mitbringsel aus seiner Heimat Sri Lanka.

Ein Unfall überschattet den heutigen Nachmittag. Steve ist beim Versuch, sich vom Stockbett nach unten zu hanteln, mit seinem rechten Unterarm zwischen die Eisenrahmen geraten und hat sich diesen dabei tief aufgerissen. Das Fleisch musste entlang des Schnittes mit zahlreichen Stichen zusammengenäht werden. Die Behandlung erfolgte nur ambulant und dank den Spritzen, die er bekommen hat, kann er jetzt beim Abendessen auch schon wieder darüber lachen.

Noch etwas speist meine heutigen Gedanken. Wir waren bereits in Estella, an den grünen, noch nicht dicht bebauten Teilen der Stadt, als Gina mich auf etwas aufmerksam machte, dessen sich mein Blick ebenfalls gerade erschlossen hatte: die beiden Pilger zu Pferd, die Frau auf dem weißen und der Mann auf dem braunen Pferd, wie am Alto del Perdón. Mir wurde in diesem Moment mit Ernüchterung vor Augen gehalten, dass man nichts, und scheint es noch so absurd und fern der Realität zu sein, ins Lächerliche ziehen sollte. Meine Scherze über die Fortbewegungsmittel in Roncesvalles haben mich jetzt überholt.

Der nächste Morgen beginnt noch recht feucht. Abgesehen von Steve haben Kristi, Chris und ich unsere Schlafstelle heute als letzte von all den Pilgern, die ich mittlerweile kenne, verlassen. Steve hat erst in den frühen Morgenstunden in die Albergue zurückgefunden. Ich habe es nicht richtig mitbekommen, aber von anderen erfahren, dass er sturzbetrunken war. Es muss schon 5.30 Uhr gewesen sein, denn zuvor war die Herberge noch verschlossen. Ich habe mit ihm zuletzt noch einige Biere an der Theke des Restaurants getrunken, in dem wir zu Abend gegessen haben. Es war kurz vor 22.30 Uhr, als wir in die Unterkunft zurückgekehrt sind, also im letzten Abdruck, kurz vor Zapfenstreich. Ich erinnere mich noch genau. Steve wollte nicht. „Ein Bier trinken wir noch", hat er sich ständig wiederholt. Ich musste ihn bei den Armen packen und quasi mitschleifen und ich weiß es genau, er war im Zimmer, als ich mich schlafen gelegt habe. Er muss danach das Gebäude nochmals verlassen haben. Er liegt jetzt mit Sicherheit noch im Bett und schläft seinen Rausch aus, denke ich mir, als Chris für jeden hörbar „Hier gibt es ja Wein!" ruft.

Gleich nach Estella erstreckt sich ein Weingut, dessen Marketingstrategie die vorbeiziehenden Pilger zu verblüffen weiß. Neben dem Wasserhahn befindet sich eine zweite Zapfsäule, welche die durstigen Wanderer zusätzlich mit einem Schluck Rotwein zu stärken versucht. Ich kann dem heute leider gar nichts abgewinnen. Mir ist nicht besonders wohl nach dem gestrigen Gelage mit Steve, auch wenn ich meine Nachtruhe eingehalten habe. Ich lasse mich schließlich doch zu einem zaghaften Schluck von Kristi überreden und bereue es sogleich.

Wir gehen weiter und der Zufall will es, dass beim nächsten Anstieg Wolfgang vor uns auftaucht. Anfangs waren wir uns nicht sicher, haben etwas gerätselt und konnten ihn dann anhand der Kleidung, des Rucksacks und des Ganges doch richtig einordnen. Jeder hat ein Stück dazu beigetragen. „Wolfgang", ruft ihm Kristi in den Rücken und er ist es. Wolfgang bleibt sofort stehen und wartet auf uns. Wir begrüßen ihn. Kristi umarmt ihn, als hätte sie ihn schon Jahre nicht mehr gesehen, und ich spüre immer mehr, dass Verbindungen, die am Camino zustande kommen, viel intensiver sind, als werden sie sonst wo geknüpft. Man merkt auch sofort, dass Wolfgang seine Lethargie der letzten Tage abgelegt hat und voller Tatendrang ist. Bei den nächsten Wegweisern, die den Camino in einen schweren, steilen und einen flacheren und leichteren, aber dafür längeren Abschnitt unterteilen, entscheiden wir uns mit drei Stimmen und einer Enthaltung für das kürzere und damit steilere Wegstück. Die Zurückhaltung kam, wie zu erwarten war, von meinem Knie. Dennoch folge ich den dreien den Berg hinauf, auch im Wissen, es beim anschließenden Abstieg zu bereuen.

Ich halte nur einmal kurz an, um meine Jacke zu verstauen. Auch wenn die Temperatur noch sehr frisch ist, bringen die stetig aufwärts gerichteten Schritte meinen Körper dazu, Wasser durch meine Poren nach außen zu transportieren, um ihn schützenderweise zu kühlen. Da meine Jacke aber nicht aus atmungsaktivem Material gefertigt wurde, war es an der Zeit, diese zu entfernen, um so den Abtransport der gewonnenen Flüssigkeit in höhere Sphären zu gewährleisten. Vielleicht bilden sich gerade durch den Umstand, dass es mir so viele Menschen auf diesem Weg gleichtun, neue Wolken, die diesem Teil des Landes das üppige Grün verschaffen, das mich seit Antritt meiner Reise umgibt.

Wenn wir auch fast geschlossen gehen, so halte ich mich mit Konversation bis auf kurze Antworten zu den wenigen Fragen, die direkt an mich gerichtet sind, zurück. Dafür sprudelt es aus Wolfgang umso mehr heraus. Ich verstehe nicht, wie man so viel reden kann, aber insgeheim bewundere ich es.

Schmale Bergmassive wie das, worauf wir uns gerade befinden, umschlingen das darunter liegende Tal. Die etwas höheren Gipfel verschwinden zum Teil im Nebel, manche werden mit glatten hellgrauen Felswänden verziert und andere wiederum sind bis an die Spitze mit Vegetation überwuchert. „Wunderschön", sage ich und blicke aufs Panorama der gegenüberliegenden Bergfront. Chris folgt meinen Blicken bejahend. Es gelingt mir damit sogar, Wolfgangs Sprachfluss ins Stocken zu bringen und ihn zumindest für einen Moment diesem Land und seiner Pracht näherzubringen. Ich genieße diesen Augenblick und vergifte meinen Geist nicht mit Gedanken an den bevorstehenden Abstieg.

Mitten am Nachmittag erreichen wir Los Arcos. Steve hat auf den letzten Kilometern dorthin überraschenderweise zu uns aufgeschlossen. Obwohl ich anfangs dazu plädiert habe, sieben Kilometer weiter bis Torres del Río zu gehen, um die morgige Etappe nach Logroño dadurch kürzer zu gestalten, bin ich jetzt froh, nicht mehr weitergehen zu müssen, und nehme mir spontan vor, dem Pilgergottesdienst heute Abend beizuwohnen. Aber zuvor ist große Wäsche angesagt, denn es hat aufgeklart und ist sehr windig, wenn auch recht frisch mit lediglich zehn Grad.

Es ist Zeit fürs Abendessen. Meine Freunde sind schon frühzeitig, gleich nachdem sie geduscht und sich zurechtgemacht haben, durch Los Arcos gezogen. Es ist wirklich kalt und ich kann es mir nicht verkneifen, mit Wandersocken in meine Trekkingsandalen zu schlüpfen. Auf der Plaza des kleinen Städtchens treffe ich meine Freunde. Sie haben bereits gegessen und empfehlen mir das Restaurant, in dem sie gerade waren.

„Na ja, dann bleibt mir die Flasche Rotwein eben ganz alleine." Mit diesen Worten trennen wir uns.

Das Essen war wirklich ausgezeichnet, nicht nur preiswert und sättigend. Ich muss mich sputen. Der Gottesdienst beginnt um 19.45 Uhr. Die Iglesia de Santa Marta ist auch das bedeutendste Bauwerk von Los Arcos. Zum Ende der Messe werden jetzt alle Pilger an den Altar gebeten, um für die Reise nach Santiago de Compostela gesegnet zu werden. Viele in ihrer Landessprache, also bei mir auf Deutsch. Die Südkoreaner müssen mit Englisch vorliebnehmen. Vielleicht wird's ja noch mal was in den nächsten Jahren, wenn sie weiterhin so zahlreich zu Jakobus pilgern. Ich denke, nach den Vereinigten Staaten, wenn sich auch viele Kanadier daruntergemischt haben, vertritt Südkorea gegenwärtig die zahlenmäßig zweitstärkste Nation am Camino Francés. Ich habe auch das Gefühl, richtig Freude daran zu haben, wenn ich Südkoreanern begegne. Morgen geht's nach Logroño. Mit 147.000 Einwohnern eine der großen Städte entlang des Pilgerweges.

Die Morgenstunden fühlen sich bitterkalt an. Ich komme heute nicht richtig in die Gänge und verlasse die Herberge mit etwas Abstand zu den anderen, der sich aber bereits nach zwei Kilometern, zumindest zu Wolfgang, Steve und Chris, wieder aufgelöst hat. Die Landschaft ist flacher geworden, nicht mehr nur von Bergmassiven dominiert, auch trockener und die Bilder der kleinen Ortschaften, durch die wir kommen, beginnen sich zu gleichen. Die Kirche in der Mitte ist umgeben mit von der Höhe nach außen hin abfallenden Häusern, dicht gedrängt und kreisförmig angeordnet. Oftmals sind sie auf ausgedehnten Hügeln errichtet und kündigen sich bereits kilometerweit an und nicht selten verbergen diese nur wenige Hundert Einwohner zählenden Orte prächtige Kirchenbauten.

In Viana, das wir soeben geschlossen erreichen, einer lediglich 4000 Einwohner zählenden Ansiedlung, erhebt sich eine majestätische Kirche, gleich einer Kathedrale aus dem mittelalterlichen Ortsbild. Es ist Mittag und viele Pilger nutzen den großzügig angelegten Platz neben der Kirche für eine Rast. Wir tun es ihnen gleich und vereinnahmen den Brunnen inmitten der Plaza. Die Wolken sind verschwunden, es ist warm geworden und es verheißt, der erste schöne Tag zu werden nach all den regenreichen und nassen Tagen zuvor. Es ist wie Balsam auf meiner Seele, hier zu sitzen und mich von der Sonne verwöhnen zu lassen. Steve lockt mich mit einem von kalten Wasserperlen beschlagenen Glas Bier, das er gerade in einer der zahlreichen Bars um den Platz geholt hat. Ich verkneife es mir und bleibe meinem Vorsatz treu, während der Wanderungen nur Wasser zu trinken, auch keine Limonaden. Kaffee und Tee sind erlaubt. Es ist auch das erste Mal, dass wir so ausgelassen und geschlossen in der Runde Mittag halten.

Neben mir sitzen Wolfgang und Chris. Wolfgang unterstreicht die Annehmlichkeiten der gemeinsamen Währung, also des Euro, auch hier in Spanien. Ich pflichte ihm bei, weise aber auf die damit verbundene Schwäche unserer Zahlungskraft im Vergleich zur früheren D-Mark und dem Schilling hin.

Chris sagt: „Kein Engländer würde jemals das Pfund gegen den Euro tauschen und das Pfund ist heute 20 Prozent mehr wert als der Euro." Ich gebe ihm recht, muss aber doch noch etwas klarstellen.

„Wusstest du, dass du bei der Einführung des Euro für 60 Pence einen Euro bekommen hast? Jetzt musst du 80 Pence bezahlen. Der Euro hat durch die Finanzkrise viel an Wert verloren, ist aber immer noch höher im Kurs zum Pfund als bei seiner Einführung."

„Ich weiß nicht", antwortet Chris.

„Glaub es mir, ohne Finanzkrise würde der Euro heute mit dem Pfund gleichauf sein." Ich ergänze meine Aussage mit einem „vermutlich". Chris überlegt noch, während sich Wolfgang zu Wort meldet.

„Ich erinnere mich, es war um Ostern und ich meine, es war 2009, als ich mit meiner Frau in London war. Ich musste damals 110 Euro für 100 Pfund bezahlen."

„Ja, dann lag der Kurs bei 90 Pence", gebe ich mich lautstark bestätigt.

„Mag sein, aber die Leitwährung bleibt immer noch der US-Dollar und daran wird sich auch nichts ändern", sagt Chris.

„Wisst ihr, was die erste Leitwährung war?", knüpfe ich an die Bemerkung von Chris an. „Es war die Tetradrachme." Fragende Gesichter kreisen mich ein, auch Steve und Rod stehen jetzt neben uns und ich fahre fort.

„Die Geldwirtschaft im eigentlichen Sinne gibt es seit dem 5. Jahrhundert vor Christus. Herrscher, von klein bis groß, schufen ihre eigene Währung, vorwiegend aus Silber. Münzen wurden erschaffen, um den Handel einfacher zu gestalten. Weg vom Tauschhandel. Wer kann schon immer mit dem, was jemand anders anzubieten hat – und umgekehrt –, etwas anfangen? Es musste also mehrfach getauscht werden. Und bedenkt, Silbermünzen verderben nicht. Ihr kennt doch Alexander den Großen?"

Allseits zustimmendes Nicken und ich komme zum Wesentlichen meiner Rede.

„Als Alexander an die Macht gekommen ist, hat er über ein Vermögen verfügt, das heute einen vergleichbaren Wert zu damals von 650.000 Euro darstellte. Nicht besonders viel, wenn man ein ganzes Volk regieren will. Er setzte alles auf eine Karte und stellte eine Streitmacht von 40.000 Mann auf. Aus seinen Mitteln konnte er dieses gewaltige Heer maximal einen Monat finanzieren. Der in die Wege geleitete Eroberungsfeldzug musste also rasch zum Erfolg führen und er tat es auch. Alexander eroberte so viel Gold und Silber, um sein Heer weitere Monate finanzieren zu können, und die Einnahme von Städten in Richtung Persien nahm kein Ende. Er hat begonnen, in den eroberten Gebieten eigene Münzprägestätten zu errichten, und alle Münzen aus diesen Prägungen wiesen die gleiche Vorderseite auf. Das Reich Alexander des Großen dehnte sich unaufhörlich aus und die einheitliche Form der Prägung machte die Tetradrachme weit über die Grenzen seines Reiches hinaus zu einem beliebten und stets anerkannten Zahlungsmittel.“

„Das nenn ich einen Geschichtsunterricht“, ergreift Steve als Erster das Wort.

„Woher weißt du das alles?“, will jetzt Wolfgang wissen und auch Chris, der es mit seinem Blick Wolfgang gleichtut.

„Volkswirtschaft ist ein Hobby von mir und all die geldwirtschaftlichen Zusammenhänge interessieren mich einfach. Immer schon. Ich bin auch Mitglied in einer Finanz-Community, verfasse dort Artikel zu aktuellen Themen und ich hab so meine Theorien, wie man das Finanzsystem stabiler und nicht so anfällig für Spekulanten machen kann.“

„Ach ja, und die wäre?“, will es Chris jetzt genau wissen, während sich rund um uns Aufbruchsstimmung breitmacht.

„Ich erzähl es dir ein andermal, wenn wir unter uns sind,

die anderen wird es weniger interessieren. Wir sollten uns jetzt aufmachen, es ist noch ein langer Weg bis Logroño."

Chris bekräftigt sein Interesse mit einem „Ich komme darauf zurück!".

Mit Viana verlassen wir auch die autonome Provinz Navarra und gelangen in die Provinz La Rioja, bekannt durch den gleichnamigen Wein. Es ist jetzt wirklich warm geworden und das T-Shirt reicht mir als Oberbekleidung. Kristi und ich laufen voraus, wir haben uns mittlerweile einige Hundert Meter von den Übrigen abgesetzt. Ich begrüße sie jetzt immer mit „Guten Morgen, Amerika" und sie gibt mir ein „Guten Tag, Österreich" zurück. Wir beschränken uns damit aber auf einmal am Tag.

„Bist du eigentlich verheiratet?", fragt mich Kristi. Ich muss die Frage verneinen.

„Hast du eine Freundin?" Auch da muss ich wieder mit Nein antworten.

„Kinder?"

„Nein, leider auch nicht."

„Du bist aber schon hetero?"

„Sehe ich so aus?"

„Ich finde, es ist nicht nur das Aussehen, wir kennen uns schon ein paar Tage und das hätte ich bemerkt, wenn es nicht so wäre."

„Da hast du recht und ich kann jetzt einmal Ja sagen."

„Wir Amerikaner sind in solchen Dingen Fremden gegenüber sehr reserviert und vermeiden es, auf solche Fragen zu antworten. Wenn wir darauf antworten wollen, dann merkst du es daran, dass wir dieses Thema ansprechen."

„Verstehe", sage ich und gehe neben ihr, auf die Straße blickend, weiter. Es vergeht die eine oder andere Minute ohne ein Wort, bis Kristi nochmals ansetzt.

„Hast du verstanden? Du darfst mich nach meiner Familie fragen." Jetzt klingelt es bei mir.

„Bist du verheiratet?", frage ich sie nun mit einem leichten Grinsen im Gesicht. Kristi erzählt mir von ihrer Familie, ihren beiden Kindern, ihren Eltern, dem Haus, in dem sie mit ihrem 19 Jahre älteren Mann lebt.

„Sagtest du 19 Jahre?", hake ich nach.

„Ja, er wird nächstes Jahr 70." Sie zeigt mir voller Stolz ein Bild von sich und ihm auf ihrem Smartphone. Ich bin baff. Der Mann sieht nicht viel älter aus als Mitte 50. Ich sage es ihr und sie bekräftigt, dass er für sein Alter noch sehr jung aussieht und auch körperlich noch voll mit ihr mithalten kann.

„Ich bin jetzt etwas sprachlos", sage ich und drücke ihr damit meine Bewunderung aus. Sie zeigt mir auch noch Bilder von ihren Kindern, Alex und Mikaela, beide erwachsen und aus dem Haus.

Eine Schafherde versperrt uns den Weg. Ein Mann treibt sie von der einen Seite auf die andere. Wir halten derweilen und Steve schließt zu uns auf. Ich bin froh darüber. Durch die andauernde Unterhaltung mit Kristi habe ich meinem linken Bein die Aufmerksamkeit, die es schon seit Tagen fordert, entzogen und es macht sich jetzt mit einer gefühllosen Regung bemerkbar. Wie ein kleines Kind, das einem trotzköpfig das Gesicht abwendet, weil man ihm nicht zugehört oder es zu wenig beachtet hat. Es reagiert mit Kälte und Gefühllosigkeit auf die Zusprüche, die man ihm jetzt vermehrt entgegenzubringen versucht. Taubheit gräbt sich unter meinem Oberschenkel empor, geschaffen von spitzen Lanzen, die pausenlos ins Fleisch stechen und es durch die Vielzahl der Stiche an manchen Stellen bereits unempfindlich zu machen scheinen. Nicht aber, um es zu versäumen, die umliegende Fläche niederzubrennen, mit allem Lebendi-

96

gen, was sich unter ihr befindet. Ich wünschte, ich könnte den kalten Schweiß, der sich um meinen Nacken legt, abnehmen und ihn um mein Knie wickeln, um das Feuer zu löschen.

Ich verfolge die Schritte von Steve und Kristi, die beinahe im Gleichklang über den Kies schreiten. Mühelos und unbeschwert. Ich blicke zurück auf Viana, auf das Picknick am Brunnen der von Sonnenlicht durchtränkten Plaza der alten Stadt und ich vermisse etwas. Ich habe für mein leibliches Wohl gesorgt, aber in meinen Erinnerungen fehlt die mittägliche Nahrung für mein Knie. Energie, die ich ihm für die bevorstehenden, anstrengenden Kilometer bis Logroño vorenthalten habe. Medizin, die es dringend benötigt. Ich hole es jetzt nach und bitte dabei lautstark um Verzeihung. Steve blickt zurück und ich winke ihm, er solle unbesorgt weitergehen.

Die letzten der heute 30 Kilometer zählenden Etappe fallen mir immer schwerer. Nur noch vereinzelte markante Szenen schaffen es, bis in mein Bewusstsein vorzudringen. So die alte Frau an der Straße, die die Pilgerpässe der vorbeiziehenden Wanderer mit ihrem eigenen Stempel verziert. Ein Grund für viele Pilger, anzuhalten und als Draufgabe noch Abzeichen und kleine Souvenirs zu kaufen. Oder der lebende Wegweiser, ein Mann mit einem gelben Pfeil auf der Kappe, der den Weg weist und heute sicherlich bereits zum 100. Mal fotografiert wurde. Schließlich auch noch der Blick auf Logroño, der mir das heutige Ziel vor Augen bringt, nicht ohne mich auf den letzten Kilometern durch ein zur Stadt hin abfallendes Gelände zu quälen.

Nach zahlreichen Wegweisern, die uns in die Altstadt geleiten, treffen wir am Ende einer schmalen Gasse, die den Anblick auf einen großen öffentlichen Platz freigibt, nach und nach aufeinander. Wir haben Glück mit unserer heutigen Albergue, einer privat geführten. Sie verschafft uns für zehn Euro ein bisschen mehr Freiraum in zwei Vierbettzimmern mit hauseigener Bettwäsche und Handtuch. Für fünf Euro lasse ich mir, wie fast alle anderen auch, die gesamte Wäsche, die ich nicht gerade am Leib trage, inklusive Reisehandtuch, waschen und bügeln, auch wenn ich einen Teil davon gerade gestern gewaschen habe.

Der Abend führt Steve, den Australier, die beiden Mädchen aus Oregon und mich Österreicher zunächst in eine Tapas-Bar. Ich habe keine Lust zwei Stunden auf das Abendessen wartend durch die Stadt zu laufen und schließe mich, auch wenn ich noch keinen Hunger verspüre, den dreien an. Wir landen in einem kleinen lang gezogenen Raum, der Länge nach geteilt durch einen Bartresen mit Hockern und winzigen runden Stehtischen auf der rechten Wandseite. Wir sind die einzigen Gäste und füllen das Lokal bereits gut aus.

Zunächst verschmähe ich die zahlreichen Leckerbissen, die in einer Vitrine angeboten werden, und begnüge mich mit einem Glas Rioja. Je länger ich aber dem Treiben meiner Freunde um die nicht einmal handgroßen Spezialitäten beiwohne, umso stärker setzen die verlockenden Gerüche meine Geschmacksnerven in Schwung, dass ich mich beinah willenlos zu dem einen oder anderen Tapa verführen lasse.

Sherri und Kristi bringen den armen Barkeeper, der nur ein wenig Englisch spricht, fortwährend in Verlegenheit und erfreuen damit die Gemüter von Steve und mir. Es ist uns nicht möglich, ein Gespräch zu führen. Pausenlos werden wir herausgerissen und müssen Kristis und Sherris Angriffe der Heiterkeit auf den Mann hinter dem Tresen frönen. Es ist Chris, der dem auserkorenen Opfer ein wenig Luft verschafft. Ein aufflackerndes Schattenspiel am Eingang kündigt seinen Eintritt in die Bar für uns alle merkbar an.

„Was ist denn los? Man hört euch bis auf die Straße."

„Ein Glas Rioja für unseren Freund", ruft Sherri in Richtung Barkeeper und stürzt mit einer kleinen Schale Muscheln in Tomatensauce Chris entgegen.

„Probier, es ist wirklich lecker."

Chris ist schnell überredet und jetzt wird es noch lauter. Aitor, so heißt der Barmann, genießt sichtlich die von Chris verschaffte Unterbrechung der verbalen Angriffe auf seine Person.

Pünktlich um 20 Uhr kommen wir zum vereinbarten Treffpunkt für das anstehende Abendessen. Wolfgang, Anna, Gina und Rod warten bereits vor den Eingangstüren zweier nebeneinanderliegender Restaurants.

„Wir wollen heute Spaghetti essen", begrüßt Sherri die Wartenden mit einer leicht angetrunkenen und mit Heiterkeit untermalten Melodie in der Stimme. Im zweiten Restaurant werden unsere Wünsche schließlich erfüllt. Da sich auch andere Sherris Gelüsten angeschlossen haben, wurde das erste gewählte Lokal nach einem komplizierten und lange andauernden Tischerücken wegen fehlender Spaghettiangebote wieder verlassen. Hier ist ein Tisch auch groß genug für uns alle. Wolfgang richtet sich an Kristi, die neben ihm sitzt.

„Ihr wart zuvor Tapas essen?"

„Ja, es war köstlich und mir reichen jetzt die Spaghetti zum Abendessen."

„Ich war in Barcelona einmal in einer Tapas-Bar. Soweit ich mich erinnere, war das schrecklich teuer." Wolfgang betont diesen Satz, indem er den Zeigefinger mit dem Daumen reibt.

„Teuer? Nein, gar nicht", meldet sich Sherri dank dem Rioja leicht singend zu Wort. „Jede Tapa hat nur einen Euro gekostet. Ich habe für alles zusammen, und wir waren vier, nein, fünf, nein, doch nur vier Personen ... Reinhard und Chris zählen als ein Esser, die haben nur davon probiert. Nun ja, ich habe für alle zusammen nur 21 Euro bezahlt. Das sind, hilf mir, Kristi. Wie viele Dollar sind das?"

Kristi rechnet kurz im Kopf und sagt. „28 oder 29 und ich finde es auch sehr preiswert. Ich kann sagen, ich bin fast satt geworden."

„Man darf diesen Teil Spaniens nicht mit einer Touristenhochburg wie Barcelona vergleichen. Die Preise sind hier anders, wie ihr sicher schon bemerkt habt", bringe ich mich in die Diskussion ein. „Schlafen für sechs oder sieben Euro, gut, heute mal zehn. Ein dreigängiges Menü um durchschnittlich neun Euro. Inklusive einer Flasche Rotwein."

„Reinhard hat recht", bestätigt mich Kristi.

„Seht euch um, hier sind nur Pilger. Habt ihr in den letzten Tagen irgendwelche Touristen gesehen?" Allgemeines Kopfschütteln.

„Und gerade das ist es, was mir hier so gefällt", sagt Anna, die sich bisher bei Gesprächen aufgrund ihrer doch etwas begrenzten Englischkenntnisse eher passiv verhalten hat. „Ich finde es mittlerweile so schade, dass ich nicht bis Santiago mit euch zusammen gehen kann."

„Finde ich auch", sagt Sherri, steht von ihrem Platz auf und umarmt Anna.

Ich sehe, wie sich eine Träne über Annas Gesicht schmiegt und am Tischtuch einen kleinen, kaum sichtbaren Fleck hinterlässt.

Auch die anderen lässt diese Szene nicht unberührt und sie prophezeien Anna: „Das nächste Mal wirst du mehr als zwei Wochen Urlaub haben und du wirst die gesamte Strecke in einem Stück zurücklegen."

„Das werde ich", sagt sie. „Und ich werde wieder von

vorne beginnen und nicht an den bereits gegangenen Weg anschließen."

„Das werde ich auch machen", bekräftigt Wolfgang ihre Worte. „Ich werde euch ebenfalls vermissen und bedaure es schon, euch in Burgos verlassen zu müssen." Die anfängliche Heiterkeit um diesen Tisch herum hat sich in leichte Betroffenheit verwandelt. Schweigende Blicke auf Anna und Wolfgang gerichtet und Arme, die deren beider Schultern bedecken.

Diese Lethargie wird durch das Auftragen der Vorspeisenteller abgeschüttelt. Vorspeisen, mit denen wir Tapas-Esser uns heute begnügen. Mein Teller Nudeln ist garniert mit Garnelen in Tomatenchilisauce. Ich halte instinktiv schützend die Hände darüber, als Sherri mir den Parmesan reicht.

„Hast du vergessen? Reinhard mag keinen Käse", erinnert sie Kristi.

„Ach ja, wie dumm von mir." Sherri reicht ihn Chris weiter.

„Es ist nicht nur, dass ich keinen Käse mag, es ist auch so, dass eine Kombination aus Meeresfrüchten und Käse für den menschlichen Organismus nicht verträglich ist." Hochgezogene Augenbrauen der Anwesenden deuten auf eine gewünschte Erläuterung meiner Aussage hin und ich komme dem nach.

„Kein Italiener, und Italien ist das Land der Pasta, wird jemals Käse auf seine Nudeln mit Meeresfrüchten geben. Man bekommt Blähungen davon und die wissen das. Auch wir Österreicher oder ihr Deutschen." Ich verharre kurz und richte meinen Blick zu Anna und Wolfgang. „Auch die Amerikaner und die Briten werden nicht anders sein", fahre ich mit einem durch die Runde schweifenden Blick fort. „Wir alle essen die Schalentiere trotzdem mit Käse und furzen dann um die Wette."

Die Worte rufen unterschiedliche Resonanzen in den Gesichtern meiner Begleiter hervor, von Belustigung bis hin zu Ekel. Kristi fächelt sogar mit den Händen vor ihrem Gesicht, als würde sie den nicht vorhandenen Gestank vertreiben wollen.

„Schwachsinn", sagt Chris schließlich. „Auf jeder Pizza ist Käse."

„Stimmt", bekräftigt der Großteil der Runde die Aussage von Chris.

„Absolut richtig, da gebe ich euch allen recht." Ich versuche jetzt, meine Darlegung zu untermauern.

„Geht mal in ein rein italienisches Restaurant und ich meine eines, wo wirklich nur Italiener zu verkehren pflegen. Ihr werdet auf der Speisekarte dort keine Pizza mit Meeresfrüchten finden. Die gibt es nur für Touristen. Aber keine Angst, die Pharmaindustrie versorgt euch ja mit den Beschwerden mildernden Mitteln. Die Werbung suggeriert es andauernd. Trink einen Schluck davon und du wirst dich besser füllen. Die Pharmaindustrie wird die Leute bestimmt nicht auf deren falsche Ernährungsweise aufmerksam machen. Sie verdienen an der Dummheit. Entschuldigt, an der Unwissenheit und an der bewussten, ich wiederhole, an der bewussten Verzehrung von Lebensmitteln, von denen den meisten klar ist, dass ihr Körper sie nicht verträgt. Es gibt ja Mittelchen dagegen."

Ich lasse das Gesagte ein wenig sacken und blicke mich um. Ich stelle fest, dass Anna ihre Spaghetti mit Miesmuscheln und reichlich Parmesan nicht mehr so herzhaft in sich hineinschlingt.

„Du kommst mir vor wie ein Arzt", ergreift Steve das Wort.

„Ja, wie ein Arzt, der Koch ist", ergänzt Rod, der bisher noch wenig zur Unterhaltung beigetragen hat, und Kristi fragt: „Du hast davon gesprochen, dass du mit Computern arbeitest, wie kommt man da auf solche", Kristi zögert etwas, „Befunde, um es mit den Worten von Steve auszudrücken?"

„Ich weiß nicht, vielleicht weil ich mich immer rechtfertigen muss, warum ich keinen Käse mag." Ich lächle und erhebe das Glas zum Prost, um anschließend das Thema auf unsere erste Woche am Camino Francés zu bringen.

Uns wird die Eingangstür heute nicht um zehn Uhr verschlossen, wir haben einen Schlüssel und schlendern noch durch die Altstadt von Logroño. Gina zeigt uns in einer von Menschen verschonten Seitengasse ihre Kunststücke. Sie macht einen Handstand und dreht dabei ihre Beine wie die Zeiger einer Uhr in alle Himmelsrichtungen. Ich bin erstaunt. Auf den ersten Blick wirkt sie eher unsportlich, auch die täglichen Wegstrecken beendet sie immer als eine der Letzten und sie hat heute Abend auch noch erwähnt, dass sie die morgige Etappe nach Nájera mit dem Bus fahren wird. Die 30 Kilometer von Logroño nach Nájera sollen wunderschön sein, bei Regen aber mörderisch für alle Gelenke der unteren Regionen. Ein Grund, den heutigen Abend nicht in die Länge zu ziehen. Ich unterhalte mich noch ein wenig mit Gina bezüglich ihres morgigen Vorhabens. Steve hat es wieder nicht ins Zimmer geschafft.

8
Heftigkeit

Die Sonne hat ihren höchsten Punkt am Himmel eingenommen und wirft kaum Schatten des aus Steinen geflochtenen Übergangs, in das darunter fließende Gewässer. Es ist die Stadt Puente la Reina, benannt nach der Brücke, die Reisenden sicheres Geleit über den mitunter recht heftig strömenden Fluss, der die Stadt umschließt, bringen soll. So wie heute auch Jan, Adeline, Flore und Julien, und noch jemandem, Marlon, dem frechen und schmutzigen Jungen aus Pamplona. Er hat es sich nicht nehmen lassen, Pilger zu werden. Dutzende Male hat er abwechselnd Adeline und Jan angefleht, ihn mitzunehmen, sie gemeinsam auf seinen Nutzen für alle hingewiesen und immer wieder dargelegt, wie boshaft, trunksüchtig und verlogen doch die Navarreser seien und dass sie ihn nicht in dieser gottlosen Brühe zurücklassen dürfen. Bei einem Volk, das Unzucht mit seinem Vieh treibt und Schlösser an das Hinterteil seiner Maultiere und Pferde hängt, damit kein anderer Zugang habe.

„Ja, sie lecken wollüstig an den Geschlechtsteilen von Frauen und Maultieren gleichermaßen, berauschen sich vom selben Becher Wein, Herr und Knecht, Herrin und Magd. Sie fassen um die Mahlzeit in denselben Topf mit ihren kotverschmierten Fingern und verdreckten Händen." Er sprach es, als lebe er darin. Er hat ihnen auch erklärt, dass der Name Marlon so viel wie „Kleiner Falke" bedeutet und er nach der Freiheit streben muss und nicht eingepfercht in einem Käfig leben kann. Adeline war ohnehin schon überzeugt, ihn mitzunehmen. Sie musste nur Wege finden, um den aus seiner Darstellung entstandenen Fragen von Julien und Flore entgehen zu können.

„Marlon heißt wirklich ‚Kleiner Falke'?", hatte sie ihn noch gefragt. Schließlich war auch Jan gewillt, ihn von diesen Bräuchen zu verschonen, und es war vor allem die Gewieftheit, die aus dem Knaben sprach.

Julien und Flore haben es Marlon gleichgetan und sich von ihren lästigen Schuhen befreit, indem sie diese Adeline gegeben haben. Sie stehen jetzt gemeinsam mitten auf der Brücke und blicken den Zweigen nach, die vom Wasser abwärtsgetrieben werden. Zweige, die sie von einem großen Ast, den sie gemeinsam auf die Brücke gezerrt haben, abreißen und von den Mauersteinen nach unten werfen. Adeline hat Joie in den Arm genommen und richtet sich, an der Brüstung lehnend, zu Jan.

„Marlon passt doch gut zu uns", sagt sie. Wir sind wie eine kleine Familie, denkt sie sich, ohne es laut auszusprechen. Beide haben wir einen tragenden Teil unserer Familien verloren und mir ist, als würde in diesem Moment aus zwei Teilen, denen jeweils ein Stück abgebrochen wurde, ein gemeinsames Neues entstehen.

Jan blickt in ihre Augen, als ob er Gedanken lesen könnte. Er umschließt ihre rechte, nicht das Baby haltende Hand mit beiden Händen, schiebt die darüber gelegte leicht zur Seite, während er den gesamten Arm hochhebt, und küsst sie auf den Handrücken. Adeline starrt ihn etwas verblüfft und mit einem fragenden Blick an. Jan sagt kein Wort. Er schenkt ihr nur ein verschämtes Lächeln.

„Mist", dringt es verzerrt aus Juliens Mund. Er hat sich beim Abreißen eines Zweiges die Unterseite seiner rechten Hand aufgerissen. Adeline drückt Joie Jan in die Arme und geht zu Julien. Eine kleine Risswunde, von der ein paar Tropfen Blut auf die Pflastersteine der Brücke tropfen.

„Passt ein wenig auf", sagt Adeline nur und deutet Jan, auf die zum Fluss hin abgeschrägte Uferböschung auf der anderen Seite des Flusses gehen zu wollen.

Adeline zieht gekonnt die Späne aus Juliens Hand und wäscht diese anschließend im Fluss. Sie reißt ein sauberes Stück von einem der vielen Leinentüchern, die für Joie gedacht sind, ab und wickelt es um Juliens Hand. Adeline und Jan sitzen am Ufer, lediglich beobachtet von Joie, die daneben im grünen und von der Sonne gewärmten Gras liegt.

„Was führt dich hierher?", will Jan nun von Adeline wissen, ohne dass er sie dabei ansieht.

„Ich gehe nach Santiago, das weißt du doch."

„Ja, aber warum willst du dorthin?" Schweigen. „Es muss doch einen Grund geben, wenn jemand wie du mit zwei kleinen Kindern einen solchen Weg bestreitet." Jan blickt zu ihr. Weiterhin bleibt Adelines Mund verschlossen und ihr Blick ist dem Fluss zugewandt.

„Ich habe jemanden getötet." Ganz ruhig und mit etwas Demut spricht sie diese Worte. „Was heißt, du hast jemanden getötet? Wen?"

„Einen hohen Herrn und ich werde dafür in der Hölle schmoren. Das Grab vom heiligen Jakobus ist meine letzte Rettung. Er ist der Einzige, der die Macht hat, mir die Sünde zu vergeben." Sie dreht ihren Kopf zu Jan.

„Es war Flores elfter Geburtstag", beginnt sie zu erzählen. „Ein Verwalter der Benediktinerabtei, zu der unser Hof gehörte, gab uns die Ehre. Der Hof wurde von mir und meinem Vater bewirtschaftet, meine Mutter war bereits ein paar Jahre zuvor gestorben. Ich musste Flore das gelbe Kopftuch, das wir ihr zum Geburtstag geschenkt hatten, um das Haar legen. Ich sehe noch heute die Blicke dieses vornehmen Besuchs. Wie er sie angestarrt hat. Es war nicht einer dieser lüsternen Blicke, wie ihn diese drei Scheißkerle in Pamplona hatten. Nein, er war nach innen gekehrt, verschlossen und er sollte für alle Zeit der Welt versperrt bleiben, aber er drang nach außen, unsichtbar, nach nichts riechend und für Lebewesen, in denen nur ein Funken Menschlichkeit steckt, nicht vernehmbar. Flore hatte die Gesellschaft verlassen und zeigte den wenigen Tieren, die wir am Hof hatten, ihr wunderschönes Kopftuch, das sie eben bekommen hatte. Ich war im Haus, um für die Verköstigung der Gäste zu sorgen. Als ich wieder ins Freie zu den Leuten trat, durchfuhr mich ein Schauer und er kehrte das zuvor Geschilderte nach außen. Ich rannte los. Mein Vater hat meine Aufregung bemerkt und folgte mir. Nach ungezieltem Hin und Her am Hof fand ich das Kopftuch und ich meinte, ein Geräusch hinter der nachfolgenden Buschgruppe vernommen zu haben. Ich sah, wie der Mann mit heruntergelassener Hose über Flore kniete. Ich warf mich auf ihn. Er stieß mich seitwärts ab, stand auf und zog seine Hosen hoch. Ich schrie. Er zog sein Schwert und richtete es gegen mich. Mein Vater muss meine Schreie gehört haben, er stürzte sich jedenfalls über die Büsche kommend auf den Mann. Sie rangen und ich zog Flore zurück, weg von diesem Tumult. Ich habe dann gesehen, wie der Mann einen großen Stein mit beiden Händen hochhob und diesen auf den Kopf meines Vaters schmetterte. Ich hörte das Knacken des Schädels. Im selben Moment ergriff ich das am Boden vor mir liegende Schwert und rammte es dem Mann im Laufschritt in den Rücken. Es rutschte glatt durch ihn hindurch."

„Wahnsinn", sagt Jan.

Adeline versucht, sich mit dem Handrücken die triefende Nase trocken zu wischen, und erzählt weiter.

„Mein Vater war tot, der Mann auch. Flore war nichts geschehen, ich war noch rechtzeitig zur Stelle. Das Nachbarehepaar, das auch bei der Feier war, hat mir geholfen, den Mann weit entfernt von unserem Hof zu begraben. Nach einer Zeit habe ich dann in den Sachen meines Vaters dieses Schriftstück gefunden." Sie holt es aus ihrer Tasche und zeigt es Jan.

Er blickt zu Adeline, während er es entfaltet. Es sind Namen von Orten, die einer Linie folgen, stellt er fest.

„Es zeigt den rechten Weg nach Compostela. Ich habe mich wieder der Geschichten des Einsiedlers, die man sich im Dorf erzählt hat, erinnert und mich entschlossen, es ihm gleichzutun. Die Nachbarn haben mir angeboten, Flore und Julien bei sich aufzunehmen, während ich unterwegs bin. Ich wollte sie aber bei mir haben und ich wusste auch, dass es für Melisende, die Nachbarin, nicht einfach geworden wäre, zwei Mäuler mehr zu stopfen. Sie hat mich aber überredet, zuvor nach Conques zu gehen und bei der heiligen Fides um Kraft und Gesundheit zu bitten."

Adeline hält inne und spürt den fragenden Blick von Jan. „Ja, wir waren dort und ich kann sehen, wie es Julien geholfen hat. Er war immer etwas schwächer als Flore, musst du wissen. Die blonden Haare, das blasse Gesicht, die dünnen Arme und Beine und immer anfällig für Verletzungen. Du siehst es ja."

„Ich finde, die Reise bekommt ihm gut", versucht Jan festzuhalten.

„Du hast recht. Er ist größer geworden und er sieht dir sogar ein wenig ähnlich."

„Findest du?" Jan lacht und würde Adeline am liebsten in den Arm nehmen, begnügt sich aber damit, seine flache Hand auf ihre Schulter zu legen. Joie macht sich bemerkbar und bringt ihnen zu Bewusstsein, dass es Zeit wird, weiterzugehen.

Es sind nicht immer Straßen, die ihnen den Weg weisen, und sie sind dankbar für jeden Tag, an dem ihnen die Wolken eine freie Sicht zur Sonne gestatten. Santiago liegt im Westen und Straßen würden sie nur über weite Umwege dorthin bringen. Es bleibt ihnen also unvermeidlich, fernab von Straßen quer durch die Landschaft zu laufen, die es einem nicht immer einfach macht und sie dann dazu zwingt, den eingeschlagenen Weg wieder zu verlassen und einen neuen zu suchen. Sie wissen dank Adelines Wegweiser, dass Estella nicht mehr weit ist und ihnen dort für die anbrechende Nacht Unterschlupf erhofft ist.

Jan entgegnet Adeline auf ihre Frage, was ihn denn nach Santiago treibt, dass er es für Joie mache.

„Für Joie?" Adeline stoppt Jan mit der Hand und etwas außer Atem. „Geh mit Julien und Flore voraus", sagt sie zu Marlon. Das Gelände ist offen und über mehrere Kilometer einsehbar.

„Du willst doch nicht sagen, dass Joie Schuld am Tod deiner Frau hat. Sag das nicht", betont sie mit Nachdruck.

„Nein, es ist nur, ich möchte sie von jeder Schuld, die irgendwann einmal in ihrem Leben aufkeimen könnte, befreien. Ich weiß, dass sie nichts für den Tod ihrer Mutter kann. Ich versuche, mit dieser Reise einfach nur zu verhindern, dass sie sich jemals dafür selbst die Schuld gibt. Verstehst du?"

„Nicht wirklich", antwortet Adeline.

„Vielleicht will ich es auch nur vergessen." Jan nimmt den Schritt wieder auf. Adeline hält ihn an der Schulter zurück.

„Jan, ich verstehe dich nicht ganz, aber ich bin froh, dich bei uns zu haben. Komm, lass uns weitergehen."

Marlon erweist sich immer mehr als Glücksgriff. Er verhandelt mit den Einheimischen in deren Sprache und sorgt trotz oder gerade wegen seiner erst 14 Jahre des Öfteren für preiswerte und gute Nahrung. Auch heißen einen die Hospize nicht immer willkommen in den Städten. Manchmal sind sie überfüllt, ein andermal sind sie von Ungeziefer übersät und hier sind nicht nur die Krabbeltiere gemeint. Heute in Estella ist kein Hospiz zu finden, aber Marlon hat eine saubere und preiswerte Unterkunft besorgt. Er ist nicht auf den Mund gefallen und weiß so manche Geschichte zu erzählen, nur seine eigene nicht.

Die Frau, bei der sie unterkommen, heißt Jakintza. Sie ist um die 40, hat einen leichten Ansatz zu Fettleibigkeit, ein schwach gebräuntes Gesicht, das von einer üppigen schwarzen Haarpracht umschlossen ist, und sie ist nicht allzu groß. Sie versorgt die müden Pilger gerade mit einer Mahlzeit aus Brot und Fisch.

„Wir haben hier guten Fisch und es gibt ihn reichlich in der Ega, unserem Fluss", macht sie ihren Gästen beim Auftragen der Speisen klar. Sie reicht Adeline auch einen Brei aus Weizen und Milch.

„Für die Kleine", sagt sie dabei.

„Was die für dunkle Augen hat. Sie kommt ganz nach Euch, mein Kind."

Adeline lächelt, ohne etwas darauf zu erwidern.

„Ihr wollt also nach Santiago, hat mir der kleine Mann gesagt." Sie sieht dabei zu Marlon, der ihr höflich und korrekt mit „Marlon" entgegenkommt.

„Ja, und wir sind Euch zutiefst dankbar." Adeline bekräftigt dies, indem sie Jan dabei auf den Handrücken tätschelt und dieser der Aufforderung des Dankes sofort nachkommt.

„Wie wäre es denn, wenn Ihr morgen noch hierbleibt?", schlägt Jakintza unvorbereitet für ihre Gäste vor. Jan und Adeline blicken sich einen Moment lang verwundert an, dem jeweiligen Gegenüber eine Antwort abringend.

„Ihr könntet die Zeit nützen, um Eure Kleider zu waschen. Ich finde bestimmt etwas, was Ihr inzwischen tragen könnt, es wäre mir eine Freude und beim morgigen Nächtigungspreis ist auch noch ein Mittagessen drin."

Logroño wird gerade von der Abendsonne beleuchtet, als die Pilger, angeführt von Jan, in Sichtweite auf die große Stadt auf einer Anhöhe um sie herumgehen. Jakintza hat ihnen empfohlen, einen Bogen um die Stadt zu machen. Zu oft ist es ihr schon zu Ohren gekommen, dass durchziehende Reisende ausgenommen und um Hab und Gut gebracht wurden. Sie erzählte ihnen am gestrigen Tag, den sie gemeinsam verbrachten, dass sie dabei ganz geschickt vorgehen.

„Sie locken die Durchreisenden mit einer günstigen Bleibe", sagte sie. „Die Unterkunft ist auch wirklich preiswert. Aber sie legen heimlich kleine Gegenstände mit geringem Wert in die Taschen der Gäste, während diese schlafen, und stellen sie dann, nachdem sie das Haus verlassen haben, auf der Straße unter Zeugen zur Rede. Sie verlangen die Herausgabe sämtlicher Münzen, die die Reisenden bei sich tragen, oder sie werden sie dem Richter vorführen, der sie dann an den Pranger stellt. Die meisten gehen auf diesen Handel ein, um ihr Leben zu schützen. Ein Fremder hat es, wenn es um Rechtssprache geht, nicht leicht in dieser Stadt. Ich habe auch schon abgehackte Hände gesehen." Diese Worte haben bei Jan und Adeline Gehör gefunden. Nicht zuletzt weil auch Marlon berichtete, er habe das auch in Pamplona gehört und zum Teil von Leuten, denen der Knochen aus dem Unterarm hervorstand, mit Krusten von Blut, aus denen dunkelgelber Eiter trat. Ja sogar Maden habe er daraus hervorkriechen sehen. Jan weiß, dass der Geist von Marlon fantasiereich ist, aber er wollte auf keinen Fall ein Risiko eingehen, mit Rücksicht auf seine Begleiter.

111

Es ist ein lauer Abend und die kleine Gruppe macht halt am Rande eines Föhrenwäldchens. Die Sonne, die ihnen direkt in die Augen zu blicken versucht auf diesem Wegstück, das sie in einem weiten Bogen südlich an Logroño vorbeigeführt hat, formt sich nun zu einem gewaltigen Feuerball, der sich vor ihnen am Horizont ausbreitet. Ein Schauspiel, dem sie mit sichtlicher Erleichterung folgen, denn es gibt ihnen den Blick auf ein Gebäude frei, an dessen Spitze sich ein Kreuz mit einer darunter befestigten Glocke befindet. Es ist eines dieser zahlreichen Hospize, die ihnen Jakintza für den Teil des Weges bis Burgos und noch darüber hinaus angekündigt hat. „Ein gewisser Juan soll dafür verantwortlich sein. Er soll sich im Wald von Oca aufhalten und für das rechte Geleit der Pilger sorgen. Viele nennen ihn auch Juan de Ortega." Der Klang ihrer Worte kroch in Adelines Ohr, wo sie ihr den gesamten heutigen Tag unaufhörlich in Bilder gezeichnet erschienen sind. Nun, beim Anblick dieses vor ihnen liegenden Gemäuers, sind die Bilder aus ihren Gedanken verschwunden und auch die Worte verklingen in ihr. Sie blickt auf Marlon, der, Julien und Flore vor sich haltend und neben ihr stehend, dem Sonnenuntergang entgegensieht.

„Es wohnt eine gequälte Seele in ihm", hatte ihr Pater Matteo gesagt. Er hatte Adeline gebeten, ihn mitzunehmen, als sie sich nochmals begegnet sind vor ihrem morgendlichen Aufbruch aus Pamplona.

„Marlon hat mir von seinen Gedanken erzählt, die er Tag für Tag zu verdrängen versucht und die ihn dann in den Nächten unaufhörlich heimsuchen. Sie schlüpfen in ihn, während er schläft, springen durch seinen Geist und schnüren Seile um seine Kehle." Pater Matteo atmete tief, erinnert sich Adeline.

112

„‚Pater, ich habe Angst, die Augen zu schließen‘, hatte er mir gesagt und begann zu erzählen. ‚Soweit ich mich zurückerinnere, sind wir durch das Land gezogen. Mal nördlich des Gebirges, mal südlich. Ich war Teil einer fünfköpfigen Sippe. Der Anführer hieß Gawain und gab vor, mein Vater zu sein, auch wenn er mich, vor allem wenn er betrunken war, und das war er ständig, wie ein Stück Vieh behandelte. Ich ernährte mich von den Resten der Speisen, die sie mir zuwarfen. Unter ihnen waren auch zwei Frauen. Die eine war fett und stank wie ein Maulesel, die andere war weniger fett und quiekte wie ein Schwein, wenn sie Gawain ihr Hinterteil entgegenstreckte. Oft saßen sie tagelang neben den Leuten, die sie überfallen hatten, und erfreuten sich derer Pein. Sie schnitten einem die Nase ab und dem anderen verbrannten sie das Ohr, das noch fest und unversehrt an seinem Kopf steckte. Einer Frau, die einen von ihnen gebissen hatte, haben sie einen faustgroßen Stein in den Mund gesteckt, den Kopf mit dem Kinn voran auf einen Baumstamm gelegt und mit dem Fuß so hart darauf eingetreten, dass der Stein beim Hochheben des Kopfes das Unterkiefer wie einen schlaffen Arm nach unten sacken ließ und gefolgt von einem Schwall aus Blut zu Boden fiel.‘ Ich habe dir dies mit meinen Worten erzählt und nicht so ausführlich wie Marlon“, hatte der Pater gesagt. Er berichtete weiter.

„In Zaragoza wurden sie von den königlichen Truppen gestellt. Marlon war glücklicherweise nicht bei ihnen. Als er im Sog der Menschenmenge, die sich zum Geschehen bewegte, am blutgetränkten und bewegungslos daliegenden Körper eines ihm sehr vertrauten Mannes vorbeikam, wusste er, was geschehen war. Er fand einen weiteren Mann und die fette Frau, die am Pflaster daneben saß. Aufrecht gehalten durch einen Speer, der sie abwärts durch ihren Hals gebohrt in Waage hielt. Sie zuckte mit ihren Beinen, als würde sie versuchen, das Gleichgewicht zu halten. Schließlich fand er die nicht so fette Frau und Gawain, dessen Schädel gespalten war, die Pupillen beider Augen, die den Spalt umgaben, waren geradewegs auf ihn gerichtet. Er verschwand in der Menge, es war vor zwei Jahren. Es wurde schnell vergessen, zu viele dieser Sorte Mensch gab es", hatte er noch gesagt.

„„Ich war dankbar, dass es endlich ein Ende hatte, aber die Bilder und Stimmen in meinem Kopf erinnern mich Nacht für Nacht an diese Gräuel, die ich mit ansehen musste, und dieser letzte Blick von Gawain, der nicht mein Vater war, denn sein Gehirn, das sich mir dabei offenbarte, hatte es mir verraten.""

Mit diesen Worten von Marlon und der nochmaligen Bitte, ihn mitgehen zu lassen, verabschiedete sich Pater Matteo von Adeline.

Sie geht jetzt geradewegs auf Marlon zu, stellt sich hinter ihn, legt beide Hände auf seine Schultern und beobachtet gemeinsam mit den dreien vor sich, wie das Rot und das Gelb den Übergang von Himmel und Erde zu vereinen versuchen.

9
Aufrichtigkeit

Meine Befürchtungen sind eingetroffen. Der Morgen empfängt mich mit einem grauen, geschlossenen Wolkenband, aus dem Abermillionen Wassertropfen auf die Wasserlachen, die sich zwischen Gehsteigen und Straßen gebildet haben, treffen. Das massive Aufprallen der Tropfen auf diese Pfützen hat mir bereits beim Blick aus dem Fenster meines Zimmers gezeigt, dass sich der heutige Tag dem Regen zu beugen hat.

Wir finden uns in einer Bar ein, die nicht weit entfernt von unserer Unterkunft liegt. Ich teile meinen Reisebegleitern mit, dass ich mich Gina anschließe und das heutige Wegstück mit ihr gemeinsam per Bus in Angriff nehme. Meine Erwartungen an die nun folgenden Kommentare bewahrheiten sich nicht. Keine Überredungskünste oder Durchhalteparolen, die mir entgegengebracht werden, nein, es sind Mitgefühl und Bedauern, die aus ihnen sprechen, und es fällt mir dadurch umso schwerer, sie diesen Abschnitt alleine gehen zu lassen. Sich Schwächen einzugestehen, zeugt von Stärke. Dieser Gedanke schleicht sich in diesem Moment so gar nicht in mein Bewusstsein und so gehe ich schweren Herzens, den Regenponcho übergestreift, gemeinsam mit Gina in Richtung Busbahnhof.

Gina spricht ein wenig Spanisch und so fällt es uns leichter, die beste Busverbindung nach Nájera zu finden. Die Busse verlassen Logroño beinahe im Minutentakt und nur wenige fahren nach Nájera. Es ist nicht die Kunst, in diesem Gebäude eine Busverbindung nach Nájera zu finden, die Schwierigkeit liegt darin, eine möglichst kurzweilige zu finden. Es fahren Busse die Reisenden in einem weiten Bogen durch kleine Ortschaften bis Nájera und es gibt Verbindungen, bei denen es der Busfahrer in 20 Minuten über Autostraßen und ohne zeitraubende Zwischenstopps schafft, die Fahrgäste ans gewünschte Ziel zu bringen. Es ist nicht so, dass wir die Zeit nicht hätten, aber in einem Bus durch die von Regen gezeichnete Landschaft zu fahren und aus den mit Feuchtigkeit beschlagenen Fensterscheiben zu blicken, entspricht nicht unserem heutigen Verlangen.

Während der Busfahrt bekräftigt Gina nochmals meinen Entschluss, einen Tag zu pausieren. Sie erzählt mir, dass ihre Abstammung väterlicherseits nach Peru reicht und mütterlicherseits nach Schweden.

„Daher sprichst du Spanisch", und ich bekräftige auch das Lateinamerikanische in ihrem Aussehen.

„Nein, in unserer Familie spricht niemand mehr Spanisch, auch nicht Schwedisch. Meine Spanischkenntnisse resultieren aus einem Urlaub in Grenada. Es war vor vier Jahren, als das Geld Dollar hieß und der Euro ein Souvenir war." Sie sagt es mit einem breiten Grinsen.

„Gleich am ersten Tag des darauf folgenden Jahres habe ich geheiratet und ich werde mir gerade jeden Tag bewusster, dass es die richtige Entscheidung war. Du wirst dich jetzt sicher fragen, warum ich dann alleine hier bin."

„Ja, schon", ist meine erwartungsgemäße Reaktion.

„Ich finde, es entstehen in jedem Leben, das man gemeinsam mit jemandem gestaltet, Situationen, die man nicht mehr in sich aufnimmt, die an einem vorüberziehen, ohne dass man sie wirklich wahrnimmt. Gefühle verschwinden, Berührungen verlieren ihre Intensität und das ständige Verlangen danach. Worte, die man zuvor mit Bedacht gewählt hat, sind versiegt. Es macht sich Gleichmut breit, der alles früher so von Bedeutung Gewesene verschlingt. Du spürst deinen Partner nur noch, wenn er in dich dringt und dir keuchend vorgibt, dass er dich liebt, während der Speichel aus seinem aufgerissenen Maul auf dich tropft. Der Sex hat alle Unschuld verloren und die Leidenschaft driftet ab in Gewohnheit."

Gina hält kurz inne und fragt mich nach meiner Beziehung, deren Nichtvorhandensein ich ihr, ohne zu grübeln, mitteile.

„Vor zehn Tagen habe ich Christian nun das letzte Mal gesehen und der Kuss, den er mir mit auf meine Reise gegeben hat, der so banal und lustlos gewesen war, beginnt, sich unaufhaltsam in meinem Körper auszubreiten. Ich spüre, wie er in beinahe schon abgestorbene Regionen meiner Gefühlswelt vordringt und sie mit neuem Leben füllt. Ich habe gestern Abend noch ein langes Gespräch mit ihm geführt, bis uns die schlechte Netzverbindung getrennt hat. Seine Worte sind bei mir wieder angekommen. Sie sind in mich gedrungen und haben mich eingehüllt, wie zu Beginn unseres Zusammenseins. Verzeih, dass ich dich damit belästige, aber das, was in mir gerade vorgeht, drängt einfach nach außen, es will andere daran teilhaben lassen. Verstehst du?", sagt Gina in einem weichen und sanften Tonfall.

Ich nicke und beobachte, wie ihre Finger diesen Worten Kraft und Ausdruck verleihen, indem sie Bahnen entlang der beschlagenen Scheibe des Busses zeichnen und Klarheit in das Verborgene dahinter bringen.

Untermalt vom Prasseln der Regentropfen, gelangen wir in die Altstadt von Nájera, wo Gina bereits am Morgen von Logroño aus ein Appartement reserviert hat. Für sechs Personen. Für Chris, Kristi, Sherri, Steve, mich und sich selbst. Sie unterstreicht damit auch meine Empfindung der gewollten und gesuchten Gesellschaft.

Es ist kurz nach 11 Uhr und wir essen noch eine Kleinigkeit in einer nahe am Fluss gelegenen Bar. Gina spricht von dem Therapiezentrum, in dem sie Yoga unterrichtet. Sie erklärt mir auch, dass sie keine Rekorde brechen will, was die täglichen Kilometer am Camino betrifft. Vielmehr versucht sie, diese Zeit zu genießen und Verlorengegangenes wiederzufinden, an dem sie, wie sie es betont, sehr nahe dran ist. In León trifft sie ihre Mutter und sie hat die Zeit so gewählt, dass ihr noch genügend Tage bis dorthin bleiben.

„Wir gehen das letzte Stück gemeinsam", sagt sie und bringt zum Ausdruck, dass sich mit Erreichen der Stadt León unser aller Wege vermutlich trennen werden. Zu unterschiedlich sind unsere angestrebten Termine für die Ankunft in Santiago de Compostela und die vor dem Antritt der Reise bereits in Planung gebrachten Flüge zurück in die Heimat. Mein Zeitfenster ist sehr klein und ich bedaure es jetzt, mein Vorhaben so eng gesteckt zu haben.

Gina spricht mich auf meine Arbeit an. Wir haben in Puenta la Reina darüber gesprochen, dass die Firma, in der ich arbeite, Computer und Notebooks fertigt. Ich habe dabei aber verschwiegen, dass ich zwar noch offiziell bis Juli beschäftigt bin, unsere Wege sich aber bereits vor einem Monat getrennt haben. Ginas Offenheit veranlasst mich, auch ehrlich ihr gegenüber zu sein, meine Scham, aus meinem Arbeitsplatz gedrängt worden zu sein, nicht vor ihr zu verbergen, und ich beschließe, auch den anderen dies nicht mehr zu verheimlichen.

„Ich war 16 Jahre in diesem Betrieb beschäftigt", beginne ich. Beworben hatte ich mich damals als Assistent der Geschäftsführung. Nach einem ausführlichen Gespräch war ich damit einverstanden, mich zuvor im Verkauf zu bewähren.

Ich war gut, aber alles kam anders. Die Konjunktur läuft nun mal nach Zyklen und es gilt, rechtzeitig gegenzusteuern in einem Betrieb. Man hat sich vom Verantwortlichen für den gesamten Einkauf und Vertrieb der Computer- und Hardwaresparte, in der ich tätig war, getrennt. Du solltest wissen, dass sich das Geschäftsfeld des Unternehmens auf mehrere Zweige aufgeteilt hat. Jemand Neues ist an seine Stelle getreten, der wenig Ahnung, was die Computerbranche betrifft, mitbrachte. Er musste mir also freie Hand lassen. Ich krempelte alles um. Wir haben begonnen, unsere hauseigenen Computer zu fertigen, nicht mehr die Produkte anderer Hersteller zu verkaufen. In kleinen Stückzahlen, wir hatten gerade mal 15 Mitarbeiter, begannen wir, zuerst speziell auf den Spieler zugeschnittene Computer zu bauen. Wir haben dann auch Schulen und Betriebe mit Office-Varianten unserer Computer vor allem in unserer Umgebung ausgestattet. Ich legte dabei immer großen Wert auf Qualität. Wir haben nur geprüfte Markenkomponenten verbaut. Zum Beispiel Arbeitsspeicher von Kingston, deren Preise im Einkauf zwar mit zehn bis 15 Prozent höher lagen im Vergleich zu Speicher, die andere Hersteller verbaut haben. Aber wenn ein fertiger Computer in der Herstellung mit 500 Euro zu Buche schlägt und der Preis für einen darin verbauten Speicher 23 statt 20 Euro beträgt, schlägt sich dieser Mehraufwand nicht wirklich auf den Produktionspreis nieder. Der damit verbundene geringere Garantieaufwand aber schon. Der Erfolg gab mir recht und ich habe unsere Produktion um die jetzt immer größeren Absatz findenden Notebooks erweitert. Selbstverständlich auf dasselbe Prinzip aufbauend.

Im Geschäftsjahr 2009/2010 konnten wir den größten Umsatz und Gewinn in der Unternehmensgeschichte erzielen, und dies in einer Zeit, die weltweit von einer sinkenden

Wirtschaftsleistung geprägt war. Ich zeichnete verantwortlich für den Einkauf der Komponenten, die laufende Produktion, die nach meinen Vorgaben angelegt war, und auch für den erfolgreichen Vertrieb. Die Lorbeeren dafür holte sich mein Vorgesetzter und er wurde zu Beginn des heurigen Jahres als Geschäftsführer des Unternehmens eingesetzt. Sämtliche Errungenschaften der erfolgreichen Jahre hat er dem Eigentümer der Firma gegenüber als die seinen dargestellt und ich wurde meinem Einfluss und meiner Aufgaben mehr und mehr beschnitten und zuletzt durch die Macht, die ihm als Geschäftsführer verliehen worden war, sogar zur Gänze enthoben. Aus dem Unternehmen entfernt, um kein Zeugnis der wahren Hintergründe für den Erfolg abgeben zu können."

„Wow, das ist ja wie in einem Film", sagt Gina.

„Ja, nur dass im Film zumeist die Wahrheit siegt."

Ich fühle mich erleichtert nach dieser Schilderung und ergänze noch: „Ich befürchte, dass auch so manch andere Mitarbeiter, die zwar bestürzt über meine Entlassung waren, es aber als geschehen hingenommen haben, darunter leiden werden. Noch steht die Infrastruktur, die ich all die Jahre über aufgebaut und hinterlassen habe, aber wenn niemand mehr da ist, um diese zu warten, wird sie zusammenbrechen. Es ist wie bei Straßen: Wenn keiner mehr die entstandenen Löcher stopft, wird der Verkehr ins Stocken geraten und schlussendlich zum Erliegen kommen."

Gina pflichtet mir bei.

„Und genau darin liegen die Beweggründe dafür, warum ich mich heute auf dem Jakobsweg wiederfinde. Ich versuche, es zu verstehen und damit abzuschließen. Du wirst nie frei für Neues sein, wenn du dem Alten nachtrauerst. Mögen noch so viel Wehmut und Ungerechtigkeit darin liegen, du wirst es mit Trauer daran nicht besiegen. Man muss lernen zu vergeben und ich hoffe, den Schlüssel dafür hier am Camino zu finden."

Bei den letzten Worten blicke ich Gina in die Augen. Sie umfasst mit beiden Händen meine rechte Hand und sagt: „Ich wünsche es dir von ganzem Herzen und ich bin sicher, dieser Weg vermag so einiges."

Beim Verlassen der Bar spreche ich es Gina nicht ab, mit den anderen über das soeben Erzählte zu reden. Ich gebe ihr auch noch zu verstehen, dass ich meinen ehemaligen Mitarbeitern alles Gute wünsche und hoffe, dass sie die schweren Zeiten, die zweifelsfrei auf sie zurollen, überstehen werden.

Das Appartement ist sehr geräumig. Ein großer Raum mit vier einzeln angeordneten Betten, zwei Kästen und einer gemütlichen Sitzecke. Ein weiteres Zimmer mit einem großen Doppelbett sowie Küche, Bad und Toilette. Für zehn Euro pro Person ein wahres Schnäppchen und als Draufgabe gibt es noch frische Bettwäsche und Handtücher.

„Ich finde, wir sollten Kristi und Sherri das Zweibettzimmer überlassen. Was meinst du?", fragt Gina.

Ich teile ihre Ansicht und verstaue meine überschaubaren Utensilien auf der einen Seite des riesigen Kleiderschranks. Es ist ungewohnt, einen ganzen Nachmittag für sich zu haben. Gina genießt diese Zeit auf ihre Weise. Ich gehe nochmals hinunter und blicke mich in einem der zahlreichen Geschäfte nach einer geeigneten Kopfbedeckung um. Die geliebte Sonne des gestrigen Tages hat meinem Nacken übel mitgespielt. Ein nackter Streifen zwischen T-Shirt und Haaransatz hat sich in dunkles Rot verwandelt. Die verteilte Sonnencreme auf Armen und Gesicht mochte dies natürlich nicht verhindern. Ich war mir der Kraft der Sonneneinstrahlung auch nicht wirklich bewusst, da mir die Sonne den Großteil des Weges in den Rücken schien und mich vor den direkten Sonnenstrahlen, bis auf den linken Unterarm, wo die Haut weniger empfindlich ist, verschont hat. Ich entscheide mich für einen olivfarbenen Schlapphut mit einer breiten Krempe, die meinem Nacken ausreichend Schatten spendet, und einem Band, das unter das Kinn reicht und den Hut bei starkem Wind an mich gefesselt hält.

Der Regen bleibt heute hartnäckig, er gönnt sich keine Pause. Ich setze mich mit meinem Tablet-PC auf den kleinen überdachten Balkon, der angeschlossen an das geräumige Zimmer den Blick auf die großzügig überspannende Brücke freigibt, die die ankommenden Pilger in die Altstadt von Nájera führt. Es ist kurz nach 15 Uhr, als ich meine, jemanden mir inzwischen sehr vertraut Gewordenen zu erkennen. Ich erhebe mich, beuge mich über das Geländer, und es ist Kristi, die schnellen Schrittes und mit etwas Abstand zu Sherri und Chris über die Brücke läuft.

„Guten Morgen, Amerika", rufe ich ihr entgegen.

Sie sieht instinktiv nach oben, sieht meinen winkenden Arm und antwortet mir mit einem „Guten Tag, Österreich". Es ist nur so, dass sie mir in deutscher Sprache zurückruft.

„Das war der schlimmste Tag", sagt jeder wie aus der Pistole geschossen, als wir uns zur Begrüßung in die Arme fallen.

„Hätte ich das gewusst, ich wäre auch mit dem Bus gefahren", fügt Sherri hinzu. Ich spüre die Kälte an ihrem Gesicht und an ihren Händen.

„Wo ist Steve?", frage ich nacheinander jeden. Keiner hat ihn heute gesehen.

„Wir sind durchgegangen, nur eine kurze Pause, das war alles. 30 Kilometer in sechs Stunden", schildert mir Kristi ihren heutigen Tag und ich vermeide es, ihr von meinem zu erzählen. „Wie geht es deinem Bein?", fragt sie mich noch fürsorglich.

122

„Viel besser", antworte ich mit einem jetzt ausschließlich ihr gewidmeten Lächeln.

Von allen unbemerkt, steht plötzlich Steve im Zimmer. „Was für ein Scheißtag", seine Worte der Begrüßung.

„Wo warst du?", hagelt es jetzt von allen Seiten auf ihn ein.

„Ich denke, ich habe bis halb elf geschlafen und bin dann einfach losmarschiert, ohne anzuhalten", erwidert er in seinem typisch australischen Slang, wobei die Worte in Schleifen gezogen die Sätze bilden. Mal lauter, mal leiser, mal tiefer, mal höher. Ich liebe es mittlerweile, wie er spricht.

Der Abend verläuft recht ruhig. Sherri und Kristi haben sich Schlaftabletten besorgt. „Wir werden vermutlich etwas länger schlafen. Wartet also nicht auf uns." Erklären sie beim Abendessen. Ich bin also nicht der Einzige, der hier schlecht schläft. Es ist nicht nur mein Bein, das mich lange wach hält und mich bereits frühmorgens aus den Träumen reißt, auch nicht das Schnarchen der Bettnachbarn, das mich durch die Nacht geleitet. Diesem weiß ich durch eine nie versiegende Großpackung an Ohrstöpseln zu entgehen. Vielleicht ist es ein Übermaß an Anstrengung, das mir den Schlaf raubt, oder auch die Anzahl der Menschen, die den Schlafraum mit mir teilen. Ich lehne aber das Angebot von Sherri ab. Ich halte Schlafmittel nicht für die Lösung dieses Problems.

Nach einer wiederum mit dürftigem Schlaf gezeichneten und eiskalten Nacht mache ich mich mit Steve, Chris und Gina auf den Weg nach Santo Domingo de la Calzada. Ein klangvoller Ort und es sind nur 21 Kilometer, die uns durch ein eher flaches und mit überschaubaren Hügeln geschmücktes

Gebiet führen. Ein weiterer Segen für mein Knie, auch wenn mein begrenztes Zeitfenster, das ich für mein Vorhaben eingeplant habe, damit zu bersten droht. Ich bin mir aber sicher, die verlorenen Kilometer hinter León wieder aufholen zu können. Sherri und Kristi haben wir, so wie sie es gewünscht haben, schlafen lassen.

Beim Verlassen Nájeras kommen wir an einem ehemaligen Benediktinerkloster vorbei. Es macht mit zahlreichen runden Säulen, die den Bau umgeben, auf sich aufmerksam. Ein prächtiges Bauwerk, das von keiner Pilgerkamera verschont bleibt. Leider ist es verschlossen. Steve und ich setzen uns ein wenig von Chris und Gina ab. Steve erklärt mir, dass der Frühling die schönste Jahreszeit in Brisbane ist.

„Also der australische Frühling ist in Europa der Herbst", ergänzt er noch erklärend. „Es blüht alles, die Temperaturen sind angenehm, nicht zu heiß. Unser Winter ist so, wie wir es jetzt gerade erleben, nur weniger nass."

Ich versuche, ihm klarzumachen, dass dieser ständige Regen um diese Jahreszeit in Spanien auch nicht üblich ist. Wir laufen zu Rod auf, der sich jetzt unseren Schritten angleicht, und ich treffe eine Landsmännin, die erste nach neun Tagen am Camino. Sie heißt Verena, ist 28 Jahre jung und wohnt nicht mehr als eine Autostunde von meinem Heimatort entfernt, wie ich erfahre. Sie ist hübsch, etwa 1,70 Meter groß, schlank und trägt ein Stirnband über ihre langen dunkelbraunen Haare. Steve hat sie es besonders angetan und er lässt mir nicht allzu viel Freiraum, mit ihr ins Gespräch zu kommen. Ich erfahre von ihr zumindest, dass sie viel Zeit mitgebracht hat und spätestens am 9. Juli in Santiago ankommen muss. Das liegt mehr als zwei Wochen über meiner Vorgabe. Ihr heutiges Ziel ist aber dem unsrigen gleich und wir verschärfen erneut das Tempo und grüßen mit einem „Bis heute Abend".

124

Ich falle ein paar Meter hinter Rod und Steve zurück und beobachte aufs Neue das Wolkenspiel, das mich bereits den ganzen Vormittag über begleitet. Mal blinzelt die Sonne daraus hervor und gibt das Bild der Wolken auf der weiten Ebene vor mir mit dunkel sich dahinbewegenden Schatten wieder. Kniehoch gewachsene Ähren, die im Gesamten ein Weizenfeld nach dem anderen bilden, säumen meinen Weg. Wasserlachen, die das Zeugnis des gestrigen Tages widerspiegeln, drängen mich von der geraden Linie, die ich auf der unbefestigten Straße entlangziehe. Schmale Holzstege führen in regelmäßigen Abständen über die abwechselnd zwischen Straße und Feldern verlaufenden Gräben. Ein sanfter, sich etwas kühl anfühlender Wind streicht mir über das Gesicht und besänftigt die verbrannte Haut in meinem Nacken. Die Schritte werden spürbar leichter und meine Gedanken beginnen, ihr eigenes Spiel zu spielen. Sie führen mich in eine Zeit, die lange zurückliegt, in dunkle Tage der Menschheit, angefüllt mit Gewalt und Entbehrung. Die Straße wird zu einem durch Hufe und Menschenfüße ausgetretenen Pfad. Die Weizenfelder und die Gräben verschwinden, auch der kühlende Wind umgibt mich nicht mehr. Er wird abgelöst von Stille und Dunkelheit, die sich nach und nach in das Geschehen schieben. Sie lassen meine Schritte jetzt schwer und unbeholfen werden, nach Halt suchend. So unvorbereitet, traumbehaftet und doch so echt, wie sich diese Bilder in mein Bewusstsein geschoben haben, so plötzlich sind sie daraus wieder verschwunden. Ich blicke mich etwas verwundert um und finde mich im selben Abstand zu Rod und Steve, den ich in Erinnerung hatte, wieder. Verschreckt und etwas irritiert von der Inszenierung meines Geistes, schließe ich mit schnellen Schritten zu den beiden auf.

Es ist erst 13 Uhr, als wir drei unser heutiges Etappenziel erreichen, und die Albergue, für die wir uns entschieden haben, ist noch recht spärlich belegt. Chris und Gina treffen eine volle Stunde nach uns ein. Die Anzahl der freien Schlafplätze wird jetzt rasch geringer. Wir hatten heute noch keinen Kontakt zu Sherri und Kristi. Wir wissen auch nicht, wann die beiden eintreffen werden. Eine Reservierung ist hier nicht möglich. Steve bezahlt schließlich zusätzliche zwei Betten und macht es sich mit Rod bei einem Glas Bier gemütlich. Sie sitzen im Freien an einem Tisch, der zu einer Bar gehört und der sie die gesamte Straße einsehen lässt.

Ich habe mich entschlossen, neuerlich eine Apotheke aufzusuchen. Diesmal um mir eine Bandage fürs Knie zu kaufen. Es will einfach nicht besser werden. Die Apothekerin empfiehlt mir auch eine Salbe.

„Lindert die Entzündung", sagt sie in einem gebrochenen, aber verständlichen Englisch.

Die Zahl der Gesichter steigt, die Platz in meinem Gedächtnis gefunden haben. Ich treffe ständig auf Bekannte, so wie Manfred und Karl aus Massenbachhausen, denen ich zum ersten Mal in Pamplona begegnet bin und die mir die Herberge Paderborn empfohlen haben. Ich habe die beiden gestern Abend in einer Kneipe in Nájera wieder getroffen und ihnen davon erzählt, dass ich meinen Weg für meine Freunde zu Hause auf der eigens dafür angelegten Website aufbereite.

„Sie können meine Reise dort verfolgen. Ich versuche, jeden Tag meine Eindrücke wiederzugeben, und untermale diese mit Bildern, die ich mit meiner Kamera eingefangen habe."

Manfred fand das toll und ich gab ihm eine Visitenkarte.

„Schau einmal darauf, dann weißt du, wo ich mich gerade befinde", habe ich noch gesagt.

Kristi und Sherri sind erst am späten Nachmittag in Santo Domingo de la Calzada eingetroffen. Sherri hatte ein Problem mit ihrer Kreditkarte. Sie mussten bis 11 Uhr warten, bis die Bank öffnete, um dann dieses Missgeschick zu klären. Wolfgang und Anna sehen wir auch am heutigen Abend nicht, dafür gesellen sich Sylvie und Rod beim Abendessen zu uns. Ich mache mit Kristi und Sherri noch einen Bummel durch die nicht ganz 7000 Einwohner zählende Stadt. Eine alte Stadt, wie sie sich uns zu zeigen gedenkt. Mit einer Kirche in der Mitte, einer Plaza und schmalen Gässchen, die von zahlreichen Menschen, nicht nur Pilgern, durchwandert werden. Es beginnt wieder, leicht zu regnen, obwohl es heute tagsüber trocken war, und Sherri und Kristi entschließen sich, in die Albergue zurückzugehen. Wir treffen auf Steve, der den heutigen Nachmittag bis zur nun anbrechenden Nacht abwechselnd in den zwei um unsere Herberge gelegenen Bars und dem Restaurant, in dem wir gemeinsam zu Abend gegessen haben, verbracht hat. Es ist erst kurz vor 21 Uhr und ich entscheide mich, Steve noch etwas Gesellschaft zu leisten, nachdem meine beiden Begleiterinnen aus Oregon nicht dazu zu überreden waren.

Nach zwei Gläsern Bier in einer der beiden Bars drängt mich Steve nochmals, mit ihm ins Restaurant zu gehen. Er verspüre ein leichtes Hungergefühl, hat er mir klargemacht. An mir soll es nicht liegen und ich gehe mit ihm die 100 Meter an der Albergue vorbei. Wir nehmen an der Theke Platz und er entscheidet sich für den englischen Klassiker auf der Speisekarte, „Fish and Chips".

Die zahlreichen Biere des heutigen Tages bringen seine Aussprache nun noch mehr ins Schwingen und er macht es mir dadurch nicht leichter, ihn zu verstehen. Steve erzählt mir jetzt, dass ihn Kristi darauf angesprochen hat, warum er so viel trinkt.

„Sie wollte zum Ausdruck bringen, dass ich Alkoholiker bin. Das bin ich nicht", betont er etwas nachdenklich und in einer sich jetzt um die Aussprache gefestigten Melodie. „Aber du bist jeden Tag betrunken, Steve. Du trinkst auch heute wieder, seit wir hier angekommen sind."

„Ich weiß", gibt er mir betroffen zur Antwort.

„Ich sag dir etwas, das habe ich bisher nur Kristi erzählt und du musst mir versprechen, es für dich zu behalten." Ich bestätige es ihm und er beginnt, ohne Umschweife zu erzählen.

„Voriges Jahr haben sie bei mir einen Tumor lokalisiert, einen bösartigen. Er konnte aber laut meinem Arzt vollständig entfernt werden und er hat mir gesagt, ich habe gute Chancen, 100 Jahre alt zu werden." Er bläst etwas Luft aus seinen Lungen und ich bekräftige ihn, dass es doch gut sei, wenn alles entfernt werden konnte.

„Ja, schon", sagt er. „Aber ich habe eine Scheißangst. Jedes Mal, wenn ich pissen muss, sehe ich wie versteinert dem Strahl hinterher und beobachte den bevorstehenden Aufprall auf die Kloschüssel. Ich erwarte ein sich ausbreitendes Rot auf dem weißen Untergrund, mein ganzer Körper beginnt zu zittern und dies geschieht auch nachts, wenn ich meine Augen schließe, auch wenn die Verfärbung glücklicherweise ausbleibt. Der Alkohol hilft mir dabei, er nimmt mir diese Angst. Verstehst du?"

Er blickt mich fragend an. Ich nicke nur und weiß nicht, was ich antworten soll. Rod tritt zur Türe herein und wir unterbrechen das Gespräch, wofür ich ihm in diesem Moment auch sehr dankbar bin. Ich brauche Zeit, um die von Steve gesagten Worte zu verarbeiten oder einfach nur um mit dieser Situation umgehen zu können. Wir trinken noch jeweils ein Glas und ich bin froh, dass ich Steve davon überzeugen kann, gemeinsam mit Rod und mir in die Albergue zu gehen. Ich hoffe dabei, dass er bereits genügend Bier in sich hat, welches imstande ist, ihn in den Schlaf zu wiegen.

10
Wirksamkeit

Die starken Regenfälle der Nacht haben in den frühen Morgenstunden nachgelassen und jetzt zum Aufbruch in den heutigen Tag zur Gänze aufgehört. Der Himmel bleibt aber wolkenverhangen und ständig bereit, die schon völlig durchnässte Erde mit weiterem Wasser zu tränken. Es ist untypisch kühl für die Jahreszeit in diesem Landesteil und ich habe wieder meine Jacke übergezogen, die ich an sich lediglich für die Strecke über die Pyrenäen eingepackt habe und die mich jetzt beinahe täglich warm und bei leichtem Regen auch trocken hält. Den Regenschutz streife ich wirklich nur bei starkem Regen über und dies geschah bereits öfter, als mir lieb war. Immer wieder zieht es die Köpfe der vor mir gehenden Pilger in die Höhe in Richtung der dunkel gefärbten Wolken so wie auch den meinen, aber es bleibt weitgehend trocken. Ab und zu stellt sich leichtes Nieseln ein, das, sobald es auftritt, auch schon wieder verschwindet.

Ich habe mich ein kleines Stück von Chris und Gina gelöst, deren Schritte von ihrer fortdauernden Konversation in der Geschwindigkeit gebremst werden. Da hilft es auch nichts, wenn ich beizeiten stehen bleibe und die dichten Wolken, die bis hinunter an die Weizenfelder zu reichen scheinen, mit meiner Kamera einfange. Beim Betreten einer Bar in einer kleinen Ortschaft treffe ich auf Steve, diesmal nicht bei einem Glas Bier, sondern bei Kaffee und einem Baguette mit Schinken. Rod ist bei ihm und das erleichtert es mir ein wenig. Ich weiß noch immer nicht, wie ich mit seiner Situation umgehen oder wie ich ihn darauf ansprechen soll.

Wir sind wieder am Weg und es ergibt sich, dass Rod, bedingt durch ein menschliches Bedürfnis, eine Zeit lang hinter uns zurückbleibt, und ich versuche, ein Gespräch mit Steve in Gang zu bringen.

„Die letzten Etappen sind doch etwas kurz ausgefallen, findest du nicht?"

„Ja, wenn es so weitergeht, schaffe ich es nicht rechtzeitig nach Santiago", sagt Steve etwas nachdenklich.

„Wann musst du dort sein?"

„Spätestens am 21. Juni, am 23. in der Früh fliege ich von La Coruña aus nach Bangkok, liegt ja auf der Strecke nach Australien. Ich habe noch zwei Wochen Urlaub drangehängt."

„Toll", sage ich und verharre dann fragend bei La Coruña.

„Liegt 50 Kilometer nördlich von Santiago und die Thai Airways fliegt von dort aus direkt nach Bangkok. Der Preis ist auch in Ordnung." Steve nickt dabei zufrieden.

„Mein Flug geht auch am 23. in der Früh, aber nach Barcelona und von Santiago aus. Stell dir vor, nur 35 Euro habe ich dafür bezahlt." Ich kann es selbst nicht ganz glauben, aber es war schließlich die günstigste Variante für den Rückflug nach Wien. Ich entspanne mich noch drei Tage in Barcelona und bin dann für weitere 75 Euro am 26. Juni in Wien.

Steve scheint mein Geschick für Finanzen zu bestätigen, indem er die Lippen zusammenkneift und sagt: „Dann haben wir ja ziemlich den gleichen Zeitplan. Ich werde heute Abend einmal das Tempo für unsere nächsten Etappen ansprechen."

„Finde ich gut", bekräftige ich ihn.

„Wir werden heute vermutlich schon gegen 13 Uhr unser Etappenziel erreichen."

„Belorado oder so ähnlich", falle ich ihm ins Wort.

„Ja, Albergue Cantones, wenn ich mich recht erinnere."

„Ich habe es mir in den Reiseführer geschrieben. Wir sehen nach, wenn wir in der Nähe sind", ergänze ich.

Gina hat für uns bereits gestern Betten gebucht, da es nicht allzu viele Unterkünfte in Belorado geben soll. Ich sehe auch langsam Steves Problem. Es sind die kurzen Distanzen. Anscheinend ist es ihm bisher ebenso wenig wie mir gelungen, ein richtiges Gefühl für dieses Unterfangen zu entwickeln, und er vertreibt sich die langen Nachmittage dann in den verschiedenen Bars rund um unser Nachtlager. Ich hingegen begrüße mitunter auch die viele Zeit, die mir nach dem täglich zu bewältigenden Pensum bleibt. Zu viele Eindrücke entstehen entlang des Camino, die auf meiner Website untergebracht werden müssen, und ebenso viele Fotos, die diese Eindrücke untermalen und hochgeladen werden wollen. Nicht zu vergessen mein Knie. Die Bandage, die ich mir gestern gekauft habe, fühlt sich gut an und sie erleichtert mir den Weg doch mehr als gedacht.

„Ich habe noch nicht wirklich ein Gefühl für das Ganze hier bekommen. Der tägliche Regen, die kalten Nächte und die nicht abklingenden Schmerzen in meinem Knie. Laut Ärztin sollte ich die Tabletten drei bis fünf Tage nehmen, dann sollte es gut sein. Jetzt schlucke ich sie schon den neunten Tag und es wird einfach nicht besser."

Die Antwort von Steve fällt nicht vielversprechender aus: „Du kennst ja jetzt meine Geschichte und sie hat sich auch nicht verändert. Wir müssen eben Geduld haben. Es liegen noch viele Kilometer vor uns. Kilometer, auf denen sich der Camino uns noch öffnen kann."

Er spricht diese Worte mit einer Zuversicht, die ich gerade bei ihm nicht zu suchen gewagt hätte.

„Du hast recht", sage ich und besinne mich meines gestrigen Gedankenspiels.

Wir bleiben stehen und warten auf Rod, der etwa 30 Meter hinter uns läuft.

Wir erreichen Belorado wie vermutet kurz nach 13 Uhr. Cantones ist eine nicht allzu große privat geführte Albergue, wir kommen alle gemeinsam in einem Zimmer unter. Gina hat für sieben Personen reserviert, also auch für Rod. Als Sherri und Kristi als Letzte unserer heute siebenköpfigen Gruppe eintreffen, hat es wieder heftig zu regnen begonnen. Regen, über den ich mich zum ersten Mal freue, denn er hält Steve im Haus und lässt seinen Nachmittag bei einem Schläfchen verrinnen.

Abendessen gibt es im hauseigenen Restaurant. Es ist deutlich erkennbar ein Familienbetrieb, geführt von Vater, Mutter, Sohn und Schwiegertochter, wer auch immer die Zügel in der Hand halten mag. Auffällig für meine Augen ist aber ohne Zweifel die Schwiegertochter, sie nimmt gerade das Essen auf. Ich würde sagen, sie ist nicht größer als 1,50 Meter, hat langes dunkelblondes Haar, einen trotz ihrer geringen Größe perfekt geformten Körper und ein Lächeln, das ihr Gesicht zu verzaubern weiß. Ich bin mir sicher, wenn sie das Haus verlässt, verwandeln sich die Regentropfen in Sonnenstrahlen und spielen auf ihrer blassen Haut, ohne sie zu verbrennen. Sie legen sich um sie und schützen sie vor dem Zugriff anderer.

Kristi bleibt mein Interesse für das Mädchen nicht verborgen, auch Sherri nicht und beide bewerfen mich mit strengen Blicken. Keine, die mich zu strafen gedenken, nein, es sind Blicke, welche die meinen in ihrer Aufdringlichkeit bremsen sollen, und sie zeigen jetzt auch ihr Verständnis dafür, indem die Strenge in ihren Gesichtern von einem zaghaften Lächeln abgelöst wird.

Ich habe wortlos verstanden und wende mich den Empfehlungen auf der Menükarte zu. Das Pilgermenü besteht immer aus Vorspeise, Hauptspeise und Nachspeise und lässt einen aus jeweils fünf bis sieben Gerichten wählen. Nachspeisen beschränken sich auf zwei bis drei Angebote. Dazu gibt es noch eine Flasche Rotwein oder, wenn gewünscht, auch Wasser. Auch die heutige Auswahl ist vielseitig und ich entscheide mich wie schon des Öfteren in den letzten Tagen für einen Salatteller als Vorspeise, der zumeist mit Schinken, Speck oder Tunfisch garniert ist. Als Hauptspeise wird mir ein gegrillter Lachs mit Kartoffeln gereicht und die Nachspeise besteht aus Vanilleeis mit Schokoladenstreusel. Wie gewohnt ist das Menü reichlich und es wird bis auf den letzten Krümel von mir verzehrt. Der tägliche Fußmarsch fördert meinen Appetit, auch wenn das Ganze heute ein wenig in den Hintergrund gedrängt wird durch dieses zauberhafte Wesen, das mich sämtlicher, nicht ausschließlich ihr entgegengebrachter Gedanken beraubt. Es ist diese Leichtigkeit, wie die Muskeln ihr Gesicht in Bewegung setzen, die in ihm nie einen Ausdruck der Gleichgültigkeit oder Kälte hervorbringt. Ich spüre erneut, wie Kristis und Sherris Blicke auf mir lasten, und wende mich ihnen zu, auch wenn ich es nicht zu verhindern vermag, wie sich meine Gedankenwelt mehr und mehr diesem Wesen zu Füßen legt.

Der Abend vergeht schnell. Wir sind an die 25 Pilger auf vier Tischen und Steve versucht, noch so viel Bier wie möglich in sich hineinfließen zu lassen, bevor wir aufgefordert werden, uns in die Schlafräume zurückzuziehen. Wir haben beschlossen, morgen bis Agés zu marschieren.

Die Räumlichkeiten gestatten es uns, dass wir mit einem gemeinsamen Frühstück in den Tag starten. Ich begnüge mich mit einer Tasse Tee und einem letzten Blick auf diese Freude spendenden 150 Zentimeter Lebens. Bis Agés sind es 29 Kilometer und der hartnäckig andauernde Regen wird es uns nicht einfacher machen. Sherri und Chris haben sich deshalb entschieden, ihren Rucksack mit dem Taxi in unsere wieder bereits vorreservierte Unterkunft fahren zu lassen. Ich verkneife es mir, denn nach meiner Auszeit in Nájera will ich mir keinesfalls nochmals eine Erleichterung leisten und mein Knie ist in den Morgenstunden auch noch umgänglicher.

Die ersten elf Kilometer führen mich auf den 1148 Meter hohen Montes de Oca. Ich gehe die meiste Zeit alleine, auch wenn Chris und Rod nur wenige Meter hinter mir sind. In San Juan de Ortega, einer 18 Einwohner zählenden Ortschaft, die nur aus einer Handvoll Häusern und einer Kirche besteht, nutze ich gemeinsam mit Chris und Rod die Zeit für einen heißen Kaffee und eine kleine Jause. Bevor wir wieder aufbrechen, erreichen auch Sherri, Kristi und Steve den Ort.

„Gina ist nach dem halben Weg der Strecke auf den Bus umgestiegen", berichtet uns Sherri.

„Der Kaffee ist heiß, auch wenn San Juan de Ortega nur aus Barmann und Pilgern zu bestehen scheint", kläre ich die drei auf und marschiere mit Chris und Rod weiter.

„Wieder einer dieser Tage, die mich an logistische Höchstleistungen heranführen." Ich sage es so allgemein vor mich hin, aber doch so, dass es Chris und Rod hören können.

„Wie meinst du das?", fragt mich Chris.

„Na ja, mal starker Regen, dann wieder nur leichtes Nieseln. Du musst den Regenmantel immer griffbereit haben, um ihn, wenn sich die Schleusen am Himmel vollends öffnen, sofort überziehen zu können und nach Beendigung des Schauspiels wieder verschwinden zu lassen."

„Klingt für mich ein wenig nach Zauberei", sagt Rod.

Chris kann den logistischen Herausforderungen weniger

abgewinnen, er behält seinen Regenponcho den heutigen Tag meist übergestreift. Das fehlende Gewicht auf seinem Rücken macht es ihm etwas leichter und er kommt deshalb nicht so ins Schwitzen, auch wenn er mit 59 Jahren der Älteste in unserer Runde ist. Chris ist groß gewachsen, schlank und besitzt noch die volle, wenn auch ein wenig grau gewordene Haarpracht. Vor zwei Jahren hat er seinen wohlverdienten Ruhestand angetreten. Fast 30 Jahre lang war er im britischen Justizministerium beschäftigt, einen Großteil davon im Führungsstab. Chris ist verheiratet und hat drei erwachsene Töchter, wovon zwei auch in seiner Heimatgemeinde Southend-on-Sea leben. So hat er es mir einmal auf einem der vielen Kilometer, die wir gemeinsam gegangen sind, erzählt. Jetzt will er von mir wissen, wie man das Finanzsystem stabilisieren kann. Ich erinnere mich daran, dass ich dies bei unserer Unterhaltung über Alexander den Großen angesprochen habe.

„Du hast gesagt, du wirst es mir ein andermal erläutern, und ich finde, es ist jetzt ein guter Zeitpunkt dafür." Er sieht mich auffordernd an und auch Rod scheint sich an unser Gespräch in Viana zu erinnern.

„Da kommt der Politiker zum Vorschein", entgegne ich der Aufforderung von Chris.

„Lass mich dabei aber ein wenig ausholen", bitte ich ihn.

„Vor 30 Jahren etwa, zu Beginn der Achtzigerjahre, hat sich neben der realen Wirtschaft eine finanztechnische Wirtschaft zu etablieren begonnen. Während die reale Wirtschaft, also das produzierende Gewerbe, stets in einem linearen Wachstumsmuster mit zyklischen Schwankungen gefangen blieb, hat sich die Finanzwirtschaft logarithmisch entwickelt. Das heißt, das reale Wirtschaftswachstum der westlichen Industrienationen wächst im Durchschnitt um zwei bis drei Prozent jährlich, manchmal mehr, manchmal weniger, und dann befinden wir uns auch mal wieder in einer Rezession. Die Finanzwirtschaft hingegen schaffte es, immer höhere Wachstumszahlen zu erreichen, fünf, zehn, 15 Prozent und mehr. Sie ist exponentiell gestiegen, hat also an Schwung gewonnen. Es wurden neue und immer ertragreichere Finanzkonstellationen geschaffen, um die Gewinne der Investoren noch weiter in die Höhe zu schrauben. Gier hat sich breitgemacht und zwang auch die in erster Linie auf Sicherheit bedachten Institutionen, ihre Grundsätze über Bord zu werfen und auf diesen Zug aufzuspringen."

Ich sehe zu Chris. „Was dann passiert ist, weißt du ja."

„Wenn du damit die Lehman-Pleite und die daraus resultierende Finanzkrise ansprichst: Ja, schon, aber das war nichts anderes als eine Blasenbildung, die gibt es ständig. Diese hat eben stärkere Auswirkungen gehabt." Chris zieht nach diesen Worten seine Mundwinkel leicht nach unten. Oder auch nicht? Mir wird jetzt bewusst, dass seine Mundwinkel generell nach unten gerichtet sind. Eine Eigenart, die mir sofort bei ihm aufgefallen ist.

„Blasenbildung?", wiederhole ich.

„Wenn Banken Kredite an Kunden für den Erwerb von Immobilien vergeben, ist ihr Kapital meist auf 20 bis 30 Jahre gebunden. Sie erzielen dadurch zu wenig Rendite, wenn sich die Finanzwirtschaft auf dem Höhepunkt befindet. Es mussten neue Finanzinstrumente geschaffen werden, um dies zu umgehen. Und hier kommen auch die jetzt wiederholt zitierten Ratingagenturen ins Spiel, die die Finanzprodukte auf deren Sicherheit überprüfen sollen und diese anschließend mit dem Risikofaktor bewerten. Sie vergeben nichts anderes als Noten." Ich blicke wieder zu Chris.

„Du kennst ja das System. Dreimal großes A für die beste Bewertung bis runter auf D für Schrott."

Chris nickt zustimmend.

„Zurück zu den Banken und den neu zu schaffenden Finanzprodukten: Die Banken wollten ihr Kapital also nicht mehr auf 20 bis 30 Jahre binden. Sie haben die vergebenen Kredite gebündelt und damit ein neues Anlageprodukt geschaffen, das sie problemlos über den Kapitalmarkt vertreiben konnten. Dem Ganzen haben sie aber noch eines draufgesetzt, die Nachfrage war ja enorm. Sie haben Kredite, die von den Ratingagenturen mit einer hohen Sicherheitsstufe ausgestattet waren, mit Krediten, die eine höhere Ausfallwahrscheinlichkeit aufwiesen, gekoppelt. Es wurden also Ramschkredite mit sicheren Krediten gebündelt und die Ratingagenturen haben diese dann mit der Bestnote versehen. Es wurde die mathematische Formel einfach neu erfunden. Plus und minus ergab plötzlich plus und dass dies auf Dauer nicht funktionieren kann, war vermutlich jedem, der in dieses System involviert war, auch bewusst. Ich gehe sogar so weit zu sagen, dass sie es darauf angelegt haben. Sie haben ja immer noch die Immobilien als Sicherheit gegenüber den Kreditnehmern. Nur versäumten sie es, etwas Grundlegendes in ihre Rechnung einzuschließen. Nämlich, dass nach dem Platzen dieser Blase die Immobilienpreise ins Bodenlose stürzen und keine Sicherheit mehr darstellten würden. Vielleicht haben so manche auch das bereits berücksichtigt und sich ausschließlich auf die Unterstützung des Staates verlassen."

Die Aufmerksamkeit von Chris steigt, während Rod ein paar Schritte hinter uns herhinkt.

„Du hast es sehr gut formuliert und ich muss es bestätigen, aber dass der Zusammenbruch bewusst herbeigeführt worden ist, da kann ich dir keinesfalls zustimmen", meint Chris.

„Du findest also, dass die Banker naiv sind?"

„Jetzt bleib aber am Boden." Die Stimme von Chris erhebt sich leicht.

„Weißt du, wie damals die Finanzierung eines Kreditnehmers für den Erwerb eines Einfamilienhauses ausgesehen hat?" Ich warte keine Reaktion von Chris ab. „Kreditsumme auf 25 Jahre, kein oder nur geringes Eigenkapital. Rückzahlung in den ersten fünf Jahren nur die Zinsen, keine Tilgung. Wow, sagen die Kreditnehmer, da zahl ich ja weniger als für meine Mietwohnung. Die nächsten fünf Jahre mit einer leichten Tilgung der Kreditsumme. Auch noch kein Problem. Ab dem zehnten Jahr setzt dann die volle Tilgung der bis dahin sich nur gering verminderten Kreditsumme ein. Viele fragen nicht danach, was in zehn Jahren ist. Wenn doch, wird ihnen erklärt, dass sie dann auch dementsprechend mehr verdienen und sich das mehr als ausgleicht. Auch der Wert des Hauses wird sich in zehn Jahren beinahe verdoppelt haben."

Ich stelle mich Chris in den Weg und hindere ihn dadurch am Weitergehen.

„Mag sein, dass die Verkäufer dieser Finanzierungen genauso naiv waren wie die Kreditnehmer, aber sicherlich nicht jene, die hinter dieser Konstellation gesteckt haben."

„Du weißt aber schon, dass du mich damit auch persönlich angreifst. Ich war in meiner Tätigkeit für das britische Königreich für die gesetzlichen Rahmenbedingungen verantwortlich, mitunter vielleicht auch für diese."

„Entschuldige, wenn du das so auffasst. In jedem Gesetz gibt es Schlupflöcher und wer welche sucht, wird auch welche finden. Du musst mir glauben, ich verurteile hier nicht die Gesetzgebung, sondern die Gier der Menschen, die diese zu umgehen weiß."

Die Mundwinkel von Chris entspannen sich wieder. „Ja, ich glaube schon zu verstehen, wie du es meinst. Aber jetzt erklär mir, wie du das in Zukunft ändern willst." Ich versuche, es ihm zu verdeutlichen.

„Eine gesunde Volkswirtschaft wird in erster Linie mithilfe der Zinsen gesteuert. Läuft die Konjunktur gut, und hier gehen wir von der realen Wirtschaft aus, hebt die Zentralbank, bei uns die EZB, bei dir die Bank of England, die Zinsen an, um ein Überhitzen zu vermeiden und eine mit ihr einhergehende Inflation zu verhindern. Die Konjunktur kühlt sich schließlich ab. Leider lässt es sich nicht immer ganz genau steuern, wie du weißt, und es kommt unausweichlich zu Rezessionen. Nun senkt die Zentralbank die Zinsen, das Sparen wird weniger attraktiv und es wird wieder mehr gekauft. Die Wirtschaft beginnt zu wachsen." Chris unterbricht mich.

„Das weiß ich ja, komm zum Punkt."

„Ja", sage ich, „hab ein wenig Geduld. Es sind noch an die drei Kilometer bis Agés." Ich weiß nicht, ob Rod zuhört, er ist aber dicht hinter uns.

„Wir haben es nun aber nicht mehr mit einer gesunden Volkswirtschaft zu tun. Sie hat sich in eine Real- und eine Finanzwirtschaft aufgeteilt. Mit dem Effekt, dass die Finanzwirtschaft ein Vielfaches an Renditen gegenüber der Realwirtschaft abwirft. Die Leute, die das Geld haben, das sind die 20 Prozent der Weltbevölkerung, die über 95 Prozent des weltweiten Reichtums verfügen, stecken das Geld vermehrt in die Finanzwirtschaft. Sie bringt ja höhere Rendite und die Risiken sind auch begrenzt, zieht man die Rettung der Banken ins Geschehen. Macht ein Unternehmen Pleite, haftet der Gläubiger, also die Bank. Verspekuliert sich das Geldhaus hingegen bei einer Finanzgeschichte, haftet der Steuerzahler. Der Bank wird vom Staat unter die Arme gegriffen."

„Ganz so ist es nicht mehr", betont Chris. „Die Banken mussten ihre Eigenkapitalquote erhöhen und sie unterliegen strengeren Auflagen."

„Du hast recht, aber das ändert nichts daran, dass sie das billige Geld, das sie von der Zentralbank für die Ankurbelung der gewerblichen Wirtschaft bekommen, nicht an diese weiterleiten. Es wird wieder in die Finanzwirtschaft gesteckt, oder warum sind die Renditen der festverzinslichen Wertpapiere am Boden und warum befinden sich die Börsen weltweit nach dem Einbruch vor fünf Jahren schon wieder auf Höchstständen? Die Zentralbanken, ausgegangen von den USA, haben die Märkte mit Geld überschwemmt und das Gleiche macht die Europäische Zentralbank, also die EZB. Sie versorgt die Banken mit billigem Geld, aktuell mit 0,25 Prozent, das ist ein historischer Tiefpunkt, mit dem Ziel, dass sie es an die Unternehmen weitergeben. Vor allem an die kleinen und mittelständischen Betriebe, die nicht über die nötige Transparenz und Größe verfügen, um sich selbst über dem Kapitalmarkt mit frischem Geld zu versorgen. Du verstehst schon, die sogenannten Big Player, wie Coca-Cola, Apple, Microsoft und so weiter." Chris nickt zustimmend, drängt mich aber, endlich zum Wesentlichen zu kommen.

„Die Banken geben die günstigen Kredite, die sie von der EZB erhalten, nicht wie von denen gewollt an Unternehmen, die dringend Geld für Investitionen benötigen, weiter. Sie werfen das Geld in den Finanzmarkt. Die Aktienkurse steigen weiter und die Anleiherenditen sinken noch tiefer. Gut für die großen Unternehmen, die Big Player. Sie kommen ebenfalls immer günstiger an frisches Geld. Nicht aber für die breite Masse der Wirtschaft, die sogenannte Mittelschicht. Ein Wirtschaftsaufschwung kann so nicht zustande kommen." Ich hindere Chris abermals am Weitergehen.

„So, und jetzt komme ich zum Entscheidenden. Wäre es nicht sinnvoller, wenn sich die Unternehmen, klein wie groß, das Geld direkt von der EZB borgen könnten und nicht über den Umweg der Banken?" Chris überlegt und spricht sich schließlich gegen die Durchführbarkeit dieser Idee aus. Ich habe schon darauf gewartet und schreite jetzt zur Erklärung.

„Wenn jede Firma, auch noch so klein, sich selbst an die Zentralbank wendet, um einen Kredit zu erhalten, wird es vermutlich zum Chaos kommen, und dieses System würde auch die Kredite der Privatpersonen einschließen." Chris beginnt, meinen Vorschlag durch seine Gesten nun etwas ins Lächerliche zu ziehen, und ich erzähle rasch weiter.

„Deshalb benötigen wir die Banken auch weiterhin. Wir beschneiden sie aber in ihrer Funktion. Sie sollen als Kontrollorgan und Vermittler zwischen den Parteien und der EZB dienen."

„Kontrollorgan?", schießt es aus Chris hervor. „Tut mir leid, aber jetzt verstehe ich dich gar nicht mehr." Er schüttelt vehement den Kopf und ich muss ihn beruhigen.

„Hör zu", sage ich. „Ich gebe dir ein Beispiel. Die Firma Alpha benötigt für die Erweiterung ihrer Produktionsstätte einen Kredit von einer Million Euro. Diesen erhofft sie sich von der EZB. Die Antragstellung erfolgt aber nicht direkt bei der EZB, sondern bei einer dazu berechtigten Bank. Diese wiederum ist verpflichtet, die Bonität, also die Sicherheiten des Antragstellers, zu überprüfen. Befindet die Bank die Sicherheiten des Kreditnehmers für ausreichend, erfolgt die Abwicklung des Kreditgeschäftes zwischen der Zentralbank als Gläubiger und dem Kreditnehmer als Schuldner. Die Rolle der Bank ist hierbei lediglich die eines Vermittlers und Kontrolleurs. Sie sorgt für den raschen und reibungslosen Ablauf und sie erhält dafür eine Vermittlungsprovision. Die Bank erhält also nicht mehr wie bisher Geld mit aktuell 0,25 Prozent Zinsen und gibt dann, wenn überhaupt, einen Teil davon an Unternehmen zu einem Zinssatz von sechs, sieben, acht oder noch mehr Prozent weiter. Das Unternehmen erhält das benötigte Geld jetzt also direkt von der EZB und das zum aktuellen Leitzins, im Augenblick 0,25 Prozent, abzüglich einer einmaligen Vermittlungsprovision für die beauftragte Bank. Die Vermittlungsprovision soll sich nach der Höhe des Leitzinses richten. Es soll dabei auch nicht zwischen sehr guter und ausreichender Sicherheit unterschieden werden. Jeder erhält die von der EZB festgelegten Konditionen."

Das Gemüt von Chris hat sich wieder aufgehellt. „Klingt jetzt doch sehr interessant", findet er und ich bin jetzt voll in meinem Element.

„Ich sage dir eines: Die Ausfallquote der gegebenen Kredite wird auch geringer sein, denn es ist ein Unterschied, ob ich jährlich acht Prozent für einen Kredit bezahle oder 0,25 Prozent."

Chris ist jetzt ganz auf meiner Seite.

„Die Zentralbanken könnten viel schneller in die sich stets ändernden Rahmenbedingungen ihrer Volkswirtschaften eingreifen. Das Drehen an der Zinsschraube wäre viel effektiver und würde sich auch sofort auswirken, das Geld geht den richtigen Weg."

Chris bläst die Luft aus seinen Lungen und klopft mir auf die Schultern. Ich erfreue mich seiner Anerkennung und mein Körper richtet sich zum Weitergehen nach vorne, wo ich Rod in 100 Meter Entfernung vor uns alleine marschierend erkennen kann.

„Deine Sichtweise fasziniert mich, Reinhard", sagt Chris und das ist jetzt einer der Momente, die ich mir erhofft habe zu erfahren auf dem Camino. Dinge, Situationen und Menschen entlang des Weges, die meinen Horizont erweitern. Er macht mich mit seinen Worten stolz und ich bin glücklich, meine Gedanken mit jemandem teilen zu können, der sie auch zu verstehen vermag. Wir bleiben nochmals stehen und ein Handschlag von ihm erteilt meiner Ausführung die nötige Anerkennung. Als wir weitergehen, wirft Chris ein paar Bedenken ein.

„Aber die Banken würden da niemals mitspielen."

„Ich weiß, sie haben zu viel Macht und sie würden sich sicherlich nicht selbst dieser beschneiden." Wir vertiefen uns noch ein wenig in dieses Thema und Chris erzählt mir auch noch dazu passende Details aus seiner Amtszeit, die ich aber unbedingt für mich behalten müsse, sagt er sehr betont.

Vor uns, in einer Mulde der Landschaft, liegt der kleine Ort Agés. Die letzten vier Kilometer sind so schnell vergangen. Ich habe nicht einmal mitbekommen, dass der Regen jetzt zur Gänze aufgehört hat, auch wenn die Wolken immer noch trächtig über unsere Köpfe hinwegziehen.

11
Ergebenheit

Von der abendlichen Erscheinung, die dieses Gebäude umgeben hat, ist nichts geblieben. Jan sitzt am nahezu erloschenen Feuer, das mehr und mehr vom sich ausbreitenden Tageslicht vereinnahmt wird. Er beobachtet, wie sich eine dunkelgraue Decke im Rhythmus von Adelines Atem bewegt und sich jetzt in Falten wirft, als Adeline ihren Körper zur Seite dreht. Sie streckt dabei ihre Arme, als würde sie zeigen wollen, wie viel Kraft ihr der Schlaf gespendet hat. Jan hat im ersten Moment seinen Blick instinktiv auf die an sie geschmiegte Joie gerichtet, um ihn dann erneut zu einem Lächeln geformt an jene Frau, von der er jetzt immer mehr eingenommen wird, zu richten.

Marlon ist ebenfalls bereits auf den Beinen und stochert mit einem Stock die zu erlöschen drohenden Glutnester hoch. Auch er registriert das Erwachen von Adeline und er sieht die beiden kleinen Körper neben ihr, die weiterhin eingehüllt in einer Decke, die sie vor der Frische des Morgens schützt, reglos verharren. Das Schnauben eines Pferdes ist wahrzunehmen. Es steht angebunden an einen Pfahl neben einem vier Seiten umspannenden Gemäuer, das von einer hölzernen Tür verschlossen ist. Der Mann daneben striegelt das Fell des Tieres. Er trägt einen dunkelblauen Umhang, aus dessen rechter Seite sich der Knauf eines Schwertes hervorwölbt.

Ein Klang von Hufen durchbricht die noch vorhandene Stille des Morgens. Das dumpfe Schlagen der Eisen auf den Boden verklingt und wird durch Pferdegewieher abgelöst.

Flore und Julien schrecken aus ihrem Schlaf hoch und blicken verwundert um sich. Zwei Männer springen unmittelbar neben dem Mann von ihren Pferden herab auf das vom Morgentau noch feuchte Gras. Sie tragen ebenfalls blaue Umhänge. Der Mann, der die Nacht über hier war, hebt den rechten Arm mit geöffneter Hand über seinen Kopf. Kurz darauf tritt ein weiterer Mann mit blauem Umhang und sein Pferd an den Zügeln haltend aus dem umgrenzenden Wald hervor. Die vier Männer begrüßen sich, indem sie sich die rechte Hand reichen, als würden sie einen Vertrag besiegeln. Sie legen abwechselnd beide Hände auf die Schultern des anderen und küssen sich auf die rechte Backe. Nach ein paar gewechselten Worten steigen die zwei Männer, die die Nacht über hier verbracht haben, auf ihre Pferde und verlassen das Geschehen.

Die Neuankömmlinge übernehmen ihre Plätze, verfolgt von den Blicken Marlons, der dem Schauspiel unmittelbar gegenübersteht. Er kann sich keinen Reim darauf machen und sieht hinüber zu Jan, der auf der gegenüberliegenden Seite der Feuerstelle steht. Marlon geht mit einem fragenden Ausdruck in seinem Gesicht auf Jan zu.

Ein Knarren lässt ihn innehalten. Es kommt von der Holztür, die sich im Gemäuer öffnet. Ein Mann in einer braunen Kutte tritt heraus und holt Wasser vom angrenzenden Brunnen. Noch bevor der Mann wieder die Türschwelle ins Gebäude überschreitet, sind weitere zwei Männer ins Freie getreten. Adeline, die mit Joie, immer noch eingewickelt in der Decke, am Boden sitzt, meint, die Männer zu kennen. Sie erinnert sich an das Hospital am Pass, an Pater Nevio und jetzt sieht sie auch wieder den vornehmen Herrn am Fenster stehen und seinen Diener, der ihr zugelächelt hat. Der vornehme Herr läuft komisch gebückt und fluchend zum Waldrand, während der zweite Mann den Eimer in den Brunnen geleiten lässt. Auch er scheint sich an Adeline zu erinnern, zu der er jetzt hinüberblickt.

„Ich hab gestern Abend mit einem der Helfer des Hospizes gesprochen", sagt Jan zu Marlon, der nun unmittelbar vor ihm steht. „Die Männer mit den blauen Umhängen bilden so eine Art Bruderschaft, die sich zur Aufgabe gemacht hat, den vorbeiziehenden Pilgern auf ihrer Reise nach Santiago zu helfen, sie zu verpflegen und vor Banditen zu schützen. Sie sind im Kampf ausgebildet und zum Teil sogar von höherer Herkunft. Es ist so eine Art Übergaberitual, das sie jeden Morgen und Abend an den zu bewachenden Hospizen vollziehen."

Marlons Bewunderung für die geheimnisvollen Patrouillen in Blau steigt und er ist in Gedanken mit ihnen. Er übt mit Flore und Julien dieses Ritual und redet ihnen zu, dass sie es jeden Morgen, wenn sie sich nach dem Schlaf der Nacht wiedersehen, so machen werden. Julien lässt sich schnell davon begeistern, während Flore nur etwas zögernd zusagt.

„Wir sind jetzt eine Bruderschaft", sagt Marlon noch zu den beiden.

Husten und Wehklagen dringen nun immer lauter aus dem geöffneten Hospiz. Abgestorbene und nach Exkrementen riechende Luft strömt ins Freie. Dies war auch der Grund, warum die sechs Pilger ihr Schlafgemach in freier Natur gewählt haben. Zu unangenehm schmeckte der Geruch ihren Nasen und zu laut waren das Gefurze und die Wehklagen der Menschen darin. Der edle Herr, der zuvor gekrümmt den Wald aufgesucht hat, entleert gerade den Fluss, aus dem er gestern getrunken hatte, durch seinen Hintern und er ist noch brauner und noch übelriechender geworden. Adeline und Jan werden von einem der drei in braune Kutten gehüllten Helfer angehalten, nicht gleich aufzubrechen, sondern noch etwas zuzuwarten. Das Mahl, das gerade zubereitet werde, werde sie den Tag über bei Kräften halten. Sie nehmen dankend an.

Die einsam am Himmel stehende Sonne weist ihnen den Weg nach Nájera. Ihr nächstes Ziel, das es zu erreichen gilt und nur einen Halt auf ihrer heutigen Route darstellen soll. Die Landschaft umgibt sie mit üppigem Grün auf einem stets an Höhe gewinnenden Pfad. Der Alto de San Antón gibt ihnen schließlich die Sicht auf das vor ihnen liegende Tal und die darin eingebettete Stadt frei. Die Straße, auf der sie sich jetzt befinden, zwingt sie geradezu ins Zentrum dieser Ansiedlung, die sich eingekesselt zwischen Fluss und Felsmassiv befindet. Nájera ist laut und der Puls pocht unter der großen Anzahl von Menschen in ihr. Die drückende Hitze und der stockende Atem vermögen es nicht, die stickige Luft aus ihr zu vertreiben. Adeline ergreift Juliens und Flores Hand und Jan, der Joie auf seinem Rücken trägt, ermahnt Marlon, dicht bei ihm zu bleiben. Sie haben nicht vor, hier zu verweilen, und nutzen ausschließlich die Gelegenheit, etwas Wasser an einem Brunnen zu sich zu nehmen.

Am anderen Teil der Stadt, die sie ohne weiteren Aufenthalt durchlaufen haben, erwartet sie ein hoch aufragendes Mauerwerk, das bis an den Fels reicht, der Nájeras Ausdehnung untersagt. Die große, schwere, aus Holz geschlagene Tür steht offen und Marlon betritt als Erster das imposante Bauwerk, als würde er in etwas Unbekanntes aufbrechen. Adeline und die anderen folgen ihm. Sie dringen in das Innere entlang der weit gestreckten Mauern. Ein angenehm kühler Lufthauch umgibt sie, der sich an die nackten und unbedeckten Teile ihrer Körper legt. Er trocknet den Schweiß in ihrem Nacken und löst den Stoff, der an ihrem Rücken klebt. Das Aufklatschen der bloßen Füße von Marlon, Julien und Flore, die vorausgehen, vermag die vorherrschende Stille ebenso wenig zu durchbrechen wie das Leder, das sich zwischen Adeline und Jan und den geschliffenen Steinen am Boden des großen, mit Säulen gesäumten Raumes befindet. Die Lippen in den Gesichtern der Besucher sind einen Spalt geöffnet und die Augäpfel treten aus ihren Höhlen hervor, auch Joie wird von diesem Balsam auf ihrer Haut und der Stille, die sie nunmehr umgibt, gefangen genommen. Schritt für Schritt dringen sie weiter in das Herzstück des Gebäudes vor. Ein Mann kniet vor dem Altar und sie werden wieder zurück ins Leben gerissen. Der Mann hat das Herannahen der Ankömmlinge schon länger vernommen. Er bekreuzigt sich, erhebt sich und dreht sich mit einem Schritt in Richtung der Besucher.

„Seid willkommen in der Kirche des Klosters zu Santa María la Real. Mein Name ist Marcus. Wer seid Ihr und woher kommt Ihr? Ich finde auch nur wenig Gemeinsamkeit in Eurem Wesen, aber dennoch spüre ich Gutes in Euch, denn wäre es anders, so wäre es mir geboten worden, mein Gebet zu unterbrechen." Marcus hält inne und gibt seinen Gegenüber die Möglichkeit, das Wort zu ergreifen.

Adeline blickt zu Jan, der daraufhin zu sprechen beginnt.

„Ich bin Jan und komme vom festländischen Teil Englands. Das ist Adeline mit ihren beiden Geschwistern Julien und Flore. Sie hält meine Tochter Joie im Arm und sie kommen aus Frankreich." Marcus nickt zustimmend und richtet sich zu Marlon. Er spricht zu ihm, noch bevor ihn Jan vorstellen kann.

„Und du, mein junger Mann, wie heißt du?"

„Ich heiße Marlon."

„Marlon?" Marcus überlegt ein wenig. „Bedeutet das nicht so viel wie ‚Kleiner Falke'?"

„Ja, aber woher wisst Ihr das?"

Marcus streicht Marlon über das Haupt. „Ich bin ein Scholasticus, musst du wissen, und meine Aufgabe ist es, wissenschaftliche Denkweisen und Methoden einer Beweisführung zu unterziehen. Ich weiß eben, dass ein kleiner Falke aus dir spricht."

Marlon kann der Ausführung des Gelehrten nicht ganz folgen, verliert aber an Scheu und seine Mundwinkel formen ein leichtes Lächeln im Gesicht. Jan meldet sich nun wieder zu Wort.

„Wir sind auf dem Weg zum Grab des heiligen Jakobus und wir haben uns auf dem Weg dorthin kennengelernt."

„So hab ich mir das gedacht", sagt Marcus darauf. Marcus ist beinahe 60 Jahre alt, sein graues Nackenhaar umkreist das fehlende Kopfhaar und sein etwas beleibter und nicht allzu großer Körper verbirgt sich unter einer schwarzen Robe. Seine Stimme ist sanft, aber nicht zu überhören und bestimmend, wie wenn ein Lehrer mit seinen Schülern spricht.

„Viele kommen hier vorbei auf dem Weg zu Jakobus, der sie von ihren Sünden freisprechen soll, aber selten verspüre ich solches Wohlgefallen wie bei Euch. Ihr verkörpert bereits einen Teil von dem, was es in Santiago zu finden gilt." Er macht eine kurze Pause und sagt schließlich das Wort „Vergebung".

„Vor allem der Weg zu Jakobus soll den Menschen Frieden bringen, nicht allein die Ankunft in Compostela. Ihr habt Euch am Camino gefunden und Ihr teilt Euer Vergehen. Es mag dadurch kleiner erscheinen, aber nur, weil es von anderen Vergehen in den Hintergrund gerückt wird. Nicht jeder schleppt große Straftaten mit sich, es sind vielmehr die geringeren Übeltaten, die nach Santiago getragen werden, und gerade der Austausch der Gedanken von Menschen, die sich auf diesem Wege begegnen, so wie Ihr es getan habt, bringt bereits Erleichterung von der auf dem

Rücken getragenen Schuld, wie schwer sie auch immer sein mag."

Die Worte von Marcus hallen nicht ungehört durch den Raum. Sie dringen in Adeline und bringen ihre Gefühle in Bewegung. Ihr wird bewusst, dass die Last ihrer Schuld leichter geworden ist. Sie ist leichter geworden, als sie Jan davon erzählt hat, und die Last wurde nochmals geringer durch Jans Erzählung, auch wenn sie es für banal gehalten hat, und sie ist ein großes Stück leichter geworden, als ihr das Schicksal von Marlon nahegebracht wurde. Sie neigt ihren Kopf zu Joie, küsst sie auf die Stirn und legt ihre linke Hand auf Marlons Schulter. Die Worte haben auch Klarsicht in Jan gebracht und lassen ihn niedersinken auf der hölzernen Stufe vor dem Altar.

Marcus unterrichtet die Novizen des Klosters und manchmal auch die vorbeiziehenden Pilger im Gedankengut von Isidor von Sevilla, nach dessen Regeln sich der Orden richtet. Isidors 20 Bände umfassendes Werk der Etymologie gibt Einblicke in die Geheimnisse der Grammatik, Arithmetik, Geometrie, Dialektik, Rhetorik, Medizin, Theologie, Erdkunde und vieles mehr. Und Marcus erzählt ihnen davon, so wie jetzt auch Adeline, Jan und Marlon, dass laut Isidors Ansicht die Erde einen Kreis bildet, worin es weder Anfang noch Ende gibt.

„Der Intellekt von Isidor war dem unseren weit voraus und er lebte nicht etwa vor 100 Jahren, nein, er lebte Ende des 6. und Anfang des 7. Jahrhunderts. Ihr findet seine Gebeine in León und ich bitte Euch, besucht sie in der Basilika San Isidor." Marcus erklärt ihnen noch einen Teil aus Isidors Regelwerk und empfiehlt ihnen, die heutige Nacht im Kloster bei Santo Domingo de la Calzada zu verbringen.

„Erzählt ihnen von unserem Gespräch. Ihr werdet mit

Sicherheit willkommen sein." Marcus lädt die Pilger noch zu einem Gebet, bevor er sie mit Freude in seinem Herzen verabschiedet.

Es ist früher Nachmittag und laut Marcus' Wegbeschreibung sollten die sechs Pilger Santo Domingo noch vor Einbruch der Dunkelheit erreichen. Die Hitze staut sich in Jans Beutel und so tragen er und Adeline abwechselnd Joie in ihren Armen. Auch Marlon lässt es sich nicht nehmen, sie ein Stück des Weges in den Händen zu halten, und Adeline spürt, wie er durch die neue Gesellschaft, die ihn umgibt, immer mehr Gefallen an seinem Dasein findet. Wie ein junger Baum, der zum ersten Mal beginnt, Früchte zu tragen. Auch die Blicke zwischen Adeline und Jan werden immer vertrauter und wärmer. Sie genießen es, wenn sich ihre Arme bei der Übergabe von Joie berühren. Die Härchen auf Jans Unterarmen, die dabei über die zarte Haut auf Adelines Innenseite ihrer Arme gleiten, erzeugen an ihnen immer öfter eine Kühle spendende Gänsehaut. Sie erfreuen sich der Momente, in denen Marlon mit Julien und Flore vorausläuft und sie alleine mit Joie sind, deren Anwesenheit ihnen hilft, sich näherzukommen. Adeline erinnert sich an die Worte von Marcus und sagt sie nochmals zu Jan.

„Es ist nicht allein das Erreichen des Grabes, es ist vielmehr der Weg dorthin, der die Seele reinigt. Ich sage dir, er hat recht. Vor Antritt meiner Reise war es in mir schwarz. Ich habe dich und Joie kennengelernt und dann noch Marlon und in mir wird es immer heller. Der dunkle und kalte Schleier, der mich umgeben hat, verschwindet von Tag zu Tag und an seine Stelle tritt Licht."

„Ich empfinde das genauso", sagt Jan und bewundert die Kraft der Worte, die durch Adeline sprechen. Er wirkt im Vergleich dazu wortkarg. Es gelingt ihm auch nicht, seinen

Gefühlen mit den dazugehörenden Worten Ausdruck zu verleihen. Wie gerne würde er es Adeline gegenüber tun.

„Jan", sagt Adeline etwas zögernd, wartet, bis er zu ihr sieht, und fordert ihn dann auf, zu Julien zu blicken.

„Auch ein Indiz für die Kraft des Weges. Er ist stärker geworden und er spricht auch mehr. Ich meine, er hat in Marlon ein kleines Vorbild gefunden. Sieh in dir an. Fällt dir etwas auf?"

Jan überlegt, kann aber Adelines Frage nicht ganz nachkommen.

„Findest du, er sieht uns ähnlich, mir und Flore?"

Jetzt folgt er ihrer Anspielung und bestätigt, keine körperlichen Gemeinsamkeiten zwischen ihnen zu erkennen. „Was das Aussehen betrifft", betont er nochmals.

„Flore und ich haben dunkles Haar, Juliens ist blond. Seine Haut ist blasser als unsere und siehst du die Sommersprossen auf seiner Nase? Er ist nicht unser leiblicher Bruder. Wir haben ihn in jungen Jahren bei uns aufgenommen. Es ist nicht viel, was ich von seiner Zeit zuvor berichten kann, denn auch er kann sich nicht daran erinnern und vermutlich ist es auch gut so. Er hat immer Angst vor Fremden gehabt, die an unserem Hof vorbeigekommen sind. Besonders vor Männern auf Pferden, aber er konnte es nie begründen, wenn ich ihn danach gefragt habe. Jetzt sehe ich in ihm einen Teil von mir und Flore. Er gehört zu uns und ich habe heute in der Klosterkirche dafür gebetet, dass das Verborgene verborgen bleibt, was immer es auch sein mag."

Jans Augen verfolgen Juliens, Flores und Marlons Treiben aus der Distanz, die sein Herz zum Sprechen bringen.

„Findest du, auch ich und Joie könnten ein Teil von euch werden?"

„Ich mag dich, Jan", sagt Adeline etwas verlegen und ergänzt es mit den Worten: „Der Weg wird es weisen."

153

Adeline ruft die drei Vorausgeeilten und sie umarmen sich zu einem Kreis gestellt einige Minuten lang. Es ist, als würde ein Teil der Kraft des Camino in die sechs Pilger fließen und ein Teil ihrer Kräfte zum Ausgleich in den Camino.

12
Gerechtigkeit

Die dicken und einsamen Klostermauern von Santo Domingo de la Calzada haben viel Schlaf gebracht und neue Kraft gespendet. Marlon, Julien und auch Flore haben ihr neues morgendliches Begrüßungsritual vollzogen und heften sich nun an die Fersen von Adeline und Jan, die einen Weg durch die dahinfließende Landschaft suchen. Marlon hat gestern Abend noch zwei Pilgerstöcke zurechtgeschnitzt, einen für sich selbst und einen für seinen Freund Julien. Flore wollte keinen. Julien hat dabei sein Messer bewundert. „Es hat eine kurze Klinge", sagte er und Marlon hat ihm daraufhin gezeigt, wie scharf es ist. Im Nu hatte er einen der beiden beinahe gerade gewachsenen Äste von den kleinen Zweigen befreit und geschickt damit die Rinde entfernt. Danach folgte der zweite und sie haben die Stöcke über das Feuer gehalten, um sie härter werden zu lassen. Marlon versah das Ende der Stöcke noch mit einem Spitz und ließ sie über dem Feuer schwarz werden. Voller Stolz marschiert jetzt Julien, den Stock im Gleichklang seiner Schritte, hinter den vorgetretenen Spuren von Jan. Fortwährend blickt er dabei zu Marlon. Seine Art, sich bei ihm zu bedanken. Flore schmollt ein wenig und hat sich an das Bein ihrer großen Schwester geheftet.

Die Gegend ist weit überschaubar und nur von flachen Hügeln verziert. Vereinzelt kreuzen Ochsenkarren ihren Weg und Esel, deren Rücken vollgepackt von ihren Führern ist. Belorado liegt vor ihnen. Eine kleine Ansiedlung auf dem Jakobsweg, die die Pilger mit frischem Wasser und erschwinglichen Nahrungsmitteln versorgt. Belorado bietet aber vor allem auch Rast für den bevorstehenden Anstieg auf den Montes de Oca. Die nötige Erholung verschaffen sich Julien und seine Wandergefährten an einem Fluss kurz nach der Ortschaft. Durch die vielen Sonnenstunden der letzten Tage führt er nur seichtes Wasser und er erweckt Juliens und Marlons Jagdtrieb. Mit ihren Wanderstöcken, die sie jetzt zu Speeren umfunktioniert haben, machen sie Jagd auf Fische, die sie meinen zu sehen.

Jan sagt zu den beiden: „Wenn es in dem Fluss wirklich Fische gibt, dann verscheucht ihr sie nur mit eurer Hopserei."

Julien sieht nachdenklich zu Jan und will ihn jetzt erst recht eines Besseren belehren. Nach einer Weile sitzen Marlon und Julien erfolglos und müde im Gras und sie bekräftigen sich gegenseitig, keine Fischer zu werden. Immer öfter schieben sich weiße Wolkenfetzen vor die Sonne und die sechs Pilger entscheiden sich, weiterzugehen.

Nach vielen Kilometern des leichten Anstiegs erhöht sich das Gelände und zusehends säumen mehr und mehr Bäume den Weg. Immer schneller droht die Sonne hinter den vor ihnen liegenden Bäumen zu verschwinden und alsbald nimmt ihnen der Wald den Blick auf sie. Nur noch vereinzelt bricht das Sonnenlicht die Schatten des Waldes. Erst jetzt, als der Anstieg gebremst ist und der Montes de Oca eine kleine Lichtung freigibt, umschmeicheln sie die abendlichen Sonnenstrahlen aufs Neue.

„Ein schöner Platz, um zu übernachten", meint Jan.

„Das finde ich auch, ich will nicht im Dunkeln durch den Wald gehen. Also lass uns hierbleiben."

Jan und Adeline sind sich einig und schlagen ihr Nachtlager am Rande des Waldes auf, mit Sicht auf den schmalen, mit Gras bedeckten Streifen, der sich zwischen den Bäumen hervorhebt. Während Jan Feuer macht, wird seine Tochter von Adeline umsorgt. Julien und Flore schreiten die freie Fläche entlang des Waldes ab. Die Sonne verschwindet nun endgültig für den heutigen Tag hinter dem durch eine unendlich wirkende Anzahl von Bäumen begrenzten Horizont. Es ist ruhig. Man hört, wie sich das Holz durch die Hitze des Feuers spannt und bricht. Adeline vermeint, Laute zu vernehmen, die durch den Wald nach oben tönen.

„Hörst du?", fragt sie Jan, während sie Joies Wange mit ihrem Handrücken streichelt. Auch Jan hat diese Geräusche bereits vernommen.

„Vermutlich eine Siedlung nicht unweit von hier." Er steht auf und blickt sich um. Julien und Flore haben sich mittlerweile zum Feuer gesellt.

„Wo ist Marlon?" Jan fragt noch ein zweites Mal, nun etwas lauter. Julien antwortet ihm.

„Er hat gesagt, dass er sich ein wenig im Wald umsieht. Das war aber schon vor einiger Zeit."

„Willst du ihn suchen gehen?", fragt Adeline Jan.

„Wir warten noch." Jan richtet sich dabei in Richtung der zuvor vernommenen Geräusche. „Ich weiß nicht, was in dem Kopf des Jungen vorgeht." Worte, die nur leise über Jans Lippen dringen.

Marlon sitzt auf einem Stein im Wald und zieht die saftige und elastische Rinde der kleinen Zweige ab, die er von den Sträuchern geschnitten hat. Er wickelt die Fasern um sein Messer, das er damit an seinen Wanderstock befestigt. Er prüft die Festigkeit, indem er den Stock mit dem daran angebrachten Messer in einen Baum stößt. Es hält. Seine Augen heften sich nun an das sich ruckartig fortbewegende und noch nicht völlig von der Dunkelheit verschluckte Objekt vor ihm. Immer wieder bleibt es stehen, streckt den

Kopf in die Höhe, so wie gerade eben, als eine scharfe Klinge es von diesem befreit. Kopflos läuft das Huhn noch meterweit durch die Gegend, bis das Blut, das aus seinem Halse spritzt, langsam versiegt. Marlon packt es bei den Beinen und verschwindet im Wald.

„Es ist beinahe dunkel", sagt Jan. „Marlon müsste das Feuer sehen, wenn er sich verlaufen hat."

„Ich habe Angst", sagt Adeline. Es ist, als würde ihr jemand eine Kette um ihre Lungenflügel legen. Ihr Atem wird kurz. Jan steht auf.

„Ich werde nach ihm sehen. Er kann nicht allzu weit sein."

„Vielleicht hat er sich verletzt", sagt Adeline, als sie Geräusche am oberen Teil des Waldrandes vernehmen. Jemand tritt aus dem Wald und kommt auf sie zu. Eine kleine Person, wie sie aus dem restlichen Licht, das sich noch auf diesem waldfreien Streifen vor ihnen verteilt, erkennen können. Die Gestalt kommt näher.

„Marlon!", ruft Flore, als sein Gesicht durch das Licht des Feuers erhellt wird. Seine Lippen spannen sich grinsend über sein ganzes Gesicht. Er hat beide Hände in die Höhe gerissen. Rechts sein Stock mit dem Messer daran und in der linken Hand das Huhn. Flore läuft sofort auf ihn zu und noch bevor sie sich ihm entgegenwerfen kann, bleibt Marlon stehen. Sein Mund öffnet sich weit und vergräbt den grinsenden Ausdruck in seinem Gesicht. Seine Augen werden zu weißen Bällen, auf denen sich die Pupillen langsam nach oben drehen. Speichel tropft von seinem Kinn und vermischt sich mit dem Blut, das aus seiner Nase und jetzt auch aus seinem Mund fließt, hervorgerufen durch ein langes Stück Eisen, das sich durch seinen Körper bohrt.

Flore steht wie angewurzelt vor ihm. Wortlos, regungslos,

nicht fähig, auch nur einem einzigen Muskel in ihrem Körper einen Befehl zu erteilen. Jan stürmt jetzt auf Marlon zu und wird von einem Pfeil, der sich in einem Bogen gespannt befindet, abrupt angehalten. Drei Männer treten auf die Lichtung.

„Haben wir diesen Hühnerdieb", sagt einer von ihnen und zieht die lange Klinge, die von einem massigen Stück Holz geführt wird, aus Marlons Körper, der daraufhin regungslos zu Boden fällt.

„Da werden wir wohl eine Belohnung bekommen, wenn wir diesen kleinen Scheißkerl mit dem gestohlenen Huhn in den Ort bringen." Die Worte kommen von dem Mann mit dem gespannten Bogen, dessen Pfeil weiterhin auf Jan gerichtet ist.

„Und seine Komplizen werden uns auch noch etwas einbringen." Der Mann, der die Klinge aus Marlons Körper gezogen hat, tritt näher ans Feuer heran. „Wen haben wir denn hier?" Er sieht zu Adeline, deren blass gewordenes Gesicht sich im Spiel des Feuers zeigt.

„Vielleicht sollten wir noch ein wenig warten damit."

Ein kaum vernehmbares Surren lässt Jan erneut aufschrecken. Der auf ihn gerichtete Bogen verliert seine Spannung und der Pfeil senkt sich zu Boden. Blut spritzt aus dem Hals des Mannes, einfach so. Es ist kein Gegenstand zu sehen, der dies verursacht haben könnte, und dennoch fällt der Körper mit leichtem Zucken vor ihm auf die Erde. Stimmen aus dem Wald fordern die restlichen zwei Männer auf, von den Leuten abzulassen. Langsam treten wiederum drei Männer auf die Wiese. Diesmal tragen sie blaue Umhänge, wie es Julien sofort im Licht des Feuers erkennt. Einer der Männer kommt auf Jan zu und führt ihn zu Adeline an das Feuer. Seine rechte Hand umgreift den Knauf des Schwertes, das er zurück in seine Scheide führt. Er gibt den beiden anderen

Männern ein Zeichen, die daraufhin, die verbliebenen Angreifer von der Lichtung in den Wald führen und sie laufen lassen.

„Verzeiht, dass wir nicht früher hier waren, dass jemand sterben musste. Mein Name ist Juan." Er ist ungefähr 1,80 Meter groß, ein klein wenig beleibt und sein kahles Haupt ist von grauem Haar umrandet. Bei seinen Worten richtet er abwechselnd den Blick auf Adeline und Jan, der ihm auch gleich ins Wort fällt, als er sieht, wie die Kerle ungehindert davonlaufen.

„Wieso lasst Ihr die Männer laufen?"

„Sie stellen keine Gefahr mehr dar. Ihr seid sicher."

„Aber sie haben Marlon ...!" Jan bricht den Satz ab.

„Unser Ziel ist es, die Pilger auf dem Weg nach Santiago zu schützen, auch wenn es uns nicht immer gelingt, und wir töten nur, wenn sich jemand in Lebensgefahr befindet, so wie Ihr eben durch den gespannten Bogen." Er blickt dabei Jan in die Augen. Flore steht weiterhin wie versteinert vor Marlon. Adeline bekommt langsam wieder einen Überblick und geht auf Flore zu. Sie nimmt sie in die Arme, hebt sie hoch und legt die Hand auf ihre starren Augen. Jan kniet sich gemeinsam mit Juan zu Marlon. Beide suchen nach einem Anzeichen der Regung in ihm. Vergeblich.

„Etwa zehn Kilometer weiter befindet sich ein Hospiz. Wir bringen ihn bei Sonnenaufgang dorthin. Die Nacht verbringen wir am besten hier." Juan klopft dabei Jan auf die Schulter. Er spricht ein Gebet für Marlon und bekreuzigt sich über dem toten Körper.

Die Wolken sind über Nacht dichter geworden und lassen nur noch mittels schimmernder Lichtquellen die dahinter verborgene Sonne vermuten. Juan hat die Pilger bereits früh zum Aufbruch gedrängt und führt sein Pferd nun an den

Zügeln. Neben ihm geht Adeline, deren Gedanken ununterbrochen bei Flore sind, die hoch oben auf dem Pferd sitzt und starr vor sich hin sieht. Marlons Körper liegt bäuchlings auf dem Pferd eines der Gefährten von Juan. Julien geht neben Jan, der Joie im Arm hält. Worte sind Mangelware, nur kurze Antworten von Adeline auf Juans Fragen hin und so erreichen sie noch in den Morgenstunden das Hospiz von Juan.

Der Platz ist belebt, aber nicht von Pilgern, sondern von Handwerkern, die ein weiteres Gebäude neben dem Hospiz hochziehen. Das rege Treiben wird unterbrochen, als Juan mit den Pilgern eintrifft. Die Leute verneigen sich vor ihm und ihre Blicke wandern weiter zu dem reglosen Körper, der nun vom Pferd gehoben wird. Juan macht dabei ein paar Anweisungen mit seinen Händen, worauf seine zwei Begleiter den Leichnam an den gespannt schauenden Arbeitern vorbei hinter das entstehende Bauwerk tragen. Er fordert indes auch Adeline und Jan sowie Julien auf, mit ihm zu kommen. Juan stellt sich vor die Leute.

„Diese Kapelle wird bald fertiggestellt sein." Er spricht die Worte ruhig und bedacht.

„Und der Körper dieses jungen Mannes wird der erste sein, der hier seinen Frieden findet. Sein Fleisch war nicht vergiftet von Krankheit. Er war auf dem Weg zum heiligen Jakobus und er starb mit einem Lächeln im Gesicht, sein Geist ist nicht gequält. Er wurde erleichtert auf seinem Weg dorthin und ich bitte dich, Jan", er richtet sich dabei an Jan, „dich, Adeline, dich, Julien, dich, Flore und dich, Joie", immer an die angesprochenen Personen gewandt, „nehmt die Seele von Marlon mit nach Compostela und macht sie frei für das ewige Himmelreich. Amen."

Die am Bau der Kapelle beschäftigten Männer beginnen, ein Grab auszuheben. Adeline bedankt sich bei Juan für die schönen Worte und die Geste, Marlons Körper neben der Kapelle beizusetzen und nicht bei den Gräbern abseits des Hospizes.

„Was meint Ihr damit, dass wir die Seele von Marlon mit nach Santiago nehmen werden?" Adeline streicht dabei Julien über das Haar. Juan stellt sich vor die beiden und versucht, ihnen seine Gedanken zu vermitteln.

„Viele sterben auf diesem Weg und nur wenige Seelen erfahren Gott, denn nur die wenigsten waren bereit dazu. Es liegt nicht am Camino, den Menschen das Antlitz Gottes zu zeigen, sondern sie zu läutern, ihre Herzen reinzuwaschen und ihre Gedanken zu reinigen, damit ihre Seelen frei für die Vergebung ihrer Sünden werden. Nicht alle müssen dafür bis ans Grab des Jakobus pilgern, viele Seelen werden auch darauf vorbereitet, indem sie anderen auf ihrem Weg dorthin helfen."

„So wie Ihr", sagt Adeline kaum hörbar.

„Nicht nur ich, auch meine gesamte Helferschar und die Menschen, die die Pilger auf ihrer langen Reise unterstützen und ihnen beistehen, sie mit Nahrung und Trinkwasser versorgen, aus freiem Herzen und nicht, um sich an ihnen zu bereichern. Aber zahlreiche Seelen sind noch unrein, wenn ihr Körper stirbt und das Fleisch verfault. Sie sind angewiesen auf andere Pilger, die sich ihrer annehmen. Sowie Marlon auf Euch. Nehmt ihn also im Geiste mit auf Eurer Reise. Zu viele Seelen warten noch darauf, mitgenommen zu werden an den Ort, den es zu erlangen gilt. Schon Jahre und Jahrzehnte, aber was sind schon Jahrzehnte in der Ewigkeit?"

„Juan, wir werden Eure Worte befolgen", sagt Adeline und sieht dabei auf Julien.

„Mein voller Name ist Juan de Quintanaortuno, auch wenn mich alle Juan von Ortega nennen."

Die Bestattung von Marlon nimmt ihren Lauf. Gebete werden gesprochen und mit Händen Kreuze geschlagen. Nahe am Grab knien Jan mit Joie im Arm, Julien und Adeline, alle mit Tränen in den Augen, daneben steht Flore, keiner Gefühlsregung fähig.

Kleiner Vogel kann nicht fliegen, hat niemand, der's ihm zeigt.
Will Freude geben Menschen, Tier und Pflanzen, sich in Lüfter
erheben, singen, tanzen.

Doch kleiner Vogel bleibt am Boden, niemand sieht herab von oben.
Alle wollen nach Höherem streben, das ist für sie das Leben.

Doch kleiner Vogel kann nicht fliegen, hat niemand, der's ihm zeigt.
Will Freude geben, Menschen, Tier und Pflanzen, sich in Lüfter
erheben, singen, tanzen.

Doch kleiner Vogel bleibt am Boden, niemand sieht herab von oben.
Streckt die Flügel, kann sie nicht bewegen, bleibt am Boden kleben.

Etwas Großes kommt daher, kleiner Vogel ist nicht mehr.
Denn kleiner Vogel war viel zu klein, niemand hörte ihn schreien.

13
Reinheit

Der Abend in Agés war geprägt von Harmonie, Unbeschwertheit und Leichtigkeit. Zusehends merkbar wurde ein Anstieg der Gedankengleichheit, die uns umschließt und zusammenhält. Ein Gefühl, als würden wir uns bereits ewig kennen, das mich gerade wieder überkommt bei unserem gemeinsamen Frühstück vor dem Aufbruch nach Burgos, unserem heutigen Etappenziel.

Es ist immer noch kalt, als ich meinen Begleitern vorauseilend die Hochebene von Atapuerca erreiche, aber zumindest trocken. Nebel und Einsamkeit begleiten mich über dieses karge, felsige Gebiet. Die Vegetation beschränkt sich auf wenige Olivenbäume und Sträucher, die sich ein Wechselspiel im Wachstum liefern. Sie schöpfen ihre Kraft vermutlich aus der Feuchtigkeit des Nebels, denn der Boden ist nicht willig, irgendjemandem etwas zu geben, und dennoch bringen Grabungen das Treiben längst vergangener Tage zum Vorschein. Atapuerca zählt zu den wichtigsten Ausgrabungsstätten der Welt und trägt Zeugnis einer fruchtbaren Vergangenheit und davon, wie der Wandel der Zeit das Leben zu bestimmen vermag.

Es ist vor allem diese Bitterkeit, die das Hochland umschließt und es darauf anlegt, wahrgenommen zu werden, die viel tiefer in die Menschen eindringt als Landstriche, die mit Überfluss prahlen dürfen. Ergreifend sind auch die Stille und diese wenigen Meter an freier Sicht. Absolute Stille, die hörbar wird. Hörbar nicht für die Ohren, aber für die Seele und den Geist. Tausend Jahre der Vergangenheit ziehen an mir vorüber. Jahre der Hoffnung, Jahre der Trauer, Jahre der Dunkelheit, Jahre des Lichtes, Jahre des Erwachens und Jahre der Taubheit. Ich sehe Tränen aus vertrockneten Augenhöhlen treten. Vollgesogen davon, bringen Bäume hier Früchte hervor und ich spüre, wie sich mein Körper erforscht, in mir neue Welten der Gefühle entdeckt und sie nach außen tragen will. Es gilt, die neu geschaffenen Welten nicht wieder ersticken zu lassen. Ein Ventil muss gefunden werden, um sie auch anderen zugänglich zu machen. Diese Einsicht, die mir gerade vermittelt wird, wie einfach es doch sein kann, Glück und Zufriedenheit in dem Wenigen zu finden, und wie schwer es einem erscheinen mag, diesen Zustand im Überfluss zu erlangen. Mir wurde gerade eine Wahrheit vor Augen geführt, wie sie treffender nicht sein könnte, und sie bringt mein Blut in Wallung.

Ich folge den gelben Pfeilen, die mich über den Bergrücken talwärts führen, und nehme mir vor, heute Abend mit meinen Freunden über diese Eindrücke zu sprechen. Ich bin mir sicher, dass auch sie die ihren sammeln werden. Der Nebel verliert sich und der immer länger werdende Weg in das weit gestreckte Tal bringt nun Pilger zum Vorschein. Es sind freundliche und glücklich wirkende Gesichter, in die ich beim Vorbeigehen blicke und die mich mit einem „Buen Camino" willkommen heißen. Keineswegs finde ich in ihnen Anzeichen von Strapazen, die den Ausdruck ihrer müden Füße wiedergeben könnten. Die Natur hat ihr Grün zurückgewonnen und Weizenfelder umsäumen mich. Ich trete über auf eine asphaltierte Straße, ohne Autos, nur benutzt von Wanderschuhen, die ihre Träger talwärts bringen, und Stöcken, deren metallene Enden eine Vielzahl kleiner Kratzer auf ihr hinterlassen. Das Wolkenband über mir ist dünn und leichte Schatten zeichnen meinen Körper rechts neben mir auf den Asphalt. Noch immer keine Fahrzeuge und eine kleine Pilgergruppe, die im Gänsemarsch vor mir geht, zieht es mehr und mehr in die Straße hinein, sodass sie beinahe schon nebeneinander hergehen.

Vereinzelt machen sich jetzt auch nacheinander Häuser entlang der Straße breit und in der nächsten Kurve rankt ein Schild mit der Aufschrift „Cafetería" über einem der Häuser. Der Schriftzug ist ein wenig verblasst, aber in dem schwachen Licht, das durch die Wolken dringt, doch deutlich zu erkennen. Rucksäcke lehnen links und rechts neben der Eingangstür an der Wand. Die Einladung zu einer Tasse Kaffee.

Der Gastraum wird durchbrochen von einigen wenigen Tischen, an denen verstreut Pilger sitzen. Niemand, den ich näher kenne, und so bestelle ich mir am Tresen stehend einen Milchkaffee. Gina und Chris dürften sich nicht weit hinter mir befinden. Ich glaube, sie auch bei einem Blick zurück auf den lang gezogenen Abstieg über die Krümmung des Gipfels erkannt zu haben.

„1,20 Euro", sagt das Mädchen auf Spanisch, während sie den Kaffee vor mir auf die Theke stellt. Ich habe das Geld passend. Die ein- bis zweistelligen Zahlen habe ich mir bereits in der Landessprache eingeprägt, auch wenn ich sie mitunter mit französischer oder italienischer Aussprache wiedergebe.

Gina und Chris kommen zur Tür herein. Ich habe mich also doch nicht getäuscht. Es ist beinahe Mittag und die erste Pause am heutigen Tag, ein Umstand, der es mir auch erlaubt hat, die beiden hier zu erwarten. Jetzt sehe ich erst, dass Sylvie am Tisch in der Ecke des Eingangs sitzt. Beim Betreten des Lokals war mir vermutlich die Sicht verstellt durch die Frau, mit der sie sich gerade unterhält. Gina will sich zu ihnen setzen, Chris auch. Ich schnappe meinen Kaffee und rücke noch einen Stuhl an den Vierertisch.

Ich lerne Anita kennen. Sie kommt wie Sylvie aus Kanada und sie haben sich auch eben erst kennengelernt. Anita ist in den Niederlanden geboren, hat aber vor 24 Jahren nach Kanada geheiratet. Eine Frau, mit der man Pferde stellen könnte, so beschreibt sie der erste äußerliche Eindruck. Sie ist groß und stark gebaut, aber keineswegs dick oder mollig. Kräftig, finde ich, beschreibt es am besten. Kurzes, gelocktes blondes Haar und sie ist sehr offen anderen gegenüber, wie ich bemerke. Sie geht diesen Weg mit ihrem 21-jährigen Sohn Simon. Nicht wirklich gemeinsam, aber doch zusammen.

„Simon hat gleichaltrige Freunde gefunden, mit denen er die meiste Zeit verbringt", sagt Anita und bringt es weiter auf den Punkt, dass es nun an ihr liegt, ebenfalls Anschluss zu finden. „Ich habe auch schon die eine oder andere Bekanntschaft gemacht. Ich genieße es aber auch, mit mir alleine zu sein, so richtig abschalten zu können. Versteht ihr?", sagt Anita und atmet dabei tief durch.

„Ich denke, das ist auch unser aller Wunsch", unterstreicht Chris ihre Worte. Ein „Ja" kommt auch von Gina und Sylvie bringt auch eines, etwas schwer verständlich zwischen Käse und Baguette, hervor.

Ich finde, man kann sich hier mit vielen Menschen identifizieren. Es ist nicht so wie in einem Urlaub, wo man mit Leuten ins Gespräch kommt und sich jeder profilieren will, sich wichtig gibt und etwas vormacht, was er zu Hause niemals ist, bestenfalls sein will und das Ganze noch mit seiner Kreditkarte oder einem Bündel Banknoten unterstreicht. Auf dem Camino zählen Bescheidenheit, die innere Ruhe und das Verständnis für andere. Ich habe hier noch niemanden getroffen, der sich hervorgehoben hätte. Im Gegenteil, ich bin mit Menschen ins Gespräch gekommen, deren monatliches Einkommen beinahe meinem Jahresgehalt gleichkommt und die dennoch Tisch und Bett beziehungsweise Zimmer mit mir teilen. Mir wird jetzt immer bewusster, dass Bescheidenheit das Gewand des Pilgers ist, und er trägt es, um für seinesgleichen sichtbar zu sein. Es ist die Geste, Hilfe anzunehmen von den vielen Bewohnern entlang des Camino, die sich nicht bereichern an den Zigtausenden Menschen, die Jahr für Jahr Unterkunft und Verpflegung suchen. Ich schlucke schwer bei diesen Gedanken und meine Begleiter am Tisch lassen es nicht zu, sie für mich zu behalten, und sie bestärken mich in meiner Meinung.

Zwölf Kilometer sind es noch bis Burgos und ich habe vor, diese gemeinsam mit Chris und Gina zu gehen. Die Strecke verliert zusehends ihren schönen Charakter und rückt uns die Gewissheit näher, dass die Industrie nirgends haltmacht. Die breit angelegte Straße nach Burgos ist gesäumt von einer Vielzahl von Gewerbebetrieben, die sich an sie heften. Das weiße Wolkenband wird dünner und bricht stellenweise gänzlich, sodass der blaue Himmel hervorsticht. Die Anzahl von Autos und Lastkraftwagen verdichtet sich und es wird unüberhörbar lauter. Zum ersten Mal macht sich etwas breit, was bedrohlich wirkt.

Endlich sind wir im Zentrum von Burgos, der Altstadt, in der sich unsere heutige Unterkunft befindet. Eine große städtische Albergue für fünf Euro die Nacht. Sie erstreckt sich über fünf Stockwerke und bietet Platz für 150 Pilger. Die Wanderschuhe verschwinden in einem in der Wand versenkbaren Regal. Per Lift geht es hoch in den dritten Stock. Wirklich sehr schön, alles neu hergerichtet und die Betten sind durch Wandteiler voneinander getrennt. Insgesamt vier Doppelwaschbecken heften sich ans Ende der Trennwände und hinter der Mauer verteilen sich Bäder und

Toiletten. Ich freue mich, Steve zu sehen. Er ist kurz vor uns eingetroffen. Sein Bett befindet sich in derselben Etage. Im Kellergeschoss befindet sich ein großer Wäscheraum mit mehreren Waschmaschinen und Wäschetrocknern. Steve hat sich entschlossen, heute große Wäsche zu machen.

„Reinhard, wenn du etwas zum Waschen hast, gib es mir, dann zahlt es sich wenigstens aus."

Ich wechsle meine Kleidung und fahre gemeinsam mit Steve ins Kellergeschoss. Acht Waschmaschinen stehen dort U-förmig in einer Nische des mit zahlreichen Tischen ausgefüllten Raumes und werden mittels Münzeinwurf betrieben. Im Nebenraum befindet sich eine Küche mit Getränkeautomaten und Snacks für die Mikrowelle. Ein weiterer Raum ist mit Computern zur Benutzung für die Pilger ausgestattet. Steve kümmert sich um die Wäsche. Ich ziehe mir ein Bier, alkoholfrei wie in allen städtischen Herbergen, aus dem Eiskasten und widme mich auf einem der vielen freien Tische meiner Website. Fortlaufend begrüßen mich alte Bekannte, wie soeben die beiden deutschen Damen, Carola und Franziska, dann auch Daniel und Martin, ich komme heute nicht wirklich voran mit dem Schreiben. Kristi und Sherri sind angekommen und wir verabreden uns schließlich auf ein gemeinsames Abendessen um 18 Uhr.

Das Wolkenband hat sich aufgelöst und die weit im Westen stehende Abendsonne lädt uns ein, unser Abendmahl in einem der Restaurants auf der breit gestreckten Plaza der Altstadt von Burgos mit Blick auf die hoch in den Himmel ragende, im gotischen Stil erbaute Kathedrale einzunehmen. Sie zählt zum UNESCO-Kulturerbe und auch der spanische Held „El Cid" liegt dort mit seiner Frau Jimena begraben. Heute ist Sonntag und wir beschließen beim Essen, gemeinsam den heutigen Abendgottesdienst zu besuchen.

Der Gottesdienst wird in spanischer Sprache gehalten und obwohl ich nichts verstehen kann, meine ich doch zu wissen, was als Nächstes kommt. Das Schema, nach dem die katholischen Messen abgehalten werden, dürfte sich demnach weltweit gleichen.

„Friede sei mit dir", wünschen wir uns gegenseitig und ich nehme die heilige Kommunion entgegen. So wie es angedacht ist, lasse ich mir die Hostie dabei auf die Zunge legen. Viele empfangen die Hostie aber in der Hand und stecken sich diese dann selbst in den Mund. Eine Alternative, die stetigen Anklang findet. Man sollte sich aber bei dieser Variante die Hostie in die linke Hand legen lassen und sie anschließend mit den Fingern der rechten Hand in den Mund führen. Wolfgang sehen wir auch in der Kathedrale und er lädt uns auf eine Flasche Rotwein in einer der zahlreichen Bars rund um die Plaza ein. Sein Weg endet hier.

„Vorerst", wie er betont.

„Ich habe vor, den Camino zu Ende zu gehen, und ich werde nochmals von vorne beginnen, in Saint-Jean-Pied-de-Port. Ich habe begriffen, dass man den Camino Francés in einem Stück gehen muss. Vermutlich waren es die letzten beiden Tage, die mir dies klargemacht haben. Es ist nicht wie bei einem Konzert, das du besuchst, wo du von Beginn an in deinem Element bist und Wogen der Begeisterung auskostest. Der Camino macht es dir nicht so leicht. Es ist eine Art Aufnahmeprüfung, die du zu Beginn zu absolvieren hast. Eine Reinigung, du wirst herausgerissen aus deiner Umklammerung des Alltags. Du schläfst in Massenquartieren, duschst dich in Gemeinsamkeit mit den übrigen Pilgern und gehst auf dieselben Toiletten. Dies alles entspricht nicht deinem angestammten Naturell und schüttelt dadurch die Gewohnheiten des Alltäglichen ab. Es macht dich erst frei für den Weg. Ich habe es in den letzten beiden Tagen zu spüren begonnen und ich denke, ich bin jetzt bereit für den Camino und gerade diese Erkenntnis erfüllt mich mit Trauer, denn es ist mir nicht gestattet, den Weg zu Ende zu gehen. Nicht jetzt."

„Schöne Worte", sage ich zu Wolfgang, denn ich empfinde gleich. Auch ich verspüre das Gefühl, reingewaschen worden zu sein vom Schmutz der Gewohnheit, der Gleichgültigkeit anderen gegenüber, den Narben meiner Erlebnisse und den Krusten, mit denen ich sie zu verbergen suchte. Jeder in unserer Runde bringt es nacheinander zum Ausdruck und ich unterstreiche es mit dem Gleichgewicht, das mich heute über den Atapuerca getragen hat.

„Wie habt ihr diesen Moment empfunden, als ihr am Gipfel des Atapuerca gestanden seid, das ausgedörrte Land, eingefangen in Nebel und Stille?", frage ich.

„Es hat schon etwas gehabt", sagt Sherri nachdenklich, lässt die Finger beider Hände durch ihr Haar gleiten und folgert daraus: „Es war mir, als wäre ich um Jahrhunderte zurückversetzt in ein anderes Zeitalter. Das habe ich auch Kristi gesagt. Erinnerst du dich?"

„Ja, es war irgendwie mystisch." Kristi verlässt uns für einen kurzen Augenblick. Ihre Gedanken tragen sie fort von diesem Tisch, hinauf auf die Hochebene, wo sie mit Sherri vor dem Holzkreuz kniet und sich bedankt, hier sein zu dürfen. Die Blicke von Gina und Chris treffen sich und Gina ergreift das Wort.

„Wie ich es schon zu Chris gesagt habe, dieser Ort ist nicht einladend, niemand möchte dort leben und dennoch vermag er die Menschen zu verzaubern. Es ist diese Armseligkeit, das Fehlen jeglicher Schnörkel und Glitzer, deine Gedanken sind unvoreingenommen und losgelöst von sämtlichen Regeln und Schemen. Es ist wie das Reset bei einem Computer, die plötzliche Leere, die sich wieder neu zu füllen beginnt. Nur wird das neue Gedankengut nicht mit dem bereits vorhandenen in Einklang gebracht. In dir wächst etwas völlig Neues, inmitten dieser Tristesse und Nacktheit." „Ich habe es dann mit der Geburt verglichen", sagt Chris. Dieser Ort hat jeden in den Bann gezogen, wie ich es mir gedacht habe, und die Gedanken dazu ähneln und bestätigen sich. Wolfgang bleibt noch eine weitere Nacht in Burgos, bevor es zurück nach Deutschland geht.

„Hat von euch jemand Anna gesehen?", fragt Kristi.

Aller Augen kreisen um den Tisch. Wir haben sie das letzte Mal vor zwei Tagen gesehen. Sie hat sich mehr zu den Deutschen, der Gemeinschaft um Carola und Franziska, hingezogen gefühlt. Sie wird wahrscheinlich auch noch den einen oder anderen Tag haben vor ihrer Rückreise, denn auch ihr Abenteuer Camino Francés endet in Burgos und auch sie hat bekräftigt, den Weg nochmals im ganzen Stück zu gehen. Ich wünsche es ihr, dass sie die Zeit dazu findet.

Wir verabschieden uns von Wolfgang und nehmen den Weg zurück zur Albergue, wo Steve, der uns bereits zuvor verlassen hat, in der Kneipe gegenüber auf uns wartet. Rod ist bei ihm, als wir dort ankommen. Das Bier ist hier beinahe um die Hälfte billiger als in den Bars um die Plaza und die Kneipe ist noch dazu mit Steves neuem Lieblingsbier, dem San Miguel, ausgestattet. Ich erinnere mich auch, eine Brauerei davon beim Zugang auf die Stadt gesehen zu haben. Uns bleibt noch fast eine Stunde, bis die Tore unserer heutigen Herberge schließen.

Laut Wetterbericht soll es in den nächsten Tagen sonniger werden, erklärt uns die Dame hinter dem Bartresen, als wir uns lautstark über die vielen regenreichen Tage auslassen, die uns bis hierher begleitet haben. Ich nehme es, wie auch meine Freunde, mit einer weiteren Aufhellung meines heute durchaus schon verwöhnten Gemütes entgegen. Sherri und

Kristi verlassen für einen Augenblick das Lokal, um eine Zigarette zu rauchen. Sie kommen nach Pot riechend zurück.

„Habt ihr Pot geraucht?", frage ich. Beide verneinen es vehement und führen den Geruch auf die anderen Leute vor dem Lokal zurück.

„Es ist eine etwas tiefe Gegend hier", betont Sherri noch. Ich will es ihnen glauben und bestelle noch eine Runde Bier. Wir sind uns einig, dass die Pilgerschaft bereits einen eigenen Industriezweig im Norden Spaniens bildet und die Pilger allerorts gerne gesehen werden. Ja, uns werden ständig Freundlichkeit und Mitgefühl entgegengebracht von den Bewohnern entlang des Weges, kein Gedanke keimt auch nur ansatzweise in uns hoch, ausgenommen zu werden. Wir halten Einzug in ihr Leben und wir sprechen Burgos einen Schwerpunkt auf unserer Reise nach Santiago zu. Es ist ein Ort, an dem sich viele trennen, Liebgewonnene den Weg verlassen und neue Pilger den Jakobsweg betreten.

Ich habe heute auch wieder Verena gesehen, die einzige Pilgerin aus meinem Heimatland, die ich bisher getroffen habe. Mit Manfred und Karl habe ich zuletzt in Agés gesprochen und ich habe heute mit Anita wieder eine nette Bekanntschaft gemacht. Genauso wie ich und meine Freunde, mit denen ich hier zusammensitze und ein Glas Bier trinke, sie alle wollen bis ans Grab des heiligen Jakobus pilgern. Wir alle kommen aus unterschiedlichen Staaten und Erdteilen und haben doch dasselbe Ziel. Zweifel, die mich anfangs der Reise gequält haben, haben sich verloren mit der Anzahl der Tage, an denen ich mich auf diesem Weg befinde, dem Camino Francés. Die Namen der Wochentage verschwinden und es bedarf eines gegenseitigen Befragens und eines immer länger werdenden Nachdenkens, um sie ans Licht zu bringen, so wie zuvor beim gemeinsamen Abendessen, dass heute Sonntag ist und wir diesen Tag mit dem Besuch des Gottesdienstes unterstrichen haben. Die Schmerzen in meinem linken Knie sind zwar nicht verschwunden, aber erträglich geworden. Vielleicht habe ich mich auch daran gewöhnt oder ist es auch nur den Nerven leid geworden, es meinem Gehirn weiterzuleiten. Ich werde es bald merken, denn die Großpackung an Tabletten, die mein Knie versorgen, neigt sich dem Ende zu.

14
Harmonie

Das Wetter ist besser geworden, so wie es uns das Mädchen in der Bar vorausgesagt hat, auch wenn es jetzt noch sehr kühl ist und ich meine Jacke trage, das Kleidungsstück, das ich ursprünglich gar nicht mitnehmen wollte. Ich bin mit Gina und Chris in den heutigen Tag aufgebrochen. Er führt uns raus aus Burgos, durch Parks und wunderschöne Gartenanlagen, vorbei an einer Hochschule und entlang an ins Altertum weisenden Stadtmauern. Der westliche Teil von Burgos mit seinen vielen Grünanlagen ist so konträr zu seiner östlichen, von der Industrie verstellten Welt, die uns gestern empfangen hat. Es ist schön und ich genieße das Erwachen des Tages in vollen Zügen. Ein Blick in die Gesichter von Gina und Chris geben dieses Wohlbefinden genauso wieder, sodass ein tiefes brummendes Geräusch entsteht, als sich meine vollgesogenen Lungen über den Kehlkopf und meinen leicht aufgerissenen Mund entleeren, ähnlich dem Schnurren einer Katze und ebenso wohltuend für den Körper. Ich sehe auch die Unbeschwertheit, mit der Gina vor mir herlaufend über die Kieselsteine zwischen den Gärten tänzelt, auch wenn ihr gesamter Körper vom rot leuchtenden Rucksack eingenommen wird und ich von ihr nur die Beine und die zur Seite gestreckten Arme erkennen kann.

Wir lassen die Stadt hinter uns und die Landschaft lässt weit in sich blicken. Grüne Ebenen werden von einem breit angelegten Wanderpfad durchschnitten, auf dem sich in steter Folge Menschen, bepackt mit dem Hab und Gut für fünf bis

176

sechs Wochen oder länger, vorwärts bewegen. Sie gehen ein Gleichgewicht des Lebens zwischen Mensch und Natur ein. Ich werde getragen auf einer Hülle der Unbeschwertheit.

Nach den ersten Kilometern aus der Stadt heraus hat sich bereits eine große Lücke zwischen mir und meinen beiden Begleitern aufgetan. Die Schritte von Gina entsprechen so gar nicht den meinigen. Viel zu kurz und in der Anzahl zu gering, um ein längeres gemeinsames Gehen zuzulassen. Chris passt sich lieber der Schrittfolge von Gina an und so bin ich wie gewohnt alleine mit meinen Gedanken.

Ich werde jetzt immer schon erkannt, wenn ich mich von hinten anderen Pilgern nähere. Da kommt „Mister Klick-Klick", höre ich die Leute sagen. Ein Umstand, den ich meinem günstig erworbenen Trekkingstock zu verdanken habe. Er verursacht dieses Klick-Geräusch, das ich bisher noch bei keinem anderen gehört habe. Es sind ja täglich dieselben Leute, die einem begegnen, auch wenn man nicht mit jedem in persönlichen Kontakt tritt, aber man kennt sich, was auch der Umstand beweist, durch das Geräusch, das mein Stock verursacht, erkannt zu werden, so wie jetzt und wir lachen darüber.

Ich bewundere auch wiederholt die Leistungen der Menschen, die mit mir diesen langen Weg durch Spanien gehen. Menschen, deren Füße mittlerweile mit einer Unmenge an Pflastern über ihren Blasen versehen sind. Menschen, deren Körpergewicht an sich schon eine Last darstellt und die zusätzlich gespickt mit dem Bedarf des Täglichen auf ihrem Rücken mir in nichts nachstehen. Vielleicht werden sie am Ende ein paar Tage mehr dazu benötigen, aber sie werden alles daran setzen, ihr Ziel zu erreichen.

Vor mir liegt Tardajos, die einzige Ortschaft, die sich mittig zwischen Burgos und unserem heutigen Etappenziel Hornillos befindet. Der Himmel gibt sich zum ersten Mal fast wolkenlos mit nur zarten weißen Streifen am Rande des Horizonts. Ein frischer Wind hat mich bisher davon abgehalten, meine Jacke abzustreifen, und ich benötige sie jetzt umso mehr beim Genießen eines heißen Kaffees auf der Terrasse einer Bar mit Blick auf die herankommenden Pilger. Es dauert nicht lange, da erscheinen auch schon geschlossen meine fünf Freunde in der Ferne, angeführt von Steve.

Ich begrüße Kristi mit dem üblichen „Guten Morgen, Amerika", da wir uns heute in der Früh noch nicht gesehen haben.

„Guten Tag, Österreich", sagt Kristi unserem Ritual Folge leistend auf Deutsch und wir umarmen uns, als hätten wir uns zufällig nach langer Zeit wiedergetroffen. Auch Sherri will umarmt werden. Eine Aufforderung, der ich gerne nachkomme. Für das Mittagsessen, das mehr einer Jause gleichkommt, verziehen wir uns in das windgeschützte Zelt, das einen Teil der Terrasse einnimmt. Es ist 11 Uhr und wir haben Zeit. Die restlichen zehn Kilometer der heutigen, wiederum sehr kurz ausfallenden Wegstrecke sollten in zweieinhalb Stunden zurückgelegt werden, von uns allen.

Kristi, Steve und ich haben uns bereits wenige Meter nach dem abermaligen Aufbruch von unseren Freunden abgesetzt. Wir harmonieren sehr gut in unserer Bewegung, obwohl die Frequenz von Kristis Schritten, bedingt durch ihre kürzeren Beine, deutlich höher ist als die von Steve und mir. Der Wind flaut ab und die Kraft der Sonne legt zu. Wir halten für einen Augenblick, um uns der neuen Situation anzupassen. Die Jacken werden verstaut, auch mein T-Shirt muss weg. Ich finde es vernünftiger, mit Hemd weiterzugehen, da der Kragen, den ich hochstellen kann, meinen noch immer verbrannten Nacken vor der Sonneneinstrahlung schützt, zusätzlich zu meinem Schlapphut. Kristis Stimme erhebt sich beim Abstreifen meines T-Shirts.

„Oh mein Gott", ruft sie, während sie die roten und mit Blasen übersäten Streifen auf meinen Schultern betrachtet. „Es ist der Schultergurt", sage ich und neige meinen Kopf, um danach zu sehen. Der Anblick erschreckt mich selbst. Es ist schlimmer geworden. Über den roten Striemen haben sich viele kleine Blasen gebildet, manche sind bereits aufgebrochen und die Haut löst sich vom Fleisch.

„Reinhard, das sieht nicht schön aus", sagt Steve, bekräftigt es noch mit einem „Mann" und beginnt dann zu lachen. Ich muss mitlachen.

„Es tut nicht weh, es sieht nur scheußlich aus", sage ich darauf und jetzt lachen wir alle gemeinsam. Kristi empfiehlt mir, den Hüftgurt des Rucksacks fester zu spannen, so kann ich meine Schultern ein wenig entlasten. Sie hilft mir dabei und es fühlt sich besser an. Steve macht noch ein paar komische Bemerkungen und wir marschieren herumalbernd weiter.

Es ist kurz nach 13 Uhr, als wir Hornillos del Camino erreichen. Wir haben uns noch gestern Abend eine Albergue ausgesucht, die uns von der Beschreibung her angesprochen hat. Ginas Reiseführer ist, was Herbergen entlang des Camino betrifft, viel detaillierter ausgeführt als meiner und auch die der anderen in der Runde. Wir konnten aber nicht reservieren und so trifft es sich gut, dass wir bereits zu so früher Stunde eintreffen. Ich habe mir den Namen der Unterkunft aufgeschrieben und vergleiche gerade das Wort mit dem Schriftzug auf dem Mauerwerk, vor dem wir stehen: „El Afar". „Das ist es", sage ich. Eine kleine Pension für 20 Pilger, getrennt vom Haupthaus, in dem die Besitzer wohnen, die gerade noch Platz für sechs dankbare Pilger hat.

179

„Bitte morgen früh", sagt die Besitzerin, nachdem wir ihr erklärt haben, insgesamt zu sechst zu sein und für alle zusammen bezahlen zu wollen. Sie hängt das Schild mit der Aufschrift „Completo", was „Das Haus ist voll" bedeutet, neben die Eingangstür und zeigt uns die Räumlichkeiten. Im ersten Stock befinden sich die Schlafräume und im Erdgeschoss sind Badezimmer und Küche/Wohnraum. Ein großer amerikanischer Kühlschrank ist mit Getränken gefüllt. Auf der Glastür stehen die Preise. Das Geld gibt man in eine Schachtel, in der sich auch etwas Wechselgeld befindet. Sie zeigt uns noch den Garten, in dem bereits einige bekannte Gesichter sitzen, und fragt uns, ob wir auch zu Abend essen wollen.

„Es gibt hausgemachte Paella", ergänzt sie.

Wir nehmen natürlich dankend an und dann lässt uns die überaus freundliche Besitzerin auch schon wieder alleine. Bei den bekannten Gesichtern handelt es sich um Daniel und Martin. Sie sitzen mit den beiden Mädchen, die sie jetzt ständig begleiten und mit denen ich bisher nur wenige Worte gewechselt habe, auf Stühlen, die sie in Richtung Sonne geschoben haben.

„Unsere ganze mittlerweile sechs Personen umfassende Crew ist hier", sagt Martin. „Carola und Franziska sind im Ort unterwegs."

„Dann können sie aber noch nicht lange fort sein." Ich sage es mit einem Schmunzeln im Gesicht, denn der Ort hat nicht mehr als 60 Einwohner.

Ich mache es mir am Tisch bequem mit der Absicht, die vielen Fotos, die ich heute bereits geschossen habe, ins weltweite Web zu laden und mit den nötigen Zeilen Text zu versehen. Ich mache dabei meinen Oberkörper frei. Ein paar Sonnenstrahlen könnten meinen mit Blasen bedeckten und unansehnlichen Schultern guttun. Natürlich ziehe ich jetzt die Blicke der anderen Pilger im Garten auf mich. Ich spiele es mit einem „Kommt von den Schulterriemen" herunter und entgehe somit weiteren Fragen, die ich im Augenblick als lästig empfinde.

Der Abend entwickelt sich zu etwas ganz Besonderem. Marta, unsere Wirtin, bereitet die versprochene Paella in einer riesigen Pfanne über einem mit Gas betriebenen Grill im Garten zu. Ihr Mann José stellt Tische zusammen und macht sie ansehnlich für uns hungrige Gäste. Es sitzen auch Pilger am Tisch, die ich noch nicht kenne, zuvor noch nicht zu Gesicht bekommen habe. Man fühlt sich sofort aufgenommen in den kleinen Familien, die sich entlang des Camino bilden, wie das sechsköpfige deutsche Gespann und auch das unsrige aus sechs Personen bestehende, und nicht zu vergessen bei den vielen ansässigen Familien, die entlang des Camino Francés für Unterkunft und Verpflegung der Pilger sorgen. Ja, wir sehen uns mittlerweile als kleine Familien, entstanden durch die Laune des Camino, ausgesucht und zusammengefügt nach seinem Willen.

Die Paella schmeckt lecker, der Wein ist vorzüglich, die Leute am Tisch sind freundlich, heiter und vergnügt und der Abend zeigt sich von seiner bisher schönsten Seite.

Marion ist nach Sandra der Neuzugang in der rein deutschsprachigen Familie. Sie sind beide Studenten, blond und schlank. Marion ist mit ihren 22 Jahren ein Jahr älter als Sandra, einen halben Kopf kleiner und sie trägt das Haar etwas kürzer. Die Paella-Pfanne wird bis auf das letzte Reiskorn geleert und auch vom Wein wird nichts in den Flaschen zurückgelassen. Ich plaudere noch ein wenig mit meiner Camino-Familie unter der rot am Himmel sich verabschiedenden Abendsonne, bis es an diesem Abend früher als sonst, es ist erst 21.30 Uhr, ins Bett geht.

181

Sherri hat die Albergue schon in den frühen Morgenstunden verlassen. Ich bin gerade aufgestanden und habe das Badezimmer aufgesucht, als sich Sherri leise zur Tür hinausgeschlichen hat. Es war noch nicht mal hell und die Sonne hat noch nicht über den Horizont geblickt.

Die Uhr zeigt bereits kurz vor 8 Uhr und Marta, die Besitzerin der Unterkunft, ist nicht hier. Sie hat in der Früh heißen Kaffee und heißes Wasser für Tee gebracht und ist dann verschwunden. Wir sammeln schließlich das Geld für die Nächtigung zusammen, auch den Anteil von Sherri, sie hat ihn Kristi gegeben, und legen es in das Empfangsbuch. Gina macht auch noch jeweils einen Haken neben unsere Namen.

Der Morgen ist noch frisch, aber ich lasse meine Jacke im Rucksack verstaut und starte lediglich mit Unterleibchen und Hemd in den Tag. Ein Tag, der schön zu werden verspricht und den wir abgesehen von Sherri gemeinsam beginnen. Der vor uns liegende Landstrich ist flach, durchzogen von einzelnen Hügeln, die aussehen wie Sandkuchen von kleinen Kinderhänden geformt. Unser heutiges Ziel ist Castrojeriz, lediglich 21 Kilometer, die es zurückzulegen gilt, und ich versuche, einen Einklang mit den langsameren beziehungsweise kürzeren Schritten meiner Freunde zu finden.

„Castrojeriz muss man gesehen haben", hat uns José beim gestrigen Abendessen gesagt und uns auch nahegelegt, dort zu übernachten. Ich betrachte somit den heutigen Tag als Familienwanderung und halte mich wie auch Steve im Tempo zurück. Der Weg führt uns durch geschichtliche kleine Dörfer, gebaut aus uraltem Mauerwerk, das meine Gedanken zum Arbeiten bringt und sie zurückschweifen lässt in längst vergangene Tage. Rot schimmernde Mohnblumen erstrecken sich in einem beeindruckenden Farbenglanz weit gestreckt über die sanften Hügel des Landstrichs. Kristi lässt uns ununterbrochen anhalten, sie ist geradezu verliebt in dieses Rot, das uns so üppig begleitet.

Ein großer Erdwall baut sich vor uns auf, um dessen Fuß sich Gebäude wickeln, weiße Häuser, weit gestreut und im strahlenden Licht der Sonne schimmernd. Castrojeriz, der Glanz vergangener Tage. Das Bollwerk, das Schutz vor den Mauren bot und in seiner Blütezeit nicht weniger als sechs Kirchen, drei Klöster und acht Hospitäler sein Eigen genannt haben soll. Oben am Hügel sieht man noch die Reste der einstigen Festung. Wie viel Blut mag wohl über dieses Erdreich in die Tiefe geronnen sein, wie viele Schreie aus Schmerz und Wut haben diesen Erdwall umhüllt und wie viel Leid mag unter ihm begraben liegen? Ich kann es förmlich spüren beim Anblick dieser Stadt und es ist ihr gelungen, mich sofort in ihren Bann zu ziehen, wie auch Sherri, die uns mit sechs vollen Krügen Bier auf der Terrasse eines Restaurants, das in die Stadt führt, erwartet. Sie sind frisch eingeschenkt und noch eiskalt. Sherri hat uns herankommen sehen und die Bestellung des Bieres darauf abgestimmt. Es ist früher Nachmittag, die Siesta hat gerade erst begonnen und es ist heiß geworden. Umso mehr erfreut uns die kühle Überraschung von Sherri.

„Ich habe auch eine wunderschöne Unterkunft für uns gefunden", strahlt Sherri regelrecht. „Sie liegt etwas weiter in der Stadt und sie hat so ein wunderschönes altes Flair. Ich freue mich schon darauf, sie euch zu zeigen, aber lasst uns das Bier noch in Ruhe zu Ende trinken." Das machen wir auch und es wird noch eine weitere Runde daraus, bis wir aufbrechen.

Ich kann Sherris Begeisterung für die Unterkunft nicht ganz nachvollziehen, aber die Bewunderung für das Anwesen von

Mia und Mau, in das sie mich vor dem Abendessen führt, sehr wohl. Mia stammt aus Valencia und hat Mau, er kommt aus Nepi in Italien, 2003 auf ihrem Pilgergang nach Santiago kennen und lieben gelernt. Sie leben seither zusammen in dieser Stadt und haben sich ein Anwesen gekauft, aus dem sie in liebevoller Kleinarbeit Stück für Stück ein spirituelles Panoptikum geschaffen haben. Ihr Haus steht jedem Pilger offen. Die Räume sind frei zugänglich, bis auf das Schlafzimmer, den einzigen Raum, der den Besuchern verschlossen bleibt, ihre einzige Privatsphäre. Beeindruckend, die alten von Steinen durchzogenen Mauern, dazwischen die mehrere Hundert Jahre alten Holzbalken, die diese stützen, der Garten, der eine Gruft in das angrenzende Felsmassiv freigibt, und alles liebevoll untermalt mit sanfter Musik. Selbst die Einrichtung wurde im Stil vergangener Epochen gefertigt. Ein Schmuckstück, das lebt, das die Zeiten überdauert hat und das es verlangt, gesehen zu werden. Mia und Mau gestatten mir einen Einblick in die Seele der Stadt, in Spaniens Vergangenheit. Sie hüllt mich ein und hält um mich inne, dringt in mich und löst die Schranken, die mich davor bewahren, in sie gezogen zu werden. Mir ist, als spürte ich den Geist meiner Vorfahren, die Seelen verstorbener Pilger oder einfach nur mich selbst in einer anderen Zeit, einer dunklen und längst vergangenen Zeit.

Sherri holt mich schließlich zurück in die Gegenwart und macht mich mit den Besitzern dieser ungewöhnlichen Bleibe bekannt. Auch Kristi ist mit uns gekommen und schüttelt jetzt mit mir gemeinsam die Hände von Mia und Mau. Mia ist eine klassische Spanierin, so wie ich mir eine vorstelle, Anfang 40. Mau ist ein paar Jahre älter als Mia, trägt einen Hut, der seine früh ergraute Haarpracht nur im Ansatz zeigt, und verbirgt sein Kinn hinter einem langen, zottigen weißen Bart, der ihn auch älter aussehen lässt. Die Hände aber zeigen ein jüngeres Alter. Beide geben sie das Sittenbild der wilden Sechzigerjahre wieder, im positiven Sinn. Sie verkörpern Freiheit und legen eine von Gesetzesbahnen nicht vorgegebene und eingeschränkte Lebensweise an den Tag. Es ist alleine ihr Leben, das sie genießen, und sie lassen auch die vorbeiziehenden Pilger daran teilhaben, halten ihnen einen Spiegel vors Gesicht, einen Spiegel, in dem sie nicht ihr Äußeres sehen, sondern in ihr Inneres blicken dürfen. Mir ist, als würde sie Agape umgeben, die alles umfassende Liebe, von der Paulo Coelho in seinem Buch über den Jakobsweg spricht. Eine Liebe, die Eros, die fleischliche Liebe, und Philia, die geistige Liebe, einschließt und noch darüber hinausgeht. Es ist gerade diese Liebe, die es gilt zu erlangen und die doch kaum ein Mensch erfahren wird. Im Buddhismus würde man sie Erleuchtung nennen, Avatare in Indien und im Christentum wurde sie durch Jesus verkörpert. Eine Liebe, welche die Ewigkeit durchlebt und die eine Ewigkeit benötigt, um erreicht zu werden.

Es ist spät geworden und Chris, Gina sowie Steve warten bereits ungeduldig im Restaurant auf unser Eintreffen. Wir entschuldigen uns mehrfach und verweisen auf den Zauber, der sich uns dargeboten hat. Ein Zauber, der auch tief in Sherri und Kristi gedrungen ist, wie sie es mir auf dem Weg zum Restaurant mitgeteilt haben. Es befinden sich nur wenige Pilger mit uns in diesem großen Raum, der einen Blick auf die ebenfalls nur wenig besuchte, von der Abendsonne durchflutete Terrasse freigibt. Es erweckt den Eindruck, dass Castojeriz kein wirklich gesuchter Ort für Nächtigungen am Camino ist. Geografisch gesehen liegt die Stadt 44 Kilometer nach Burgos, das einen Knotenpunkt darstellt, wenn man es so sehen will. Viele beenden dort ihre Reise. Manche auch nur vorübergehend, und viele beginnen oder

185

setzen ihren Weg in Burgos fort. Für zwei Tagesetappen etwas kurz bemessen und für eine Etappe eindeutig zu lang, ist Castojeriz. Wir verdanken auch nur José den Umstand, jetzt hier zu sitzen. Er hat uns dazu gedrängt, an diesem Ort zu übernachten, und ich bin ihm dankbar dafür.

Sherri und Kristi unterhalten sich mit Gina, die am Nachmittag ebenfalls im besagten Anwesen war, über die Eindrücke, die sie dort vorgefunden haben. Ich lausche ihrem Gespräch und als es schließlich seinen Schwerpunkt in der Heimat findet, frage ich: „Wo oder was ist Heimat? Dort, wo man lebt, wo man groß geworden ist, oder dort, wo man sich wohlfühlt?" Ich lasse dabei den Löffel mit einem sanften Druck über das vor mir stehende Vanilleeis streichen.

„Heimat ist dort, wo man aufwächst", sagt Chris. Sherri und Steve pflichten ihm bei. Kristi und Gina überlegen noch und ich warte ihre Antwort erst gar nicht ab.

„Ich bin in Österreich aufgewachsen, in einem kleinen Bergdorf und ich lebe jetzt in einer Stadt, aber noch immer in der Nähe. Und wenn du mich fragst", ich sehe dabei zu Chris, der sich eben in die Unterhaltung eingeklinkt hat, „wenn ihr mich fragt", ich blicke in die Runde, „wohl habe ich mich dort nur selten gefühlt. Ich denke, sagen zu können, dass ich in diesem Augenblick glücklicher bin, als ich es zu Hause jemals war." Das Gesagte sackt langsam in die Köpfe meiner Tischnachbarn und es dauert ein wenig, bis Chris meine Worte aufgreift.

„Reinhard, du stehst mitten in einem Erlebnis, einer Reise, die deine Sinne zum Blühen bringt, und es ist nur verständlich, dass du dich glücklich fühlst, und dieses Gefühl übertrifft im Augenblick jene der vergangenen Tage." Alle am Tisch unterstreichen die Ansicht von Chris.

„Du hast sicherlich recht, Chris, es mag auch in meiner

Heimat schöne Momente gegeben haben, an die ich mich gerade nicht erinnere, weil sie durch den Augenblick beiseitegeschoben wurden, aber der Fülle an Zeit, der es in meiner Heimat bedurfte, um eine Handvoll Glück zu spüren, bedarf es an anderen Orten nicht, wie eben gerade hier in Spanien. Zeigt das nicht, dass ich an einem falschen Platz lebe?"

Gina greift mit Vehemenz ins Gespräch ein. „Es ist ja gerade der Reiz des Unbekannten, der dich einnimmt und sich in deine Wahrnehmung zwängt. Zwei Wochen Urlaub im Süden bei strahlendem Sonnenschein, in neuer Umgebung und frei von der Last, die täglich auf deinen Schultern sitzt. Nehmen wir dieses Beispiel. Wer fühlt sich da nicht wohl?"

Erneut allerseits zustimmendes Nicken.

„Aber wenn ich mit meiner Umgebung nicht zurande komme, in die ich hineingeboren wurde, wenn das Umfeld wider meine Natur ist. Ich bin nicht verheiratet, habe keine Lebenspartnerin und keine Kinder. Spricht nicht vieles dafür, dass dieser Zustand im Umfeld meines Lebensraums zu suchen ist? Es fängt bereits bei der Ernährung an. Ich mag zum Beispiel keine Milchprodukte wie Butter oder Käse. Es ist nicht nur, dass ich sie nicht mag, ich ekele mich richtiggehend davor. Schon als Kind, mich begleiten diese Bilder noch heute. Freunde haben mich überredet, einen Löffel voll Joghurt zu essen. Ich muss sagen, es hat sogar lecker ausgesehen, mit den Heidelbeeren darunter, nur dass ich danach beinahe eine Stunde benötigte, diesen scheußlichen Geschmack aus meinem Mund zu bekommen."

„Das glaube ich jetzt aber nicht", unterbricht mich Kristi. „Das schmeckt doch herrlich."

„Mag sein, für dich, aber bestimmt nicht für mich", fahre ich fort. „Noch ein Beispiel, das mich ewig gefangen nehmen wird. Ich war nicht älter als fünf Jahre und habe versehentlich von einem Wurstbrötchen gebissen, das für meinen Vater bestimmt war. Es war Butter darin. Ein Bissen hat genügt, um mich auf Ewigkeit zu verdammen, immer die Brötchen auseinanderklappen zu müssen, um den Belag nach Butter zu untersuchen, bevor ich es essen kann."

„Mann, da tun sich ja Abgründe auf", zieht ein australischer Schleifengesang meine Worte leicht ins Lächerliche. Ich weiß, dass Steve es nicht böse meint, und ich muss selbst darüber lachen, aber ich will meinen Gegenübern damit nur klarmachen, wie man sich in einem Land heimisch fühlen soll, mit dessen Ernährungsweise man im Argen liegt. Und ich will es noch weiter verdeutlichen, indem ich ihnen zu erklären versuche, wie es ist, wenn man zum Essen eingeladen wird in das Heim von Bekannten und Freunden oder einer netten Frau, die man gerade kennengelernt hat.

„Du gehst mittlerweile auch schon so weit, deine Freunde und sogar Menschen, mit denen du unlängst erst näher bekannt geworden bist, in deine Abneigung gegen Milchprodukte einzuweihen. Und dennoch erlebst du es immer wieder, dass Fleisch oder Fisch in Butter gebraten wird und die Soßen mit Sahne verfeinert sind. Auf deinen Einwand hin hörst du immer nur, dass da ja nur so wenig Butter oder so wenig Sahne drinnen sei. Mein Gaumen nimmt es aber mit energischer Abneigung wahr und du wirst als Kostverächter abgestempelt, manchmal auch als verrückt. Ich will damit aber nicht zum Ausdruck bringen, dass ich dadurch Freunde verliere. Gute Freundschaften werden davon nicht belastet, aber weniger gute schon und eben erst begonnene werden sich mitunter nicht vertiefen. Bei letzteren spreche ich vor allem Partnerschaften an. Du bist ein Gefangener deiner eigenen Heimat. Versteht ihr?"

Es ist ruhig am Tisch und ich fasse es als Verständnis für meine Situation auf. Gina stemmt sich aber dagegen.

„Was ist mit den Vegetariern, die gibt es doch bestimmt auch in Österreich? Sie haben sich auch in ihrer Ernährungsweise dem typisch Lokalen entzogen und fühlen sich dennoch heimisch." Wieder leichtes Ja-Gemurmel um mich herum und zustimmendes Kopfnicken.

„Du hast recht, Gina, es gibt viele Vegetarier bei mir zu Hause und mir scheint, es werden ständig mehr. Aber das ist es doch gerade, sie bilden eine eigene Gemeinschaft, sie sind unter Gleichgesinnten und fühlen sich somit auch wohl. Ich hingegen bleibe, was den Geschmack für das Essen betrifft, alleine. Ich kenne niemanden, der auch nur ansatzweise eine solche Abneigung gegen Milchprodukte hat, nicht in meiner Heimat."

Wieder ist es still um mich herum.

„Schaut", setze ich fort, „das Essen hier am Camino, ich habe kein Problem damit. Im Salat befindet sich kein Joghurtdressing, nur Olivenöl und Rotweinessig. Ich habe es auch noch nicht gesehen oder geschmeckt, dass Fleisch oder Fisch mit Butter gebraten wird, nur gesundes Olivenöl. Soßen findet man selten und wenn, dann entstanden im eigenen Bratenrückstand. Ihr seht, es liegt also schon auch am Essen, dass ich mich hier wohlfühle."

„Du willst uns damit zu verstehen geben, dass du in deiner Umgebung nicht verstanden wirst. Sehe ich das richtig?", fragt Sherri.

„Nicht verstanden", wiederhole ich etwas genervt. „Ich fühle mich einfach fehl am Platz, dort, wo ich lebe. Das wird mir immer bewusst, wenn ich in einer anderen Region bin, so wie gerade eben. Ich liebe das Essen hier, die Sonne und die Menschen, wenn ich sie auch nicht verstehe, vokal meine ich, und dennoch spüre ich, in diesem Land mehr verstanden zu werden als in meinem Heimatland. Worauf ich hinauswill, ist die Ursache, die Grundlage, die uns zu dieser

189

Diskussion geführt hat, nochmals zu verdeutlichen. Das Anwesen von Mia und Mau, über das wir begeistert gesprochen haben und das ihr alle gesehen habt. Sie haben sich eine neue Heimat geschaffen, fernab der ursprünglichen und, Sherri und Kristi, ihr konntet sehen, welche Zufriedenheit sie ausgestrahlt haben. Das gibt mir zu denken."

„Ich verstehe, Reinhard", sagt Kristi. „Nicht immer ist das, wo du hineingeboren wirst, auch das Richtige für dich."

Mein Dank richtet sich an Kristi, sie hat erkannt, worauf ich hinauswill. Gina gibt aber noch nicht klein bei. Sie spricht mich auf das Vanilleeis an, das ich soeben genüsslich verzehrt habe, wie sie betont.

„Ja", prasselt es wieder von allen Seiten auf mich ein. „Da ist doch auch Milch drinnen."

„Stimmt", sage ich ruhig, aber doch auch schon frustriert. „Es ist nur so, dass bei der Zubereitung von Speisen Butter, Milch oder Sahne zur Verfeinerung des Geschmacks verwendet wird. Bei der Herstellung von Kuchen oder Speiseeis dienen diese als Bindemittel. Die Geschmacksträger sind hier Früchte, Vanille und vor allem Zucker, und es ist der Geschmack, den ich nicht ausstehen kann, wie ich euch zu erklären versucht habe."

Ich bringe noch zum Ausdruck, dass es für andere kompliziert wirken mag, aber allmählich werde ich doch verstanden.

Unser Gespräch verzweigt sich, aber es verlässt nicht den Ursprung, es gleicht einem Baum im Frühjahr, der neue Triebe hervorbringt. Wir sprechen von Orten, an denen wir gerne leben würden, und wir sprechen von Kindern, die in eine Gesellschaft geboren werden, die die Bahnen, auf denen sie gehen werden, bereits vorzeichnet. Ob es machbar ist, diese Bahnen zu verlassen, welchen Umstand es verlangt und wie viel dafür an einem selbst liegt. Ist es die Gesellschaft, die bestimmt, wer du bist, oder bist du es, der das bestimmt?

Wir haben noch ausreichend Zeit für einen ausgelassenen Spaziergang zurück in unsere Unterkunft. Wir bleiben mal stehen, um etwas Angesprochenes zu verdeutlichen, mal genießen wir den uneingeschränkten Ausblick, über die wenigen beleuchteten Häuser dieser alten Stadt und dann spüre ich die Wärme von Kristi und Sherri, die meine Hände umschließt.

15
Gewissen

„Er ist schwach, er hat viel Blut verloren." Der Mann betrachtet dabei die Wunde an Jans Schulter. „Wie ist es dazu gekommen?", will er von Adeline wissen, die neben der Pritsche steht, auf der Jan bäuchlings liegt.

„Ich weiß es nicht", sagt sie leise und zögernd, ohne dabei den Blick in Richtung des sich um Jan kümmernden Mannes zu richten. Es ist niemand sonst in diesem Raum. Julien sitzt mit Flore und Joie in seinem Arm vor dem Gebäude. Sie lauschen den Regentropfen, die auf dem Dach über ihnen zerplatzen und sich zu neuen Tropfen sammeln, die durch das Stroh, das sie nicht mehr halten kann, auf ihre nackten Füße fallen. Adeline hat sich zu Jan auf die Liege gesetzt. Sie betrachtet das Tuch, das über seinen Oberkörper geschlungen ist, und die Stelle an der linken Schulter, die dunkelrot unterlaufen ist, beinahe schwarz. Die Geschehnisse der letzten Tage haben ein tiefes Loch in ihrer Gefühlswelt hinterlassen, auch wenn sie es den helfenden Händen des Hospizes gegenüber verschweigt.

Sie waren in Burgos angekommen. Die Hospize, die sie aufgesucht hatten, waren überfüllt und nicht besonders einladend. Sie suchten Ruhe. Der Zustand von Flore hatte sich nicht gebessert. Erschreckend dieser starre Blick in ihren Augen und diese Lethargie, die ihren Bewegungen folgte. Sie hatten Glück und durften für einen kleinen Geldbetrag in einem leer stehenden Lagerhaus übernachten. Dazu gab es ein karges Nachtmahl und einen Krug Wein, den Jan beinahe alleine getrunken hat. Es war schon spät. Julien, Flore und Joie schliefen bereits, als sich Jan über Adeline beugte, die auf Stroh saß, das sie zuvor unter sich ausgebreitet hatte. Seine Knie berührten den Boden links und rechts zu ihren Beinen und die Last seines Körpers presste ihre Kniekehlen fest in das Stroh. Sein Oberkörper senkte sich auf sie herab und ihre Lippen berührten sich. Anfangs sehr zart. Doch das Verlangen von Jan wurde stärker, immer ausgiebiger und fester presste er seine Lippen gegen den Mund von Adeline, saugte den Atem aus ihren Lungen und füllte sie aufs Neue mit seinem.

Die anfängliche Sehnsucht und Neugier versiegte rasch in Adeline und es machte sich Widerstand breit. Ihr widerstrebte die Übermacht an Liebkosungen, mit denen Jan sie überhäufte. Sie presste ihre Lippen fest zusammen und erbaute eine Mauer, die Jans Zunge nicht zu durchbrechen imstande war. Sie erwehrte sich der Hände, die ihre Brüste umfassten und sie mit ihrem Kleid emporschoben. Je mehr sie sich seinem Willen entgegensetzte, umso mehr spannte sich der Stoff um Jans Unterleib. Blut schoss aus allen Teilen seines Körpers in den zuvor so schlaffen Körperteil, der sich nun aufbäumte und die Haut darum verschwinden ließ. Knallrot und dem Bersten nahe, suchte er sein Ziel. Freigegeben nun vom Stoff, der ihn verborgen gehalten hatte, und unaufhaltsam in seiner Gier. Den schützenden Mauern um Adeline versagten die Kräfte, ihr Körper entspannte sich und erwartete den unausweichlichen Stoß, der sie durchdringen würde. Es war diese Vehemenz, mit der dieser Stoß kam, der sie aufschreien ließ, und sie bohrte ihre Fingernägel durch das Leinen hindurch in Jans Rücken. Und es war gerade dieser Schrei Adelines, der ein Messer an Jans Schulterblatt abgleiten und seitwärts tief in das Fleisch dringen ließ. Marlons Messer, das Julien an sich genommen hatte, abgewickelt von dem Stück Holz, an dem es befestigt war, reingewaschen von dem Blut der Henne und jetzt getränkt mit Jans Blut.

Adeline hält mit beiden Händen Jans rechten Arm umschlungen und bittet ihn, er möge Julien verzeihen.

„Er sah seine Schwester bedroht, er konnte nicht unterscheiden zwischen Schreien aus Lust und Schreien aus Leid und es war Lust, das solltest du wissen." Eine Perle aus Wasser fällt in Jans Nacken und es ergießen sich unzählige weitere darauf, als sich das Gesicht Adelines sanft auf ihn legt.

Es war eine lange Nacht, die Adeline sitzend und schlafend an Jans Seite verbrachte. Julien, Flore und Joie schliefen auf der anderen Seite des zweigeteilten Schlafraums. Julien steht nun vor seiner vom durchbrochenen Schlaf noch müden Schwester und bittet sie, nach Joie zu sehen.

„Sie sieht so komisch blau aus", sagt er dabei. Von seinen Worten plötzlich wachgerüttelt, stürzt sie in das angrenzende Zimmer. Joie liegt reglos auf dem Bett. Adeline hebt sie hoch und ruft um Hilfe. Einer der Pfleger ist sofort zur Stelle und nimmt ihr Joie ab. Er legt sie auf das Bett und horcht nach ihrem Atem. Sofort lässt er nach dem Medikus schicken. Nur Augenblicke später stellt dieser Joies Tod fest.

„Sie ist erstickt", sagt er und zeigt dabei auf eine sich dunkel verfärbte Stelle seitlich ihres kleinen Körpers. „Der Brustkorb ist gequetscht." Die Verfärbung etwas genauer betrachtend, tastet er die Umgebung ab.

„Was hast du mit dem Kind gemacht?", richtet er sich aufgebracht an Adeline, die losgelöst von Tränen beteuert, keine Antwort darauf zu wissen. Sie ist nicht imstande, auch nur einen klaren Gedanken zu fassen.

„Mein Kind", sagt der Medikus nochmals zu Adeline.

„Da draußen liegt ein Mann mit einer Stichverletzung und hier stirbt ein kleines Mädchen, dessen Körper zerquetscht wurde, und du weißt nicht, was geschehen ist?"

„Kommt", sagt er zu seinen beiden Helfern, „wir versuchen, den Mann zu Bewusstsein zu bekommen, wir brauchen eine Antwort."

„Nein", ruft Adeline, „lasst Jan in Frieden, er kann nichts dafür." Sie erzählt dem Medikus, wie es zu der Stichverletzung bei Jan gekommen ist. Sie kann sich aber die Verletzung bei Joie nicht erklären. Flore stellt sich zu Adeline und sie spricht die ersten Worte seit dem Unheil mit Marlon.

„Ich habe gesehen, wie Jan auf Joie gefallen ist, nachdem ihm Julien in den Rücken gestochen hat." Adelines Gefühle tanzen, springen einher zwischen Trauer um Joie und Freude um Flores Rückkehr ins Leben.

„Das erklärt die Verletzung", sagt der Medikus und gibt sich vorerst mit den Aussagen zufrieden. Er schließt die Augen und den Mund von Joie, sodass ihre entwichene Seele nicht wieder in sie zurückkehren kann. Schließlich lässt er die Fenster öffnen, um den Weg in den Himmel freizumachen, und schickt nach einem Priester. Beim Hinausgehen sieht der Medikus nochmals nach Jan. Die Wunde ist schwer entzündet, sein Atem ist schwach und er richtet sich mit leisen Worten an den einen Helfer, der noch bei ihm ist.

„Veranlasst, dass der Priester auch für ihn betet, ich denke nicht, dass der Mann noch eine Nacht überstehen wird." Danach geht der Medikus in seine Räumlichkeiten im oberen Stock des Gebäudes. Er ringt noch mit sich, ob er den Vorfall der Gerichtsbarkeit melden soll.

Adeline nimmt Joie noch einmal in den Arm, bevor der Priester den Leichnam auf ein mit Asche bestreutes Tuch legt, das über ein Häufchen Stroh gespannt ist. Der kleine fensterlose Raum wird mit zwei Kerzen beleuchtet und zeichnet die Umrisse von Adeline, Flore und Julien an die nackte Wand.

Das Leben entzieht sich aus Jan noch vor Einbruch der Nacht. Er wird mit dem gleichen Ritual in den Raum zu seiner Tochter gelegt. Adeline kniet alleine vor den beiden toten Körpern, beraubt sämtlicher Tränen, die ihr Wesen imstande war zu geben. Fort ist die Klammer, die sich um ihren Brustkorb spannte und sie am Atmen hinderte. Sie sucht nicht mehr nach Antworten und sie stellt auch keine Fragen mehr. Sie erinnert sich der Worte von Juan und sie nimmt es auf sich, zwei weitere Seelen an das Grab des heiligen Jakobus bis nach Santiago zu tragen.

Adeline wird zum Medikus gebeten. Er verschließt die Tür hinter ihr, nachdem sie den Raum, den er für sich beansprucht, betreten hat.

„Mein Kind, setz dich", sagt er mit ruhiger und gleichmäßig klingender Stimme. „Es ist keine einfache Situation, in die ihr mich da gebracht habt. Ich müsste euch dem Richter übergeben." Adeline bleibt gelassen und sagt kein Wort.

„Aber um mich legen sich Zweifel, in diesem Fall das Richtige zu tun. Mir steht es auch nicht zu, darüber zu urteilen. Wenn wir die Leichname morgen an der Kirche beisetzen, werden Fragen entstehen, vermutlich unangenehme Fragen. Ich bin mir mit unserem Priester einig geworden, vorausgesetzt, dass auch du es bist, Adeline, die beiden in einem der Stollen, die rückseitig des Gebäudes in den Berg führen, beizusetzen. Es wäre nicht das erste Mal, dass dort eine Bestattung erfolgt. Bist du damit einverstanden?", richtet sich der Medikus nochmals eindringlich an Adeline.

Sie nickt mit dem Kopf.

„Gut, ich werte es als ein Ja. Noch etwas: Sämtliche Wertgegenstände, die wir bei den im Hospiz Verstorbenen finden, gehören zu gleichen Teilen der Kirche und dem Hospiz. Nun, wir haben diesen kleinen Beutel bei Jan gefunden. Es befinden sich ein paar Münzen darin, nicht viel. Der Weg nach Santiago wird für dich, bedingt durch den Tod deines Begleiters, nicht einfacher und wir haben beschlossen, dir den dritten Teil der Münzen zu überlassen."

Der Medikus überreicht Adeline den Beutel mit den bereits abgezählten Münzen. Sie nimmt ihn wortlos an sich. Er gibt ihr auch zu verstehen, dass die Beisetzung noch heute Abend erfolgen muss und sie am nächsten Tag früh weiterziehen sollen. Die Nacht dürfen sie aber noch hier verbringen.

Die Emotionen in Adeline sind auf ein Mindestmaß geschmolzen und werden auch durch die Verabschiedung von Joie und Jan nicht wieder entfacht. Lediglich ein paar Tränen von Julien und Flore begleiten die Zeremonie.

Einer der Helfer des Hospizes verabschiedet sich in den frühen Morgenstunden von Adeline, Flore und Julien. Er wünscht ihnen alles Gute für ihren Weg und überreicht Adeline noch ein Tuch mit Nahrungsmitteln für ein bis zwei Tage. Er gibt ihr auch Jans Wanderstab.

„Den benötigt hier niemand", spricht er dabei und sein Blick folgt den drei Pilgern durch die Gasse, die sich durch den Zauber der aufgehenden Sonne in hell und dunkel teilt. Es dauert noch lange, bis sie die zahlreichen Gassen der lang gezogenen Stadt durchwandern und schließlich Castrojeriz im Glanz der Morgensonne und Jans Stock an eine Mauer gelehnt hinter sich lassen.

16
Bewusstheit

Castrojeriz hat Eindruck hinterlassen. Nicht nur bei mir, auch bei meinen morgendlichen Begleitern, Kristi und Chris. Fortwährend sprechen wir über diese verlassene Stadt, über Mia und Mau und den Blick in die Vergangenheit, den sie uns mit der Führung durch ihr Anwesen gestattet haben. Keine Bar, keine Bäckerei und auch kein Geschäft hat uns einen guten Morgen gewünscht beim Aufbruch in unseren heutigen Tag und so muss uns Kristis Notration, bestehend aus Feigen, getrockneten Pflaumen und Nüssen, die nötige Kraft für den Anstieg auf den Alto de Mostelares verschaffen. Ein Tafelberg, dessen zusätzliche 100 Höhenmeter uns jetzt einen weitreichenden Blick auf das zurückliegende Castrojeriz bieten.

Vor mir liegt eine Ebene, in die ich und meine Freunde über einen breiten Weg auf die ursprünglichen 800 Höhenmeter zurückgeführt werden. Das Gelände ist offen und ich genieße die Sicht über kilometerweit gestreute Weizenfelder. Unsere Schatten, die vor uns herziehen, sind lang gezogen von der tief stehenden Sonne in unserem Rücken. Ich versuche, das Geschenk, das sich meinen Augen darbietet, mit der Kamera einzufangen, um es später auf meiner Website für die Augen, die mir von zu Hause aus folgen, wiederzugeben. Ich bin dadurch viele Meter hinter meine Freunde zurückgefallen und verstaue meinen Fotoapparat noch, als ich bereits losmarschiere. Mein Trekkingstock gerät mir dabei zwischen die Beine und ich stürze kopfüber auf den noch immer abwärts gerichteten Weg aus aufgerautem Betonguss. Ich ziehe instinktiv meinen Kopf ein, rolle mich über die Schulter und bremse den Aufprall mit meinem linken Knie ab. Jeder kennt das, wenn einem eine Geschichte das zweite Mal erzählt wird, wieder derselbe Inhalt, dieselbe Pointe. Das Interesse ist nicht mehr vorhanden. Anders als der abermalige, schon fast vergessene Schmerz, der mein Knie erneut durchfährt. Abgründe tun sich auf und trennen meinen Geist für einen Augenblick von der Gegenwart. Meine Psyche verliert den Kontakt zum Physischen. Mir erscheint Pein, wo keine zu sehen ist, und ich fühle Schmerz, wo keiner zu spüren ist. Schließlich stehe ich wieder auf beiden Füßen, strecke und beuge mein linkes Bein, während ich mein Gewicht auf das rechte verlagere, und bin erleichtert, lediglich den nun schon zur Gewohnheit gewordenen Schmerz zu spüren. Mit der flachen Hand klopfe ich den Staub von meiner Jeans und betrachte dabei den roten Fleck, der sich über der Stelle meiner linken Kniescheibe bildet. Ich greife sie ab und erfahre einen neuen Bereich meines Knies, der es mir schwer machen will. Es ist eine neue Stelle mit noch jungen Nerven, die noch nicht so abgestumpft sind wie die anderen darum. Das Blut breitet sich nicht weiter aus und ich vermeide es, die betroffene Stelle meines Beines auch noch näher zu betrachten.

Der Sturz blieb von den anderen unbemerkt und ich nehme die Schritte wieder auf, achte aber dabei auf alles, was auf größere Probleme schließen lassen könnte. Nichts deutet auf wirklich Schlimmeres hin und ich begutachte nun die Delle in meinem Fotoapparat, der auch etwas bei dem Fall abbekommen hat. Ich mache ein paar Fotos, es scheint auch hier alles in Ordnung zu sein. Mittlerweile bin ich weit hinter Kristi und Chris zurückgefallen, erkenne sie aber immer noch zwischen der kümmerlichen Anzahl von Pilgern in der endlosen Weite des Landes.

Abgesehen von den Radfahrern geschieht es selten, dass ich von jemandem überholt werde. Ich drehe mich jetzt um, als ich merke, dass sich mir jemand langsam von hinten nähert. Es ist Steve, der australische Part meiner Camino-Familie. Ich bin etwas verwirrt, da ich dachte, er wäre vor mir losgegangen, und erfreue mich umso mehr seines Herankommens.

„Hola", begrüßen wir uns auf Spanisch und wir gleichen die Schritte einander an. Wir sind uns einig in dem Gefühl, dass sich die letzten Tage positiv auf unser Gemüt ausgewirkt haben. Ich begründe es vor allem mit dem Wetter und vermeide es, über meine seltsamen Eindrücke zu reden, die mich nun immer öfter ins Grübeln bringen, kann aber nicht umhin, zumindest die mystischen Momente unseres gestrigen Halts anzusprechen. Steve geht darauf ein und verdeutlicht es mit etwas, was er bereits drei Tage zuvor erkannt hat.

„Reinhard, du kannst dich doch bestimmt noch erinnern. Es war eine kleine Ortschaft vor Agés. Du warst bereits dort, mit Chris und Rod, soweit ich mich erinnern kann. Ihr seid dann aber wieder losgezogen, als ich mit Sherri und Kristi ankam."

„Ja, der Zehn-Einwohner-Ort. Gina hat den Bus genommen." Ich kann mich noch gut erinnern, außer dem Mann in der Bar und den wenigen Pilgern war der Ort menschenleer und ich sehe noch die große Kirche vor mir, die aber verschlossen war.

„Ja, genau", sagt Steve. „Ich habe dir auch von meiner Angst erzählt, pissen zu gehen, und dass ich den Alkohol benötige, um einschlafen zu können."

„Ja, Steve, und ich wünschte, ich könnte dir helfen."

„Das brauchst du nicht mehr", sagt er.

„Was soll das heißen?", frage ich etwas verwundert.

200

„Nun ja", fährt Steve fort, „in der besagten Ortschaft, sie nennt sich übrigens San Juan de Ortega", er unterbricht für einen Augenblick.

„Es war seltsam. Ich habe mit Kristi und Sherri einen Kaffee getrunken und wir wollten auch sofort aufbrechen. Wir waren schon auf dem Weg, da kommt uns dieser Mann entgegen und bittet uns in wirklich gutem Englisch, wir sollten dem Erbauer der Kirche, sie trägt auch seinen Namen, eine Kerze spenden. Du kennst mich ja, ich bin nicht leicht für solche Sachen zu haben. Er lässt aber nicht locker. Die beiden Mädchen waren schnell bereit mitzugehen, aber er wollte unbedingt, dass auch ich mit in die Kirche gehe. Ich bin mitgegangen. Es war nichts Besonderes. Ich habe eine Kerze gespendet wie auch Kristi und Sherri und nach nicht allzu langer Zeit sind wir wieder aufgebrochen. Ich habe nicht bemerkt, wohin der Mann gegangen war. Er war so schnell verschwunden, wie er aufgetaucht ist. Ich habe mir auch keine weiteren Gedanken darüber gemacht, bis gestern. Ich habe Kristi gefragt, ob sie sich an diesen Mann erinnern kann. Sie weiß von keinem Mann, hat sie mir mit Nachdruck versichert, auch als ich ihr dieses Erlebnis nochmals geschildert habe. Sie wusste schon, wovon ich sprach, aber nichts von einem Mann, der uns bat, in die Kirche zu gehen. Ich sag dir, das ist verrückt."

Ich habe aufmerksam seinen Worten gelauscht und blicke jetzt zu ihm, als er kurz die Luft anhält.

„Reinhard", sagt er, „du wirst es mir nicht glauben, womöglich hältst du mich auch für durchgeknallt, mir ist es auch erst gestern so richtig klar geworden. Ich habe mich der letzten Nächte erinnert, der Nächte bis Agés zurück, nach dieser Begebenheit." Er stockt nochmals kurz und presst den angesammelten Speichel in seinem Mund mit einem deutlich vernehmbaren Geräusch über seinen Kehlkopf in den Magen.

„Ich kann wieder schlafen."

Er sagt es sehr leise, sodass ich noch mal nachfragen muss.

„Ich versinke in Schlaf, ohne diese schrecklichen Träume, in denen sich alles um mich in Rot verfärbt. Ich muss meine Gedanken nicht mehr mit Alkohol betäuben, um ihnen den Zugang zu dieser Angst, die mich seit meiner Operation begleitet, zu erschweren. Ich bin wieder ich, so wie ich immer war und es ist mir, als hätte jemand Verantwortung in mich gelegt. Vertrauen in mich gesetzt, meine Ziele zu erreichen, jemand, der mich jetzt begleitet, wenn es gilt, das erste Ziel zu erreichen, Santiago de Compostela."

„Wahnsinn", sage ich. „Würde ich dich nicht schon so gut kennen und du hättest mir das erzählt, ich hätte es mit einem Lächeln abgetan. So aber fügt es sich in die Lücken, die sich in den letzten Tagen auch in mir aufgetan haben. Ich denke, ich kann es dir jetzt sagen. Mich beschleicht ständig ein Gefühl, schon einmal hier gewesen zu sein. Glaubst du an Wiedergeburt?", will ich jetzt von Steve wissen.

„Noch vor ein paar Tagen hätte ich dich auf diese Frage hin verarscht. Ich glaube noch immer nicht daran, ziehe es aber nicht mehr ins Lächerliche und bin sogar bereit, mich damit auseinanderzusetzen, wenn ich damit konfrontiert werden sollte."

„Mein Intellekt wehrt sich ebenfalls dagegen, aber in der letzten Zeit sind Geschehnisse in mir aufgekeimt, von denen ich mir sicher bin, sie niemals aufgefangen zu haben. Ich gehe zum Beispiel über die Brücke in Puente la Reina und mir fliegen Bilder durch den Kopf und Erinnerungen durchfahren mich, die nicht die meinen sind, Ereignisse aus früheren Tagen, viel früheren Tagen. Mir scheint, es liegen Jahrhunderte dazwischen. Ich hab es mir zu erklären versucht, mein eigenes Ich erforscht. Es ist schon eigenartig, worauf ich dabei gestoßen bin. Die Abneigung gegen Milchprodukte, die mein Körper hat. Meine Vorliebe für südliche Länder, die Gier nach Sonne." Ich strecke Steve meinen nackten Unterarm entgegen. „Siehst du die Sommersprossen? Könnten dies nicht Zeugnisse einer früheren Vergangenheit sein? Eines Lebens in südlichen Breiten, mit dunkler Hautfarbe. Spuren, die aus welchen Gründen auch immer sich mit in ein neues Leben getragen haben?"

Steve entleert seine Lungen mit einem leichten Zischen, das zwischen seinen Lippen entsteht, und sagt: „Ich weiß nicht, was ich davon halten soll, aber es hat schon etwas, das muss ich zugeben."

Ich bekräftige Steve gegenüber, dass es sich bei dem, was ich gesagt habe, um reine Hirngespinste handelt und ich selbst nicht daran glauben will. Auch Steve weist eine befürwortende Ansicht von Reinkarnation von sich und wir begraben dieses Thema. Nicht jedoch die seltsamen Geschehnisse der zurückliegenden Tage. Wir kehren Erzählungen anderer Pilger hervor, die seltsame und nicht begründbare Erscheinungen gehabt haben, und jene von Pilgern, die ihre Erlebnisse am Camino Francés zu Papier gebracht und Eindrücke hinterlassen haben, die mit Menschenverstand allein nur schwer zu erklären sind. Steve hält mich am Arm.

„Reinhard, ich verspüre einen immer stärker werdenden Drang zu gehen. Schneller zu gehen, lange Strecken zu gehen, als könne es jemand nicht erwarten, an das Grab des heiligen Jakobus zu gelangen. Versteh mich bitte nicht falsch, aber ich werde vielleicht schon früher die Gruppe verlassen."

Ich gebe ihm zu verstehen, dass ich seine Entscheidung respektieren werde, sollte er sich wirklich dazu entschließen, und ich auch einem Verständnis der anderen positiv entgegensehe.

Wir haben gerade das Tempo erhöht, als ich ein einsam vor mir stehendes Gebäude erblicke. Der Camino führt uns direkt vor das gotische Eingangstor. Daneben sind Holzbänke angereiht, auf denen Rucksäcke abgestellt und Wanderstöcke angelehnt sind. Über der Bank links von der Eingangstür prangt ein alt aussehender Schriftzug auf einer Holzvertäfelung. „San Nicolás de Puente Fitero – Hospital de Peregrinos" und eine Jakobsmuschel ist aufgemalt. Das Tor ist halbseitig geöffnet und ich überrede Steve, mit mir hineinzugehen. Ein großer in die Länge gezogener Raum öffnet sich vor uns. Ein Altar erstreckt sich über die linke Wandseite. Rechts von der Eingangstür verteilen sich Feldbetten bis ans Ende des Raumes und vor uns steht ein nicht mehr als einen Meter breiter, aber dafür mindestens zehn Meter langer Tisch, an dem Sherri und Kristi neben einem Mann in einer braunen Kutte sitzen. Sie lassen sich gerade ihren Pilgerpass stempeln. Mit „Hola" durchbrechen wir gemeinsam die Stille der Mauern.

„Ist das nicht herrlich?", meint Sherri. „Man kann hier auch übernachten. Auf der Rückseite des Gebäudes befindet sich ein Zubau mit sanitären Einrichtungen."

„Ein Hospiz wie aus alten Tagen." Ich denke es laut und erhalte dafür Zustimmung und ich habe jetzt Lust bekommen, mir das Ganze etwas näher anzusehen. Steve erfährt von Kristi, dass Gina und Chris weitergegangen sind, und auch ihn drängt es, wieder loszumarschieren.

Sherri, Kristi und ich erfahren noch eine kleine Führung in die Geschichte der Pilgerschaft. Bei diesem Gebäude handelt es sich um eine Kirche aus dem 13. Jahrhundert, der auch ein Hospiz angeschlossen war. Vor einigen Jahren wurde die Kirche auf den Resten der Grundmauern neu errichtet, als ein gesamter Komplex aus Kirche und Hospiz. Auf Strom wurde verzichtet, beleuchtet nur mit Kerzenlicht.

Vor dem Abendessen gibt es eine rituelle Fußwaschung. Bei der Zubereitung der Mahlzeit kann mitgeholfen werden und es kann in den Nachtstunden mitunter bitterkalt werden. Die Albergue bietet Platz für zehn Personen und in der Hauptreisezeit findet sich täglich diese Anzahl an Pilgern ein, die sich zurückversetzen lassen will in eine Zeit ohne Elektrizität, beinahe, denn fast alle Akkus der mitgebrachten Mobiltelefone verfügen noch über genügend Strom, um die entstandenen Eindrücke mit den Daheimgebliebenen zu teilen.

Ich marschiere weiter mit Sherri und Kristi an meiner Seite. Es ist beinahe 11.30 Uhr und die Sonne steht einsam am Himmel. Nicht eine Wolke schafft es, sich ihr entgegenzustemmen. Eine kleine Anhäufung von Gebäuden kreuzt unseren Weg, darunter auch ein Restaurant mit einem schattigen Vorplatz. Ich nutze die Gelegenheit für meine erste Mahlzeit am heutigen Tag, abgesehen von Kristis Notration. Auch meine beiden Begleiterinnen langen kräftig zu. Noch ein Kaffee, etwas Sonnencreme auf die unbedeckten Hautstellen und der Camino hat uns wieder.

Ich gehe mit Kristi langsam voraus, während Sherri noch die Toiletten aufsucht. Kristi spricht mich auf Steve an.

„Ich weiß, dass Steve mit dir über seine Probleme gesprochen hat."

Ich nicke nur, als Kristi zu mir sieht.

„Hat er dir auch von den letzten Tagen erzählt?"

„Von der Kirche in San Juan de Ortega?", frage ich zurück.

Sie nickt: „Abgefahrene Sache, oder?"

„Wir haben heute am Weg ausführlich darüber gesprochen." Ich denke nach diesen Worten etwas nach und frage sie nach ihren eigenen Eindrücken, die sie bisher auf der Reise gewonnen hat. Kristi überlegt, bevor sie antwortet.

„Ich vergesse die Zeit, Reinhard. Ich weiß nicht, ist heute Montag, Mittwoch oder Freitag. Ich weiß es nicht." Ihre Stimme klingt traurig.

„So ergeht es den meisten hier, denke ich. Auch mir", sage ich und ziehe dabei meine Mundwinkel leicht nach oben, um sie ein wenig aufzuheitern.

„Ist es die Zeit, die uns ständig vorantreibt? Ich meine zu Hause im Alltag", ergänzt sie nachdenklich.

Ich sage nichts und lausche ihren Worten.

„Oder ist es deine Umgebung, sind es die Menschen um dich herum, die dich nicht rasten lassen, oder sind es einfach nur die Namen der Tage, die vor dir ablaufen? Ich habe in den zurückliegenden beiden Wochen verlernt, die Tage nach ihren Namen zu ordnen, und ich fühle mich irgendwie frei, verstehst du? Nicht gedrängt zu werden von der Zeit, die sich in Namen ausdrückt und die dich ständig aufs Neue erinnert und drängt." Ihre Ansicht gefällt mir und mir kommen Inspirationen, die ich ihr nicht vorenthalten möchte.

„Ist es die Zeit, die dich vom Kind zum Mann oder zur Frau macht, oder ist es die Änderung, die in deinem Körper stattfindet? Wenn es die Zeit ist, dann ist sie sehr ungenau. Wann setzt die Geschlechtsreife bei einem Mädchen oder einem Jungen ein? Mit zwölf? Mit 14? Mit 16? Setzt sie früher bei den Mädchen ein oder bei den Jungen? Wenn die Zeit der bestimmende Faktor ist, müsste zum Beispiel jedes Kleinkind mit neun Monaten zu sprechen oder zu laufen beginnen."

„Abartig", sagt Kristi und kichert.

Sherri hat zu uns aufgeschlossen. „Was ist so komisch?", will sie wissen.

„In Österreich beginnt jedes Kind im Alter von neun Monaten zu sprechen und zu laufen." Kristi kann sich vor Lachen kaum halten.

„Was? Du willst mich wohl verarschen."

„Nein, Reinhard hat das gesagt", stottert Kristi lachend hervor. Sherri und ich sehen uns an und auch wir müssen jetzt angesteckt von Kristi loslachen. Als wir uns einigermaßen gefangen haben, erzähle ich Sherri, worüber wir gesprochen haben.

„Dann müsste doch jeder Mensch im selben Alter sterben?" Sherri hat dabei ihr Grinsen wieder unter Kontrolle bekommen.

„Also ist die Zeit sekundär, oder besser ausgedrückt, sie ist nur ein Teil des Gesamten. Aber anders gesehen", füge ich noch hinzu, „wir beginnen, unser Leben alle im Alter von null Jahren oder warst du schon drei, als du auf die Welt gekommen bist?" Ich blicke dabei zu Kristi, die sich auch sofort angesprochen fühlt und aufs Neue zu kichern beginnt.

„Das bringt mich jetzt aber auf etwas", sage ich. „Ich habe zuvor mit Steve ein Gespräch über Wiedergeburt geführt."

„Wiedergeburt?", wiederholt Kristi.

„Ja", sage ich. „Aber wir beide konnten dem nicht wirklich etwas abgewinnen. Jetzt durch diese Blödelei ist mir erneut eine Idee gekommen. Ist es nicht so, dass wir Menschen uns nicht an die ersten Jahre unseres Daseins erinnern können? An die ersten zwei Jahre? Drei Jahre?" Ein zustimmendes Kopfnicken. „Kann es sein, dass unser Geist, unsere Seele, erst danach in unseren Körper gelangt? Dass wir bis dahin rein aus Instinkt handeln, gelenkt von Eindrücken aus dem Mutterleib? Dies würde das Argument der Wiedergeburt rechtfertigen."

Kristi saugt Luft in sich und bläst sie wieder hervor. „Ich hab darauf keine Antwort", sagt sie und auch Sherri ist im Moment mehr als wortkarg.

„Wisst ihr, mir laufen ständig Bilder durch den Kopf, seit ich mich auf dem Camino befinde, auch Empfindungen, die ich nicht unterbringe. Mir ist, als sei ich diesen Weg schon mal gegangen, vor Hunderten von Jahren, und mir scheint es, zurückgekommen zu sein, um diesen Weg endlich zu Ende zu gehen. Und der Camino hat mir euch zur Seite gestellt. Vielleicht haben wir uns in einem früheren Leben auf dem Weg zum heiligen Jakobus kennengelernt. Sind zusammen entlang des Weges gegangen, aber nicht zu Ende und jetzt nach Jahrhunderten haben wir uns auf ein Neues zusammengefunden, um endlich das Ziel, Santiago de Compostela, zu erreichen."

„Jetzt wirst du mir aber unheimlich", sagt Sherri. Kristi hingegen findet es interessant.

„Eine fantastische Geschichte", sagt sie und dass ich ein Buch darüber schreiben sollte. Ich erwehre mich lächelnd dieses Auftrags, kann ihn aber nicht vollständig aus meinem Gedächtnis löschen.

„Es könnte natürlich auch Sinn ergeben, dass es unsere Vorfahren waren, die am Camino gewandelt sind und sich jetzt in unsere Wahrnehmung drängen, oder auch nur Seelen, denen es nicht zuteilwurde, Santiago zu erreichen und die noch immer am Camino warten, einfach nur um mitgenommen zu werden, ans Grab des heiligen Jakobus, um endlich Erlösung zu finden."

„Du sollst wirklich ein Buch schreiben", sagt jetzt auch Sherri. „Ja, ohne Scherz. So wie du das beschreibst, ich glaube es dir."

„Was jetzt?", will ich spaßeshalber wissen. „Das mit der Wiedergeburt, den Vorfahren oder den verloren gegangenen Seelen entlang des Camino?"

„Alles", sagt Sherri und Kristi findet, ich sollte es dem Leser überlassen. „Ich finde das mit den Seelen sehr schön", bemerkt sie noch und dass sie manchmal das Gefühl hat, sie zu spüren, wenn sie alleine ist in den Weiten der Natur. „Dich hat der Camino aber auch in den Bann gezogen?", frage ich sie.

„Wen nicht? Sieh dir die Menschen an, die dich täglich begleiten, denen du nähergekommen bist. Spürst du nicht, wie sich ihr Wesen verändert hat? Sieh dich an. Warte einen Moment", sagt sie und holt ihre Kamera hervor. Sie blättert in den Bildern und streckt mir die Kamera vors Gesicht.

„Das bist du in Pamplona, wo wir uns kennengelernt haben. Warte", sagt sie. Sie zeigt mir noch ein paar Bilder, auf denen ich zu sehen bin.

„Das war in etwa die erste Woche und nun sieh dir diese Bilder an, das sind Fotos der letzten Tage."

Sie zeigt mir eines vom Ortseingang zu Hornilos, auf dem wir beide abgebildet sind. Ein weiteres von mir alleine, dann ein Bild von uns allen beim Paella-Essen und noch ein paar. Ich weiß nicht, worauf sie hinauswill, und sage nur: „Ja, schön."

„Das ist alles, was dir auffällt?" Sie hält mir nochmals ein Foto vom Beginn der Reise vors Gesicht. Ich weiß noch immer nicht, was sie damit bezwecken will, und sehe sie fragend an. Kristi lächelt leicht.

„Dein Blick", sagt sie. „Auf jedem Foto der ersten Tage ist dein Gesichtsausdruck ernst. Du lächelst nicht, kein wirklicher Ausdruck von Freude. Man könnte fast meinen, wir zwingen dich, mit uns zu gehen." Ihre Schilderung erheitert mich.

„Und hier die Bilder der letzten Tage."

Ich folge den Abbildungen.

„Dir fällt es nicht auf, oder?", sagt sie. Ich senke meine Mundwinkel leicht, um meine Unwissenheit zu beteuern. Kristi schüttelt den Kopf. „Sieh hin", drängt sie mich. „Breites Grinsen über das gesamte Gesicht, du strahlst regelrecht, du siehst glücklich aus."

Mir fällt es jetzt wie Schuppen von den Augen. Sie hat recht. Die Fotos tragen Zeugnis meiner Verwandlung, einer Veränderung meines Wesens. Ich lasse die Bilder nochmals durch die Kamera laufen und kann es kaum glauben, wie sich meine Gesichtszüge für alle sichtbar gewandelt haben. Ich habe schon gespürt, dass sich etwas in mir ändert in den letzten Tagen, aber nicht, dass es so transparent für meine Begleiter ist. Auch Sherri ist es aufgefallen und sie gibt es mir mit einem Strahlen in ihrem Gesicht wieder.

„Ich denke, der Camino ist bereit, uns allen etwas zu geben, wenn wir nur gewillt sind, es anzunehmen, und ich meine, dass er auch etwas von uns will, und hier gefällt mir ganz besonders, was du zuvor betont hast, Reinhard. Die entlang des Weges wartenden Seelen mitzunehmen, nach Santiago de Compostela."

„Wow", sagt Sherri. „Solltest nicht besser du ein Buch schreiben?" Wir lachen und umarmen uns.

„Seht ihr den Baum da vorne?" Sherri zeigt auf einen großen verwitterten Baum, dessen Äste nur noch mit wenigen grünen Blättern verziert sind. Der Stamm ist dick und zeugt von einem hohen Alter.

„Lasst ihn uns umarmen", sagt sie. Wir gehen zum Baum, der sich direkt neben der Straße befindet, und umschließen ihn. Der Umfang des Stammes ist so beträchtlich, dass es uns gerade gelingt, ihn zu umschlingen, alle drei mit dem Körper seine Rinde berührend und uns an den Händen fassend.

„Schließt die Augen", sagt Sherri, „und horcht, was er euch zu erzählen hat."

Es vergehen mehrere Minuten, in denen wir nichts sagend den Baum umklammern. Unsere Hände lösen sich und wir treten einen Schritt zurück.

„Reinhard, was hast zu gesehen?", fragt mich Sherri.

„Ich habe uns drei gesehen, hier neben diesem Baum. Wir waren Kinder."

„Ist nicht wahr!", kann es Sherri kaum glauben. Kristi gibt mir eine sanfte Ohrfeige, sie berührt dabei lediglich meine Wange mit ihrer Hand und unterbricht ihr Grinsen mit einem: „Erzähl keinen Scheiß." Ich gebe auch sofort zu, nur Spaß gemacht zu haben und dass ich in Wirklichkeit natürlich nichts gesehen habe. Niemand hat etwas gesehen oder gespürt und wir gehen weiter.

Ich gehe einige Meter vor meinen Freunden und versuche, meine Gedanken zu ordnen. Manchmal schnappe ich einzelne Worte, mitunter auch ganze Wortketten der Unterhaltung zwischen Sherri und Kristi auf. Zusammengesetzt geben sie den Eindruck wieder, den auch ich nun immer stärker empfinde. Angekommen zu sein in einer Klarheit, die uns vorführt, unser Dasein als etwas Besonderes, etwas Einzigartiges zu sehen und dafür Verantwortung zu übernehmen. Mit der Wucht des Donners schnellen Erinnerungen in mir hoch. Erinnerungen an Gesagtes, dessen Verständnis dafür sich mir in diesem Augenblick völlig entzogen hat. „Etwas zu machen, damit die Zeit vergeht." Wie oft habe ich diesen oder einen dem Sinn nach ähnlich gestellten Satz gehört und wie oft habe auch ich etwas gemacht, dessen Grundlage es einzig allein war, es zu machen, damit die Zeit vergeht? Mir läuft es plötzlich kalt über den Rücken. Es wird einem das Leben geschenkt, so kostbar, so einzigartig und es ist zeitlich begrenzt und dann vergeudet man einen Teil davon, nur weil man nicht weiß, was man damit anfangen soll.

Wieder liegt ein Ort vor uns, er wirkt unfertig, noch grün hinter den Ohren und die gelben Pfeile führen uns mitten hindurch. Wir werden von Gina angehalten. Sie weist uns vorbei an Mauern in einen von grünen Gräsern bedeckten Garten einer privaten Herberge mit Restaurant und Bar. Chris sitzt mit einem voll eingeschenkten Glas Bier unter einem Sonnenschirm an einem der Tische, die rechts zum Rasen hin aufgestellt sind. Er hebt das Glas zu unserer Begrüßung hoch und nimmt einen kräftigen Schluck daraus. Sherri und Kristi können nicht umhin, die saftigen Gräser mit ihren Händen anzufassen, nach dem Staub, der sie den ganzen Tag begleitet hat. Sie tragen einen der weißen Plastiktische auf den weichen Rasen. Ich ergreife ebenfalls einen Stuhl und setze mich zu ihnen an den Tisch. Chris und Gina genießen den Schatten, gespendet von dem Schirm, der seitwärts an ihrem Tisch steht. Der Abstand zwischen den Tischen ist gering und hindert uns nicht daran, miteinander zu sprechen. Sherri kommt mit einer Flasche Rioja und fünf Gläsern zurück aus der Bar.

„Du weißt schon, dass wir heute noch nach Fromista wollen?", ermahnt sie Kristi.

„Ja, sicher, aber es ist so schön hier. Gönnen wir uns mal eine kleine Pause. Es sind ohnehin nur noch sieben Kilometer bis dorthin." Sherri gießt ein und übergibt jedem ein Glas. Sie hebt ihres und fordert uns damit auf, mit ihr anzustoßen.

„Auf den Camino Francés", wie sie sagt „und dass er uns zusammengeführt hat." Ich bin etwas abgeneigt, während der Etappen Alkohol zu trinken, kann mich aber den treffenden Worten ihrer Ansage nicht entziehen und pflichte ihr mit einem Schluck Rioja bei.

Wir genießen die Sonne, die uns anfangs unserer Reise untersagt blieb, jetzt umso mehr. Wir sind ein wenig ausgelassen. Gina macht Kopfstände im Rasen und Chris macht ein Foto von mir mit Kristi und Sherri auf jeweils einem meiner Oberschenkel sitzend und sie küssen mich beide auf die Wangen.

Mit Beginn der Siesta, es ist kurz nach 14 Uhr, tauschen wir die grüne Oase gegen die staubige Landstraße. Wir sind guter Laune, hochgepeitscht von der Schönheit des Tages, angetrieben und gelenkt von Kräften, so unbekannt und doch so nah und vertraut wirkend. Immer wieder stimmen wir gemeinsam in ein Lied ein. „Geh den Weg …" Es ist meist der Refrain, den wir fortlaufend zusammen vor uns her trällern, manchmal auch abwechselnd.

Das Gebiet um uns herum wird zusehends flacher. Die ständig kleiner werdenden Hügel, die uns seit Castrojeriz begleiten, ziehen sich jetzt zur Gänze zurück und ein Kanal begleitet uns auf den letzten Kilometern bis Frómista, von Menschenhand gegraben und nie seinem Ursprung gerecht werdend. In der Mitte des 18. Jahrhunderts wurde der Bau in Angriff genommen und seine Fertigstellung kollabierte mit der Eroberung des Landstrichs durch die Eisenbahn. Vom ursprünglichen Transportwert blieben ein wenig Energiegewinnung und die Bewässerung der ansonsten trocken daliegenden Felder.

Wir überqueren den Kanal und betreten Frómista neben einer lang gezogenen breiten Straße, die uns ins fehlende Zentrum dieser kleinen Ortschaft führt. Es ist mittlerweile kurz vor 16 Uhr und sämtliche Betten der verfügbaren Herbergen sind bereits belegt. Uns bleibt noch ein Hostel zur Auswahl, etwas teurer zwar, aber auch hier werden wir mit dem Wort „Completo" – wir sind voll – begrüßt. Es hätte dem bisher Erlebten am Camino widersprochen, wäre da nicht Renata, die Besitzerin des Hostels, die uns zu einem Haus geleitet, das sie an sich nur auf längere Zeit vermietet. Gegen ein kleines Aufgeld gehört es heute Nacht uns.

Gina füttert die Waschmaschine mit unseren Kleidungsstücken und mir bleibt Zeit, mich um meine Website zu kümmern. Ich werde auch noch von allen meiner Schilderung folgend bemitleidet, als Sherri mein abgeschürftes Knie erblickt. Es fühlt sich ein wenig taub an, bereitet mir aber nicht mehr Probleme als zuvor. Während die Abendsonne noch die restliche Feuchtigkeit aus unseren Klamotten saugt, sammeln wir Kräfte für den nächsten Tag bei einem ausgedehnten Abendessen mit der einen oder anderen Flasche Rotwein.

17
Liebe

Carrión de los Condes steht an diesem Tag auf dem Programm. Das Vorhaben führt über endlose Geraden und ungetrübter Sonnenschein begleitet mich bereits seit den Morgenstunden. Nichts stellt sich mir in den Weg. Er ist breit und macht es einfach, an der stets spärlicher werdenden Anzahl an Pilgern vorbeizugehen. Von der nicht abzureißen scheinenden Kette an Pilgern ist nicht viel geblieben. Ein Großteil davon hat den Camino schon nach den ersten zwei Wochen verlassen. Manchem ist die Plackerei auch zu beschwerlich geworden, einige sind ausgestiegen oder sie haben die täglichen Etappen stark eingeschränkt und fahren Abschnitte davon mit dem Bus. Wenige wiederum schaffen ein höheres Tagespensum und befinden sich vor mir, sowie Karl und Manfred, erinnere ich mich der beiden. Ich begegne nur selten neuen Gesichtern, Leuten, die vor mir oder nach mir auf die Reise gegangen sind. Die Filter des Camino verrichten ihre Arbeit, sortieren aus und rücken die beharrlich auf ihm schreitenden Menschen zurecht zu kleinen Gruppen und er verbindet sie.

Uns sowie auch die vierköpfige Gruppe, auf die wir jetzt stoßen, kurz nachdem ich zu Sherri und Kristi aufgeschlossen habe. Es sind Cock aus Holland, Hector aus Los Angeles, Nina aus Bulgarien und Shuran aus Südkorea, die einander gefunden haben und durch die Kräfte des Camino Francés zusammengefügt wurden. An einem Picknickplatz begegnen wir uns, geschaffen von Menschenhand, einer Oase im Grünen, umgeben von Schatten spendenden Bäumen, herausgeputzt und angeheftet an den trockenen und von Erhebungen unberührten Landstrich des heutigen Tages. Auch diese kleine Familie spiegelt die Vielzahl der Kontinente wider, die auf dem Weg, der, so scheint es mir jetzt immer deutlicher, von Menschen, die nicht das gleiche Ziel vor Augen haben, unberührt bleibt und gemieden wird. Gemessen an den Jahren, bestätigen sie den Eindruck, den ich schon zu Beginn meiner Reise gewonnen habe. Die 50 Jahre, die Nina und Shuran gemeinsam aufbringen, die 42 Jahre von Hector und Cock ist mit 48 der Älteste in der Runde. Viel junges Blut sieht sich berufen, diesen Weg zu gehen, fernab von Trubel, Luxus und Bequemlichkeit. Beschnitten der Ausschweifungen, die einen in jungen Jahren nur allzu leicht verführen wollen, reduziert und beschränkt auf das Wesentliche, auf Wasser und Brot während des Tages. Das täglich Benötigte kilometerweit durch die Landschaft tragend, froh, ein Bett für die Nacht zu bekommen und ein sättigendes Abendessen mit Wein, das dich für die Strapazen des Tages belohnt.

Es sind Gefühle der Wiege, die durch deinen Körper strömen, so stark und ergreifend, wie du es noch nie zuvor empfunden hast. Sie geben dir etwas wieder, was du mit dem Erwachsenwerden verloren hast und was du durch materiellen Aufwand nie imstande sein wirst zu erlangen.

Ich bin jetzt zweieinhalb Wochen auf dem Camino, mir begegnet nur Freundlichkeit, mein Geist bleibt verschont von Gewalt und sonstigen schrecklichen Ereignissen. Es ist, als befände ich mich in einer anderen Welt, als steckte ich in einem Geburtskanal, ich durchbreche die Dunkelheit und werde ans Licht gepresst. Ich bin am Camino Francés und ich beginne, es zu spüren, das Leben.

Auch wenn wir alle gemeinsam von dieser Oase der Freude aufbrechen, tragen die Schritte uns doch langsam fort von den eben erst neu gewonnenen Freunden des heutigen Tages. Chris und Gina sind wohl weiter hinter uns als gedacht, da sie bei diesem Stelldichein nicht zu uns aufgeschlossen haben, und Steve habe ich seit gestern Vormittag nach unserer Unterhaltung nicht mehr gesehen. Hat er uns bereits verlassen?

„Ich verstehe es nicht, dass du nicht verheiratet bist, und schon gar nicht, dass du nicht einmal eine Freundin hast", richtet sich Sherri an mich und rückt ihren Kopf noch näher an mein linkes Ohr.

„Gefällt dir Shuran?"

Ich verschlucke mich beinahe an meinem eigenen Speichel und hätte die Wärme der auf mich herabstrahlenden Sonne mein Gesicht nicht schon gerötet, würde es nun unmittelbar dazu kommen. So kann ich aber die Blöße, die mir Sherri mit ihrer Frage bereitet hat, ohne Weiteres umspielen. Sherri hat sich bei Shuran lediglich meiner Vorliebe für das südostasiatische weibliche Geschlecht erinnert. Wir haben an den vielen gemeinsam verbrachten Abenden schon einmal darüber gesprochen. Ich habe ihnen von meinem zweijährigen Aufenthalt in Thailand erzählt. Meinem Versuch, dort geschäftlich Fuß zu fassen, und meiner Zeit mit Get, meiner Unvergesslichen, wie ich es ausgedrückt habe, und ich blockte weitere Fragen über Get ab.

Sie war gerade 16 Jahre alt geworden und noch so unschuldig und zerbrechlich, als ich sie kennengelernt habe. Ich war damals 27. Beinahe zwei Jahre sollte es mir vergönnt sein, sie an meiner Seite zu haben, meine Freude darüber in ihren schwarzen Augen widerspiegeln zu sehen. Die zarte, leicht gebräunte und weiche Haut, die sich fest um ihren Körper spannte und die sämtliche Berührungen meiner Fingerspitzen und meiner Zunge durch das Öffnen ihrer Poren in sich aufsog und in ihr hielt, solange sie es vermochte. Der Schweiß, der in den heißen Nächten durch ihr schulterlanges glattes Haar rann und es verklebte. Dieser Schweiß, den ich auf ihrem Rücken spürte, als sie auf mir saß, winselnd und sich zwischen meinen Händen windend, er war nicht salzig, sondern süß. Die Wochen, die sie zu Beginn unseres Beisammenseins neben mir lag, in denen ich sie nur berührte, ihrer Jugend und ihrer Unschuld bedacht, und dann der Moment, als sie es endlich verlangte, in sie zu dringen und ich drang in sie, nicht mit Wucht, wie es einem der zurückgehaltene Trieb befehlen lassen würde, nein, ich eroberte sie Stück um Stück. Ich drang vor in ihr Innerstes, erforschte ihren Willen und fügte mich ihm. Nie werde ich diesen Augenblick vergessen und noch niemandem habe ich davon berichtet, auch nicht Sherri und all meinen anderen Freunden, und auch nicht über die Zeit der Dunkelheit, die sich über uns legte, um ihr den Glanz zu entziehen. 21 Jahre halte ich schon schützend meine Hände darüber und ich bin auch jetzt nicht bereit, sie anderen freizugeben.

„Sie gefällt mir", antworte ich Sherri. „Aber es bedeutet nichts. Es ist eine Frage, die einen in Verlegenheit bringen kann, noch mehr, wenn sie in Gegenwart der betreffenden Person gestellt wird. War ja nicht so." Ich blicke dabei Sherri in die Augen. „Es beweist uns aber, dass das Aussehen von Menschen eine beträchtliche Rolle spielt. Du weißt von mir, dass ich eine beinahe zwei Jahre andauernde Beziehung zu einer Thailänderin hatte und es mir dunkelhaarige und im Vergleich zu uns exotisch aussehende Frauen angetan haben. Du, und ich denke fast alle Menschen, abgesehen von den Asiaten selbst, assoziieren diesen Umstand damit, dass mir jede Asiatin oder, sagen wir, Südostasiatin gefällt. Ihr

218

vergesst dabei aber, dass es nicht vordergründig am Aussehen liegt, sondern in der Natur dieser Menschen. Es ist ihr Wesen, ihre Art, an die ich mich gebunden fühle, bedenke auch meine Essgewohnheiten. Und glaube mir, wenn du längere Zeit in diesem Teil der Erde lebst, geht das einheitliche Muster des Aussehens verloren. So wird es vermutlich jedem Nichtasiaten gehen."

„Bitte verzeihe, wenn ich etwas Falsches gesagt habe", rechtfertigt sich Sherri.

„Du hast nichts Falsches gesagt", gebe ich ihr zu verstehen. „Ich wollte damit nur ausdrücken, dass nicht das Aussehen von Menschen, sondern deren Wesen das Ausschlaggebende ist und sein sollte, weshalb man das Leben mit ihnen teilen will. Du weißt es doch selbst am besten."

Ich erinnere mich eines erst kürzlich geführten Gespräches mit Sherri. Wir haben über die Beweggründe gesprochen, die uns auf den Camino geführt haben. Sie hat mir dabei von ihrem Ehemann erzählt, der vor 15 Jahren gestorben ist, und sie trägt immer noch ein Bild von ihm bei sich. Sie hat es nie geschafft, sich von ihm zu lösen. Es ist nicht das Bild seiner Erscheinung, das trägt sie ja bei sich, es ist die Person, sein Wesen, seine Art, wie er es verstanden hat, mit ihr und ihrem damaligen gemeinsamen Leben umzugehen. Seine Natur steckt so tief in ihr, dass es ihr in all den Jahren, die sie nun schon ohne ihn leben muss, nicht gelungen ist, eine Beziehung zu einem anderen Mann aufzubauen. Und die Tränen, die ihr beim Erzählen über die Wangen gerollt sind, haben es unterstrichen so wie der Gedanke an ihre gemeinsame Tochter.

„Reinhard", hat sie zu mir gesagt. „Es ist mein Mann, der mich auf diese Reise geschickt hat, er kann es nicht mehr mit ansehen, wie ich mein Leben vor der Zukunft verschließe. Er will, dass ich endlich abschließe, mit der Vergangenheit. ‚Ein Teil meines Wesens steckt in unserer Tochter und wird dich immer begleiten. Erfreue dich an ihr und lass los von mir', hat er zu mir gesagt. ‚Gehe diesen Weg, er wird dich freimachen für Neues', hat auch meine Tochter gesagt." Die Tränen, die anfangs ihrer Worte in kleinen Abständen voneinander über ihre Wangen gerollt sind, haben sich in ein Rinnsal verwandelt. Es stürzte herab auf ein Stück Stoff, das sich über ihr pochendes Herz spannte. Und es schmerzte sogar in meinem Herzen, als sie nur mit Mühe und schwer verständlich durch das Schluchzen, das ihren Körper durchschüttelte, die Worte hervorstieß. „Ich beginne, ihn bereits zu vergessen." Ich half ihr beim Weinen und dann war es vorüber, das Wasser versiegte, das aus ihren Lidern trat, und hinterließ einen Glanz, der sich über ihre Pupillen legte. Ihr Brustkorb wölbte sich und die zuvor gesenkten Mundwinkel hoben sich, ebenso die meinigen.

Auch Sherri scheint sich dieses Gespräches zu erinnern. Sie sagt: „Ich verstehe dich so gut, Reinhard", und umschlingt mich mit ihren Armen. „Ich empfinde es als Vergeudung, wenn jemand wie du ohne Partnerin durchs Leben schreitet. Du wirst wieder jemanden finden", sagt sie, „wie auch ich", und drückt nochmals ihre mittlerweile gelockerten Arme fest um meinen Körper.

Kristi, die ein paar Meter vor uns herläuft, bleibt jetzt stehen und blickt zurück auf uns.

„Was ist los mit euch? Kann es sein, dass ihr etwas vor mir verschweigt?"

Wir nähern uns Kristi. Beide haben wir ein Lächeln auf den Lippen und ich schüttle den Kopf.

„Ich habe mich Reinhard angeboten", sagt Sherri. Ich verschlucke mich schon wieder beinahe an meinem Speichel und mein Gesicht setzt jetzt wahrhaftig noch eine Tönung drauf.

„Du bist verrückt", kommt es aus Kristis Mund. Ihr Gesichtsausdruck verwandelt sich in leichtes Entsetzen.

„Du solltest dich sehen", sagt Sherri zu Kristi und ihr Lachen wird heftiger.

„Das war doch nur Spaß, du Dummchen. Ich habe ihm doch nur gewünscht, dass er nochmals eine Partnerin findet. Es wäre doch eine Verschwendung, ihn allein durchs Leben gehen zu lassen." Kristis Gesichtsausdruck hellt sich wieder auf und auch ich spüre regelrecht, wie das Rot aus meinem Gesicht weicht.

„Du hast damit aber auch Reinhard geschockt." Kristi sieht mich dabei an und kann sich jetzt vor Lachen kaum halten. Die Blicke beider treffen mich und ich spüre abermals diese Hitze in meinem Kopf emporsteigen. Ich muss wirklich komisch aussehen, denn das Lachen von Sherri und Kristi schaukelt sich unaufhaltsam hoch und findet beinahe schon ekstatische Züge. Ich versuche, meiner Mimik einen anderen Ausdruck zu verleihen, ohne Erfolg, es wird nur noch schlimmer. Nach einer Weile haben sich die zwei beruhigt und entschuldigen sich bei mir.

„Tut mir leid", sagt Kristi, auch wenn sie noch leicht grinst und nach Luft ringt. Ein „Mir auch" folgt sofort darauf von Sherri und nun schaffe ich es, meinen Gesichtsausdruck mit einem leichten Schmunzeln zu untermalen, und das Blut in meinem Körper findet wieder die angestammten Bahnen, fort von meinem Gesicht.

Sherri streicht mit ihrer rechten Hand durch mein Haar.

„War dieser Gedanke denn so schlimm für dich?", will sie nun wissen.

Ich habe mich bereits sichtlich entspannt und bin kurz in Versuchung, jetzt Sherri einen kleinen Dämpfer zu versetzen. Ich lasse es aber und gebe ihr nur zu verstehen, dass ich etwas überrascht war.

„Und dann auch noch die Bemerkung von Kristi, euer Lachen, mit dem ich in diesem Augenblick nichts anfangen konnte. Ich muss sagen, es hat mich ein wenig aus der Balance geworfen. Ihr habt mich sozusagen auf dem falschen Fuß erwischt. Aber alle Achtung!" Ich strecke dabei meinen Daumen nach oben. Wir gehen weiter.

„Warum ist damals deine Beziehung mit, wie heißt sie noch mal?" Kristi sucht nach dem Namen. Ich sage: „Get."

„Ja, genau, mit Get. Warum ist sie auseinandergegangen? Du hast uns doch erzählt, dass ihr euch in diesen zwei Jahren nähergekommen seid als andere Paare in ihrem ganzen Leben."

„Und dass ich es nicht erwarte, nochmals so etwas zu erleben", ergänze ich ihre Worte.

„Ja, aber was ist geschehen?" Kristi lässt nicht locker und auch Sherris Neugier verstärkt sich zusehends in ihrem Blick.

„Es war nicht schön", sage ich. „Es lag nicht an uns, es waren dritte Personen, die alles zerstört haben."

Sherri stellt sich mir in den Weg. „Hat ihr jemand etwas angetan?" Ich winde mich in Gedanken und versuche, den Fragen zu entkommen. Kristi hakt nach.

„Lebt sie noch?"

„Ich hoffe doch sehr, aber bitte zwingt mich nicht, darüber zu sprechen. Es würde zu viel aufbrechen. Ich bin jetzt nicht bereit, darüber zu reden. Ihr wollt doch nicht, dass ich den Rest des Tages flenne, oder? Bitte", sage ich nachdrücklich.

„Komm, lasst uns weitergehen." Kristi erlöst mich mit diesem Satz und ich lächle ihr dankbar zu.

Ein Weiteres, in dem mich der Camino unterrichtet hat. Kristi ist 50 und ich hätte es zuvor nie für möglich gehalten, dass mich Frauen in diesem Alter so ansprechen könnten.

Es ist das Kindliche in ihr. Es zieht mich an und nie zuvor hätte ich diese Eigenschaften bei einer Frau ihres Alters gesucht, geschweige denn erwartet, sie zu finden. Wie dumm und voreingenommen man eigentlich ist. Es grenzt schon an Borniertheit. Man spricht Menschen von vorneherein Fähigkeiten und Eigenschaften ab, ohne sie zu prüfen, ohne sich mit dem Gegenüber in einem Gespräch näherzukommen, und das betrifft natürlich auch das Aussehen, wie ich es an diesem Tag bereits angesprochen habe. Auch hier hat mir der Camino die Augen geöffnet, mit Kristi und auch durch Sherri. Und noch etwas hat er mir gezeigt, ein Empfinden gegenüber dem anderen Geschlecht, das über die sexuelle Lust hinausgeht, das viel tiefer und ehrlicher ist, als ich es gekannt habe. Man könnte fast meinen, er hat mir ein wenig Agape gegeben.

Es ist heiß geworden, die Sonne brennt auf uns herab und weit und breit ist nichts in Sicht, was uns Schatten spenden könnte, auch Pilger sehe ich keine. Ich halte Sherri und Kristi an, nach den Markierungen Ausschau zu halten. Zu einsam und verlassen zeigt sich diese Gegend. Sherri ist sich mittlerweile auch nicht mehr sicher, dass wir auf dem richtigen Weg sind. Es sind diese langen Geraden, die uns jetzt gemeinsam unsicher machen. Kristi erinnert sich der letzten Ortschaft, der einzigen, an der wir an diesem Tag vorbeigekommen sind. Der Weg hat sich am Beginn des Ortes gegabelt, aber Kristi ist sich sicher, dem Pfeil gefolgt zu sein. Nicht so Sherri und ich. In Anbetracht der Lage empfiehlt sich nur ein Weitergehen auf der eingeschlagenen Straße.

„Es müsste Mittag sein", sage ich laut und Sherri bekräftigt es mit einem „12.30 Uhr".

„Die Sonne steht links von uns. Das heißt, wir gehen Richtung Westen." Ich drehe mich nochmals um meine

eigene Achse, in Erwartung, irgendetwas zu erkennen.
Nichts, nur offenes weites Land.

„Die Richtung stimmt zumindest. Kommt, wir gehen
weiter", sage ich.

Etwas zaghaft, aber doch setzen wir unseren eingeschlagenen Weg fort, mit stetig auf den Wegesrand gerichteten
Augen. Es hat keine fünf Minuten gedauert und Sherri erlöst
uns auch schon von der Unsicherheit mit dem Sichten eines
gelben Pfeils, aufgemalt auf einem eigens dafür an den Straßenrand gestellten Betonsockel.

18
Behutsamkeit

Adeline hat dem gestrigen Tag mehr Zeit abgerungen, als von ihm zu verlangen war. Andauernd fasste sie Flore und Julien an den Händen, zog sie beinahe schon des Weges und drängte deren Beine zu Höchstleistungen. Ein einziges Mal blieben sie stehen und Adeline gestattete es ihnen, ein wenig Ruhe in ihre Körper zu bringen, unter einem Baum, der ihnen behutsam Schatten spendete vor der gleißenden Sonne und ihre Haut kühlte.

Am späten Nachmittag, als die Sonne bereits wieder ihre Bahn gegen die Erde zog, machten sie Bekanntschaft mit Nouel, Iseulte und ihren zwei Jungs, Ciel und Hamo. Sie kommen aus Paris. Auch wenn sie keine Pilger sind, so richtet sich ihr Leben dennoch nach dem Camino Francés, hatten sie gesagt.

„Entlang des gesamten Weges werden Klöster, Kirchen und Hospize gebaut. Der Camino reinigt nicht nur die Menschen, er gibt ihnen auch Arbeit, ihr habt es doch mit eigenen Augen gesehen." Nouels Worte fanden Widerhall in Iseulte, aber nicht in Adeline, zu weit weg war sie mit ihren Gedanken. Sie war in Castrojeriz, bei Jan und Joie.

„Wir wollen nach Carrión de los Condes. Die Stadt blüht regelrecht, hat man uns gesagt. Kaum ist ein Bauwerk fertiggestellt, beginnt schon der Bau des nächsten. Mein Mann ist Schreiner, musst du wissen, Adeline, und ich kann Wäsche waschen. In Paris habe ich in einer Färberei gearbeitet, auch das könnte ich machen, wenn es denn eine geben sollte. Ich will es zwar nicht, sieh dir meine Hände an."

Iseulte streckte Adeline ihre Arme entgegen. „Mal waren sie rot, dann wieder blau, heute sind sie grau und sie sehen scheußlich aus." Iseulte vergrub die Hände wieder im Kleid. „Für den Anfang würde ich es aber schon machen, bis wir Fuß gefasst haben, verstehst du?"

Adeline war mittlerweile wieder zurückgekommen aus Castrojeriz und hatte die Sätze von Iseulte vernommen, zwar mit Lücken, aber doch dem Sinn nach verständlich. „Das klingt doch vielversprechend", sagte Adeline und lächelte dann sogar ein wenig.

Sie gingen gemeinsam das letzte Stück des Weges bis Carrión de los Condes, dem kleinen Ort im Aufbruch. Adeline war etwas enttäuscht, aber wie ihre Begleiter richtig geschildert hatten, es wurde ständig gebaut und die Ansiedlung zieht die Menschen richtiggehend an, aus allen Teilen des Landes und darüber hinaus. Iseulte wollte, dass Adeline mit Flore und Julien dortbleibt, gemeinsam mit ihnen, sie könnten sich gegenseitig helfen, dies würde den Anfang sicherlich erleichtern. Auch die Kinder hätten Gesellschaft. „Ciel ist zehn und Hamo acht, auch wenn sie beide beinahe gleich alt aussehen. Hamo kommt nach Nouel und er ist viel kräftiger." Iseulte meinte es ernst, doch Adeline gab ihr zu verstehen, dass sie nach Santiago müsse, besser heute als morgen. Sie verbrachten die Nacht gemeinsam am Fluss.

„Iseulte, ich kann es dir nicht versprechen, aber ich versuche zurückzukommen, wenn ich in Santiago war."

Jetzt, als ihr die Nacktheit des Landes, das sie eben durchstreicht, bewusst wird, erinnert sie sich dieser Worte. Sie erinnert sich des regen Treibens, das sie begrüßte bei ihrer Ankunft in der aufblühenden Stadt, der gemeinsamen Stunden mit Iseulte, Nouel und den Kindern in der Abendsonne am sauberen und wohlriechenden Fluss. Die Stille der Nacht und dann in den frühen Morgenstunden die anklingende Geschäftigkeit, die alle aus ihrem Schlaf riss, wie auch sie selbst.

Es lag etwas Wehmut in den Worten, mit denen sie sich mit Flore und Julien an den Händen von ihren neuen Bekannten verabschiedete und sie wird heftiger beim Blick in die Leere, die vor ihr liegt. Sie bleibt stehen, kniet sich zu Flore und Julien herab, umarmt sie und denkt für einen Augenblick daran zurückzugehen, dem Ungewissen, das vor ihr liegt, zu entsagen, um es zu tauschen gegen etwas, was ihr bereits vertraut geworden ist. Die Stadt, in der sie nur wenige Stunden verbracht, die ihr aber ein Gefühl von Sicherheit gegeben hat. Iseulte, die die starke Rötung an Juliens Nacken, die sie selbst gar nicht bemerkt hatte, mit Olivenöl einrieb. Ein wenig Geborgenheit, mehr wollte sie nicht und doch drängt es sie aufzustehen und weiterzugehen, Richtung Westen, ans Grab des heiligen Jakobus. Sie steht auf und schiebt mit ihren Armen Flore und Julien an. Sie folgt den beiden, sieht auf das Tuch, das sie um Juliens Hals gebunden hat, um ihn vor der Sonne zu schützen, und lässt das Gestern hinter sich.

Der Tag bringt wenig Abwechslung. Das sich kaum verändernde Bild der Landschaft und die sich ständig wiederholenden Fragen von Julien und Flore nach dem Grund ihrer Reise und danach, warum sie nicht in Carrión geblieben sind. Adeline unterhält sie mit einer Geschichte.

„Als dein Großvater, Flore, ein junger Mann war, liebte er nichts sehnlicher als das Lächeln eines Mädchens, das nur unweit vom Hofe seiner Eltern entfernt lebte. Jenes Lächeln spendete ihm Wärme an den kalten Tagen des Winters und es wurde ihm vertrauter. Er wollte das Mädchen ständig um sich haben und sich an seinem Lächeln wärmen. Doch das

Mädchen beschenkte auch andere Menschen mit seinem Frohsinn und so vermochte sein Lächeln ihn nicht mehr, so wie er es wollte, zu wärmen. Es war seine Gier, das Strahlen des Mädchens für sich alleine zu haben, es nicht mit den anderen zu teilen. Er beschloss, um die Hand des Mädchens anzuhalten. Nach der Hochzeit untersagte er ihm den Umgang mit den anderen Menschen und ihnen ein Lächeln zu schenken. Es kam Kälte in sein Gemüt und das Mädchen vermochte es nicht mehr zu wärmen. Was er zuvor liebte, verwandelte sich nun in Missgunst. Er verachtete die Blicke des Mädchens anderen gegenüber. Dem Mädchen blieb dies nicht verborgen. Es wurde traurig und das Lächeln verschwand aus seinem Gesicht. Auch die Menschen um es herum, die es von nun an nicht mehr mit seinem Lächeln wärmen konnte, wurden traurig. Ein Schatten legte sich über das Dorf und jeder Winter hinterließ schmerzliche Spuren, bis hin zu seinem Hof, den er nun bewirtschaftete, übergeben von seinen Eltern an ihn. Seine Eltern, die alt geworden waren in den Tagen des Winters, deren Körper dünn geworden waren im langen Schatten, der sich über ihnen ausgebreitet hat. Er sah den Tod in sein Haus kommen und da wurde es ihm klar. Was bedeutet Freude, wenn man sie nicht teilen kann, wenn um einen herum alles verwelkt? Freude lebt durch Teilen und sie vergeht, wenn man sie zu fangen versucht. Freude lässt sich nicht halten, ohne etwas dafür zu tun, und anderen die Freunde zu nehmen, um sie selbst zu besitzen. Welch Irrtum! Nicht jeder vermag es, andere mit einem Lächeln zu verzaubern, aber es jemandem, der dies vermag, anderen gegenüber zu untersagen, um es für sich alleine zu beanspruchen ... Wer das tut, der hat sein Leben bereits verwirkt, so wie dein Großvater in jenen Tagen und als er das begriffen hatte, verzog sich allmählich der Schatten aus dem Dorf und die Winter wurden wieder erträglicher.

Das Mädchen, seine Frau, deine Großmutter, bekam sein Lächeln zurück. Dein Großvater freute sich wieder der Tage, wie auch die übrigen Bewohner des Dorfes. Auch die Kräfte seines Vaters erholten sich durch das Lächeln seiner Schwiegertochter, nur der Zustand seiner Mutter besserte sich nicht, ihr Körper war zu sehr geschwächt von den harten Wintern, die ihr Leben zuletzt durchzogen hatten. Vielleicht war es auch der Preis, den er zahlen musste, um seiner Verblendung Herr zu werden.

Ich erinnere mich noch an deine Großeltern. Es war deine Großmutter, die mir diese Geschichte erzählte, und immer wenn ich sie sah, hatte sie ein Lächeln auf den Lippen, nie hatte sie versucht, es vor mir zu verbergen." Julien hat die Erzählung ein wenig traurig gemacht und er beneidet Flore um diese Geschichte, die ihre Familie betrifft. Adeline streicht ihm übers Haar.

„Julien, auch du bist ein Teil unserer Familie. Zu jener Zeit waren weder du noch Flore auf der Welt. Diese Geschichte gehört zu unserer Familie, so wie ich, Flore und auch du, Julien." Die nachträglichen Worte von Adeline gefallen ihm besser und er spürt den Herzschlag durch Adelines Brust, an die er jetzt seine Wange presst, und auch den Herzschlag von Flore, die sich an seinen Rücken schmiegt.

Der Weg findet kein Ende in dieser Monotonie der Landschaft, die sie an diesem Tag schon seit den Morgenstunden begleitet. Nach dem Stand der Sonne zu urteilen, ist es Mittag. Ungehindert von jeglichen Wolken, die Adeline am Himmel zu finden sucht, scheint sie unaufhaltsam auf die drei herab. Kein Baum, der bereit ist, ihnen Schatten zu spenden, kein Fels säumt ihren Weg und kein Strauch hat genügend Blätter, um ihnen ein wenig Schutz vor der sengenden Sonne zu bieten. Staub umschließt die nackten Füße von Julien und Flore und auch das Leder, das Adelines Füße verhüllt. Ab und zu ist es Schweiß, der in Tropfenform auf einen der bloßen Füße fällt und ein kleines Muster zeichnet. Und wieder ist es Staub, der es zum Verschwinden bringt. Der Zufall hat viele Kilometer Zeit, das Schauspiel zu wiederholen und es neu zu formen. Mit einem Mal wird die braune Landschaft grün. Weizenfelder weisen sie des Weges. Halbhoch gewachsen, die Ähren haben sich bereits gebildet. Bäume wachsen aus der Erde und unter den Blättern verbergen sich noch unreife Früchte. Eine im hohen Bogen gespannte Steinbrücke geleitet sie über den sanft dahinplätschernden Fluss unter ihnen und die Erhöhung in der Mitte der Brücke gibt ihnen die Sicht auf eine Stadt frei. Es ist Sahagún und laut den Hinweisen aus Carrión de los Condes liegt Mansilla, die nächste Stadt vor León, noch mehr als einen halben Tagesmarsch entfernt. Zu weit für den heutigen sich bereits dem Abend nähernden Tag. Die Sonne hat den Bogen bereits überspannt und wird in wenigen Stunden als Feuerball am Horizont verschwinden. Auch wenn Adeline noch weitergehen möchte, entschließt sie sich doch, mit Blick auf ihre kleinen Begleiter, eine Bleibe für die kommende Nacht in der vor ihr liegenden Stadt zu suchen. Die Gegend um Sahagún ist fruchtbar. Eingekesselt zwischen zwei Flüssen weiß sie das Leben bringende Wasser gekonnt zu nutzen. Und wieder geleiten sie halb hochgezogene Mauern, umrahmt von Holzgerüsten und vielen Menschen auf und unter ihnen, in eine pulsierende Stadt.

Adeline steht als Fremde mit Flore und Julien neben sich vor dem Brunnen eines großen Platzes. Niemand nimmt Notiz von ihnen. Zu vielfältig ist das Gemisch, aus dem sich die Bewohner Sahagúns bilden, zu beschäftigt wirken ihre Schritte. Wie stark hat sich das Bild des Weges seit Anbeginn ihrer Reise doch gewandelt. War die Gegend fruchtbar und gebirgig, das Wetter nass und kalt, die Menschen wild und derb, so hat sich im Laufe der Tage alles ins Gegenteil gewandt, auch die Momente der Freude, die sie durch Jan, Joie und Marlon erleben durfte, haben sich in Trauer gekehrt. So wie dies alles in ihr Leben getreten ist, so ist es auch gegangen. Zurückgeblieben sind Adeline, Flore und Julien, drei Geschwister aus La Romieu, die ans Grab des heiligen Jakobus pilgern, und dennoch haben ihnen diese Tage mehr vom Leben gezeigt als alle Tage zuvor.

19
Weisheit

Ich erreiche gemeinsam mit Sherri und Kristi unser für heute angestrebtes Ziel, Carrión de los Condes. Es ist eine alte Stadt, benannt nach dem Fluss, der sie durchfließt, und Zeitzeuge einer lebhaften Vergangenheit. Es ist aber nur wenig geblieben vom einstigen Zentrum der Tierra de Campos, dessen Einwohnerzahl sich von Jahr zu Jahr verringert. Noch Anfang der Sechzigerjahre zählte Carrión de los Condes, heute in der Provinz Palencia liegend, 3500 Einwohner. Nun sind es nur noch knapp über 2000. Im Mittelalter herrschte hier reges Treiben, Carrión de los Condes war reich und schwelgte im Überfluss. Viele Kirchen und Klöster geben Zeugnis dieser Zeit und so manche Mauerreste zeichnen das Ausmaß einer blühenden Vergangenheit.

Unsere Unterkunft liegt inmitten der Ansiedlung. Renata, die Wirtin von gestern, war so freundlich und hat die Betten für uns reserviert. Der Platz vor der Albergue wird jetzt mit Beginn der Siesta von den Marktständen freigemacht und gibt uns nun nach zweimaligem Vorbeigehen am Gebäude die Sicht auf die gesuchte Unterkunft frei. Einem kleinen Zeitfenster, einige Minuten zuvor, als wir die alte Stadt betreten haben, ist es zu verdanken, dass jetzt Steve unter uns weilt. Er stand vor einer Bar und unterhielt sich mit einem Pilgerpärchen. Ein Glas Bier in der Hand und fröhlich, als hätte er auf uns gewartet. Seinen Rucksack über den Schultern und auf der Suche nach einer Bleibe für die Nacht. Nun, wir werden es bald wissen, ob die Reservierung auch noch Platz für unseren Freund bietet. Sie tut es und unsere

Familie ist heute komplett, sobald auch Chris und Gina eingetroffen sind.

Sherri, Kristi und ich freuen uns schon den ganzen Tag auf ein Glas Shandy – eisgekühlt. Ich habe davon gesprochen, dass wir in Österreich an heißen Tagen gerne einen Radler trinken. Es handelt sich dabei um ein Mischgetränk aus Bier und Limonade, hatte ich ihnen erklärt. Kristi kennt das Getränk.

„Wir trinken das auch. Es heißt bei uns Shandy."

„Oh ja, das kenne ich", sagte Sherri und sie meinte, es hier auch schon gesehen zu haben. Wir beschlossen also, gleich nach der Ankunft in Carrión eine Flasche Shandy zu trinken. Wir stehen jetzt in einer Bar mit Selbstbedienung und suchen die Kühlvitrinen nach Flaschen mit der Aufschrift „Shandy" ab. Nichts zu sehen. Sherri fragt die Bedienung hinter dem Tresen.

„Habt ihr Shandy?" Die Angestellte verneint es, bestätigt Sherri aber, dass dieses Getränk aus Bier und Limonade auch in Spanien Shandy heißt und dass es doch auch manche Lokale, vorwiegend aber Supermärkte führen.

„Lasst mich das machen", sage ich und kaufe zwei Dosen Bier und eine Dose Zitronenlimonade. Ich lasse mir noch drei Gläser geben und wir setzen uns an einen der freien Tische neben der Straße vor der Bar.

„Ich habe es gerne mit etwas mehr Bier, zwei Drittel Bier und ein Drittel Limo", betone ich und mache unsere Gläser nach diesem Motto voll. Wir stoßen an und leeren sie beinahe in einem Zug.

„Das schmeckt wirklich herrlich", sagt Kristi und lässt dabei ein bisschen den Gaumen schnalzen. Auch Sherri schmeckt es und ich schenke sofort nach. Steve ist in der Albergue geblieben. Wäsche waschen, wie er gesagt hat. Wir aber sitzen vor der Bar, trinken Shandy und genießen die Sonne.

Ich komme gerade mit Nachschub aus der Bar, als Franziska an unserem Tisch steht, sichtlich erfreut, mich zu sehen. Die englische Sprache ist nicht die ihre und ich sehe, wie sie auflebt, jemanden zu sehen, der ihre Sprache beherrscht. Sie erzählt mir, dass sie nach wie vor mit Carola, Daniel, Martin und den beiden jungen Mädchen zusammen ist. Sie betont dabei aber, dass es nicht mehr so harmonisch ist, seit Sandra und Marion zu ihnen gestoßen sind. „Der Altersunterschied", sagt sie. „Ich finde, er ist doch zu groß." Ich kann ihrer Meinung nicht widersprechen und nicke nur. Ich übersetze auch laufend für Sherri und Kristi und auch umgekehrt für Franziska. Jetzt kommen auch Cock und Hector an unserem Tisch vorbei, unsere neue Bekanntschaft von heute. Franziska verabschiedet sich.

„Nina und Shuran sind in der Unterkunft und machen Wäsche", sagt Hector.

„Eure auch?", will Kristi wissen. Sie lächelt dabei und Hector meint, das würde er schon selbst machen.

„Ein T-Shirt", sagt Cock. „Nina wäscht für mich ein T-Shirt." Er sagt es etwas verlegen und Kristi versichert ihm, es nicht so gemeint zu haben.

Die Zeit vergeht schnell und nach der dritten Runde selbst zubereiteten Shandys kehren wir zurück in die Unterkunft. Chris und Gina sind mittlerweile auch schon angekommen. Wir sind alle sechs gemeinsam in einem geschlossenen Trakt mit eigenem Badezimmer untergebracht, wirklich sehr schön und wir zahlen nicht mehr als neun Euro pro Person.

Erneut ein Abend, der die Schwüle des Tages vermissen lässt. Es kühlt in den Nächten doch ordentlich ab. Wir befinden uns immerhin auf 800 Höhenmetern. Es ist doch anders als in der Nähe von Meeresstränden um diese Jahreszeit. Ich finde aber, die Temperatur ist heute Abend angenehmer als die Tage davor. Es lässt sich ganz gut mit T-Shirt aushalten. Ich lerne Jérôme aus Rio de Janeiro und Melissa aus New York kennen. Beide sind erst wenige Tage am Camino. Sie sind in Burgos aufgesprungen und haben sich auch dort kennengelernt. Nicht ich bin es, der das Gespräch sucht, es sind vielmehr Sherri und Kristi und immer, wenn ich mit ihnen zusammen bin, speziell in solchen Sammelbecken von Pilgern wie hier in Carrión de los Condes, mache ich neue Bekanntschaften. Ich denke, es erübrigt sich zu sagen, nette Bekanntschaften, denn griesgrämige Menschen sind mir auf meiner Reise noch nicht begegnet.

Nach dem Abendessen, natürlich einem Pilgermenü, kaufe ich in einem nahe gelegenen Supermarkt noch Vorräte für die nächsten Tage. Haltbare Lebensmittel wie Trockenwurst, Konserven und dergleichen für unterwegs. Toilettenartikel benötige ich keine. Ich denke, hierbei dürfte sich meine von zu Hause aus getroffene Planung als richtig erweisen. Lediglich die Rasiercreme musste erneuert werden. Die mitgebrachte Tube ist mir im Rucksack aufgeplatzt und ich musste sie entsorgen. Sie hatte eine mächtige Sauerei in meiner Toilettentasche hinterlassen. Ich hatte mich danach ein paar Mal mit Seife rasiert. Es war alles andere als erfolgreich und ich kaufte mir dann bei unserem langen Mittagsstopp in Viana ein Rasiergel, geschützt durch eine kleine Aludose und nur auf Knopfdruck bereit, daraus hervorzutreten.

Ich verbringe noch schöne Momente am Fluss mit meiner Camino-Familie sowie mit Jérôme und Melissa, die sich uns angeschlossen haben, und Ashley, der 19-jährigen Kanadierin, die auch bereits seit Saint-Jean-Pied-de-Port mit von der

Partie ist und regelmäßig meine und die Wege meiner Familie kreuzt. Ein breiter grüner Streifen, der sich zwischen Fluss und Mauer ausdehnt, lädt uns ein, Platz zu nehmen. Ashley berichtet uns davon, was John heute zugestoßen ist.

„Der Verschluss seiner Kamera hat sich verhakt und ein Teil davon ist abgebrochen. Er konnte kein Objektiv mehr daraufschrauben. Die Kamera war nutzlos und er war am Boden zerstört. Simon und ich waren bei ihm, als es passiert ist. Wir haben dann hier in der Stadt versucht, ein Geschäft zu finden. Haben wir auch mithilfe der Einheimischen. Aber wer hat schon ein Verschlussteil für eine Nikon-Kamera lagernd? Heute ist Donnerstag und wenn der, ich muss schon sagen überaus freundliche, Mann im Laden, dieses Teil bestellt, bekommt er es frühestens am Montag geliefert. Ihr müsst mir glauben, John war fertig und auch wir, denn wir wollten uns nicht von John trennen und mit ihm auf die Bestellung warten konnten wir auch nicht."

„Der Arme", sagt Sherri und auch Kristi bekundet ihr Mitgefühl, wie jetzt auch die anderen.

„Wer ist John?", fragt Jérôme.

„Ein junger Amerikaner aus Minneapolis", sagt Ashley. „Auch schon seit Anfang an dabei."

„Ist er nicht in Pamplona gestartet?", berichtigt sie Kristi.

„Ja, richtig, auch Simon und seine Mutter haben den Camino dort begonnen. Wir sind uns kurz danach über den Weg gelaufen und gehen nun gemeinsam."

Ist schon eigenartig, denke ich mir, wie die Menschen hier zusammenfinden. Es macht auch nicht halt vor den unterschiedlichsten Charakteren. Ashley ist zierlich, schlank und mit ihren 19 Jahren eher verträumt. John ist der verschlossene Mensch, der alles auf dem Camino mit seiner Kamera einfängt, mittelgroß, 23 Jahre alt und ebenfalls schlank und Simon ist der derbe Typ, groß, kräftig gebaut und mit seinen

21 Jahren nicht besonders scharf darauf, die Tücken des Camino zu ergründen. Ich habe John einmal beobachtet, als wir ein Stück des Weges gemeinsam gegangen sind. Es sind nicht nur die großen Motive, die er sucht, er zieht mit dem Zoom seiner Kamera Blütenblätter heran, so nah, dass er den Nektar, den sich gerade eine Biene aus dem Körper der Blume holt, ablichten kann. Dann bleibt er plötzlich ohne ersichtlichen Grund stehen, kniet sich nieder und knipst einen Käfer, der vor sich hin krabbelt, von allen Seiten ab. Ich habe ihn ein wenig bewundert für sein Gespür dem Kleinen gegenüber, das so gar nicht für seinen Begleiter Simon spricht, und trotzdem verstehen sie sich von Tag zu Tag besser, auch mit Ashley. Ich bin wieder bei Ashley, als sie zum Punkt ihrer Ausführung kommt.

„Das muss man sich vorstellen", bekräftigt sie das Gesagte nochmals. „Der Mann ruft seinen Freund in Mansilla an und der hat zufällig die gleiche Nikon-Kamera wie John. Er fährt ihn auch noch mit seinem Wagen dorthin. Sein Freund erwartet sie bereits, er hat ebenfalls einen kleinen Fotoladen, baut das Teil von seiner Kamera aus und in Johns Kamera ein und das nur zum Preis des bestellten Teils. John wollte ihm noch etwas für den Umbau bezahlen. Der Mann aber winkte ab. ‚Geh den Weg zu Ende bis Santiago und erinnere dich meiner, wenn du angekommen bist.' Ihr könnt euch nicht vorstellen, wie glücklich John ist." Auch Ashley strahlt nach diesen Worten.

Chris sagt: „Wenn du so etwas findest, dann sicher nur am Camino." Er ergänzt es noch mit einem „Davon bin ich überzeugt".

„Das glaub ich nicht", sagt Jérôme mehr als erstaunt.

„Du wirst es, wenn du lange genug am Camino gegangen bist. Glaub mir, es wird sich so manches in deiner Einstellung ändern, wenn nicht dein ganzes Leben." Wahre Worte von Sherri, wie ich finde, und dieses Ereignis bringt mir einmal mehr die Klarheit, ich würde fast schon sagen es ist Magie, die der Camino Francés verstreut.

„Ich unterstreiche das voll und ganz", sagt Steve, ohne es näher zu erläutern. Kristi und ich nicken ihm zu. Seine Augen füllen sich mit Wasser und noch bevor es über seine Lider läuft, erhebt er sich und dreht den Kopf in Richtung des Flusses. Sherri schaut ihm etwas verwundert nach.

„Lass gut sein", sagt Kristi leise und dreht Sherris Kopf mit ihrer Hand zu uns in die Runde. Chris spricht etwas ganz Banales an und es fällt ihm sichtlich nicht leicht, darüber zu sprechen. Ich habe es an seinen Gesten gemerkt, seinen Zügen im Gesicht, dem Mund, der mehrfach ansetzt, Worte zu formen, und sie dann wieder verliert.

„Ich bin in meiner Vorbereitung auf den Jakobsweg, bei den zahlreichen Lektüren und Informationen, die ich sammelte, stets bei den Schlafbedingungen aufmerksam geworden. Schlafsäle für 20, 40 Personen und mehr. Die sanitären Einrichtungen, die nicht selten lediglich zwei Toiletten und zwei Duschen für diese Anzahl von Pilgern vorsehen."

„Viel mehr ist es auch nicht geworden", fügt Gina hinzu.

„Du hast recht", und Chris sieht uns dabei an.

„Hat jemand von euch mal länger warten müssen, wenn er morgens die Toiletten aufsuchen wollte, oder abends die Duschen?" Wir überlegen kurz und jeder schüttelt schließlich den Kopf, um es zu verneinen.

„Aber gerade das hat mir am meisten Angst bereitet, bevor ich die Reise antrat. In der Früh aufzuwachen, den Drang zu verspüren, der dich zu den Toiletten zwingt, um dann vor verschlossenen Türen zu stehen. Schlimmer noch: zappelnd und sich krümmend, ständig in der Angst, es könnte zu spät sein, sich in der Reihe nach vorne zu schieben. Nichts dergleichen. Ab und an mal, dass das Örtchen besetzt war. Es wurde aber schnell wieder frei und ich war der Nächste. Auch das ist etwas, denke ich, was der Camino zu regeln versteht, eine so kleine und vielleicht unbedeutende Sache."

Ich hatte bereits versucht, eine Erklärung dafür zu finden, da auch mich dieses Thema zu Beginn beschäftigt hatte. „Ich denke, es liegt an der Bewegung. Die vielen Kilometer, die jeder von uns Tag für Tag herunterspult. Die zugeführte Nahrung wird besser verdaut und kommt somit auch schneller wieder zum Vorschein. Ich finde, auch der üble Geruch fehlt."

„Ja, Reinhard hat recht, es stinkt nicht auf der Toilette nicht nach all den Pilgern, die vor dir gegangen sind." Kristis Anmerkung erheitert die Runde.

„Noch etwas, es war in Castrojeriz", sagt Chris. Er neigt sich dabei zu Gina. „Willst du es erzählen?" Gina schnauft geräuschvoll durch.

„Castrojeriz." Sie sagt es etwas abgesetzt zum Folgenden.

„Das Haus von Mia und Mau. Wir haben beim Abendessen darüber gesprochen. Ihr könnt euch sicher noch daran erinnern. Ihr wart mit Sherri dort." Sie blickt dabei zu Kristi und mir.

„Ja, wunderschön", sagt Kristi und ich stimme ihr wortlos zu.

„Chris und ich waren bereits am Nachmittag dort, auch mit Sherri. Erinnerst du dich? Du wolltest unbedingt die andere Straße nehmen, aber uns zwei hat es einfach in diese Richtung gezogen."

„Ich weiß", sagt Sherri, „ihr habt nicht lockergelassen und dann sind wir vor einem Gebäude gestanden, dessen Tür offen stand. Chris und Gina sind einfach hineingegangen. Ich wollte sie noch zurückhalten. ‚Ihr könnt doch nicht einfach ein fremdes Haus betreten', habe ich gesagt und da

239

waren sie auch schon drinnen." Sherri fasst dabei auf Chris'
Schulter, der neben ihr sitzt. Gina erzählt weiter.

„Es hat mich einfach hineingezogen, wie auch Chris. Wir
haben später darüber gesprochen. Du hast dich anfangs
nicht getraut, hast du gesagt, oder, Chris?"

„Ja, als du dann hineingegangen warst, bin ich dir aber
gefolgt. Ich weiß noch, wie Sherri gerufen hat: ‚Seid ihr
verrückt?'"

„Es war die Musik", betont Gina. „Es lag etwas Spirituelles darin, ich meinte, sie schon mal gehört zu haben, konnte
sie aber nicht wirklich einordnen. Um mehr davon zu hören,
bin ich hineingegangen. Chris ist mir nachgekommen und
Sherri hat lautstark und flüsternd zugleich versucht, mich
davon abzuhalten, wie sie gesagt hat. Sie hat leise gerufen.
Das müsst ihr euch vorstellen."

Gina beginnt, ein wenig zu kichern, und auch die übrigen
im Kreis erheitert es. „Sie wollte nicht, dass sie jemand im
Haus hört. Ich habe sie auch nicht gehört. Vom Klang der
Musik umgeben, ging ich durch die offenen Räume, mit
Chris an meiner Seite. Ich denke, Sherri hat weiterhin vor
der Eingangstür leise gerufen." Alle wenden nun ihren Blick
ab von Gina und hin zu Sherri. Sie beginnen zu lachen, auch
Sherri.

„Also, wir kamen an die Rückseite des Hauses. Eine
offene Türe ließ uns in den Garten blicken. Plötzlich zucke
ich zusammen, ich trete instinktiv einen Schritt zurück,
stoße an Chris, der immer noch den Weg nach vorne sucht,
stolpere beinahe über sein Bein und vernehme dabei ein
‚Hola' und noch ein ‚Buen Camino' vom Außenbereich. Ich
war wirklich erschrocken", sagt Gina und fächelt mit den
Händen vor ihrem Gesicht, während sie Luft aus ihren
Lungen bläst. Die erheiterten Gesichter in der Runde haben
sich in dem entscheidenden Augenblick aus Ginas Erzäh-

lung verdunkelt, beginnen sich aber bereits wieder im Gleichklang mit Ginas Atemübungen zu erhellen.

„Ein Mann und eine Frau saßen auf einer niedrigen Steinmauer, sie haben uns freundlich begrüßt, als würden sie uns erwartet haben. Ich trat in den Garten, Chris neben mir, und wir sagten gemeinsam ‚Hola‘. Im ersten Anschein saß dort ein alter Mann mit einer jüngeren Frau. Blicke können täuschen. Der Mann heißt Mau und war vor ein paar Wochen 46 geworden, wie uns Mia, die Frau neben ihm, erzählt hat.“ Gina spricht noch ein wenig von Mia und Mau, darüber, dass sie sich auf dem Camino kennen und lieben gelernt haben und anschließend hierher gezogen sind und dass ihr Anwesen allen Pilgern offensteht und das Bedenken von Sherri wurde somit ausgeräumt. Gina kommt jetzt zum Wesentlichen.

„Sherri war mittlerweile auch zu uns gestoßen. Ich bin dann aber mit Chris noch ein wenig im Garten herumgegangen. Ein altes verwildertes Stück Land, zwischen Haus und der angrenzenden Felswand. Stufen führen in das Innere des Felsens.“ Gina blickt jetzt zu Chris und erzählt nach einer kurzen Unterbrechung weiter.

„Wir sind runtergegangen. Mit jeder Stufe wurde es kühler, auch dunkler. Es war aber immer noch genügend Licht vorhanden, um die vielen Öffnungen in den Mauern zu erkennen, Gänge, die vermutlich tief ins Innere führen. Wir sind nicht weitergegangen, nicht hinein in einen dieser Stollen. Wir standen dort, vielleicht zwei oder drei Minuten und sind dann wieder hochgegangen, wo Sherri mit finsterer Miene auf uns gewartet hat. ‚Wo wart ihr so lange? Ich habe mir Sorgen gemacht. Ich war mir nicht sicher, ob ihr schon gegangen seid. Mia hat gemeint, ihr seid im Garten.‘ Ich sagte zu Sherri, dass wir für einen Augenblick unten in dem Raum im Felsen waren. Sherri war noch völlig aufgebracht:

‚Ich suche euch sicher schon 20 Minuten. Ich war abwechselnd im Haus und im Freien. Ich habe sogar zweimal in das Loch dort gerufen.' ‚Das kann nicht sein', sagte Chris. ‚Wir haben nichts gehört und du müsstest uns doch gesehen haben.' ‚Das Loch war finster', sagte Sherri, ‚darum habe ich auch gerufen.' Ich sagte scherzhaft: ‚Wieder so leise, dass dich ja keiner hört?' Das hätte ich besser lassen sollen, jetzt war sie sauer. Chris sagte: ‚Wir hätten dich doch sehen müssen, wenn du da oben stehst, und wir waren sicher nicht länger als zwei oder drei Minuten dort unten.' Ich bestätigte das. ‚Ihr wollt mich wohl verarschen', sagte Sherri und verließ das Anwesen. Chris und ich verabschiedeten uns dann auch von Mia und Mau und spazierten noch ein wenig durch die Stadt. Chris, du hast es als Erster gesagt." Gina lässt Chris weitersprechen.

„Es war eigenartig, mir erschien, als hätte sich der Raum zweimal verdunkelt, kurz hintereinander, wir waren ja wirklich nicht länger als drei Minuten dort unten. Ich habe dabei jedes Mal nach oben geblickt, ich hatte das Gefühl, als hätte sich jemand davor gestellt. Nichts war zu sehen, nur der blaue Himmel. Ich habe es bei unserem anschließenden Spaziergang Gina gegenüber erwähnt und sie sagte zu mir, sie hat das genauso erlebt. Wir können uns das nicht erklären und Sherri beharrt darauf, zu uns heruntergerufen zu haben, und zwar mehrmals. Sie ist auch länger über der Öffnung gestanden, damit sich ihre Augen an das Dunkel darunter gewöhnen konnten."

„Etwas mystisch", sagt Melissa.

Kristi meint: „Ich denke, jeder von uns kann eine ähnliche Geschichte erzählen. Wir haben uns gestern über die Umstände unterhalten, wie eigenartig es doch ist, wie die Menschen hier einander finden. Ob es der Camino ist, der die Leute zusammenführt? Reinhard hat zum Beispiel die

These aufgeworfen, dass wir vielleicht in einem früheren Leben diesen Weg schon einmal gegangen sind, oder unsere Vorfahren. Aber auch die vielen Pilger, die über die Jahrhunderte ihre Spuren entlang des Camino hinterlassen haben, mitunter auch ihr Leben. Sind es ihre Seelen, die uns begleiten?"

Während die Gemüter von Melissa und Jérôme weiterhin Heiterkeit ausstrahlen, wirkt der Ausdruck in den übrigen Gesichtern nachdenklich. Ich merke, wie Steve, der wieder inmitten unserer Runde sitzt, etwas sagen will. Er behält die Gedanken aber für sich und es bleibt ein langer Augenblick des Nachdenkens, den erst Ashley unterbricht.

„Ihr kennt doch Sylvie?" Ashley wartet kurz und legt nach. „Eine Landsmännin von mir, sie war öfters auch mit Rod zusammen." Alle können sich an sie erinnern.

„Wie du so schön gesagt hast, Kristi, dass der Camino die Leute zusammenführt. Sylvie ist Vegetarierin, sie isst manchmal Fisch, aber kein Fleisch. Ich hab sie gestern getroffen. Sie geht gemeinsam mit einer Frau aus Südafrika. Das Komische dabei ist", sie fängt zu lachen an und unterbricht kurz, „sie isst kein Gemüse. Das müsst ihr euch mal vorstellen. Sylvie mag kein Fleisch und ihre Begleiterin mag kein Gemüse." Allgemeiner Heiterkeitsausbruch.

„Das gibt es nicht", sagt Sherri mit nassen Augen vor lauter Lachen.

„Wenn ich es euch sage. Es ist kein Scherz." Ashleys Gesichtszüge unterstreichen den Wahrheitsgehalt mit einem ernsten Ausdruck.

„Seht ihr, das ist der Camino", sagt Kristi und richtet sich damit an Melissa und Jérôme, die beide herzhaft weiterlachen. Kristi dreht sich zu mir.

„Reinhard, die zwei sind das ideale Gespann für dich. Die eine isst kein Fleisch, die andere kein Gemüse und du isst keine Milchprodukte." Die letzten Worte hat sie vor Lachen förmlich herausgebrüllt und sie steckt auch alle anderen damit an, auch mich und ich versuche dabei, es Melissa und Jérôme zu erklären.

Es ist mittlerweile spät und Zeit für unsere Unterkünfte geworden. Ashley hat im Gespräch erfahren, dass sie mit Melissa und Jérôme in derselben Albergue untergekommen ist. Einen Teil des ohnehin kurzen Weges gehen wir noch zusammen. Kristi lädt mich dann ein, mit ihr gemeinsam die Zähne zu putzen. Sie macht das zu Hause immer mit ihrem Mann, sagt sie. Sie bürstet sich dabei ebenfalls wie ich über den hinteren Teil der Zunge. Mundgeruch entsteht nicht zwischen den Zähnen, sondern am Gaumen und speziell auf den zahlreichen Bläschen der Zunge. Während sich der vordere Teil der Zunge ständig mit dem Gaumen reibt, rührt sich im hinteren Teil wenig und da entsteht dann meist der unangenehme Geruch. Die Tür nach draußen ist offen und ich höre, wie Sherri sagt: „Etwas verrückt seid ihre beide schon, wie kleine Kinder."

20
Selbstachtung

Wie so oft läuft mir die Zeit davon in den frühen Morgenstunden. Während meine Bettnachbarn Steve und Chris schon abmarschbereit sind, versuche ich noch, mein Hab und Gut nach seiner nun schon angestammten Ordnung in meinem Trekkingrucksack zu verstauen. Ich habe es mir zur Gewohnheit gemacht, wenn die Umstände es erlauben, so wie in diesem Dreibettzimmer mit einem großzügig ausgelegten Schrank, meine Kleidungsstücke, es sind ja nicht viele, neu zu falten und für die Nacht in die Schrankfächer zu legen. Das Hemd und die Jacke spanne ich über Kleiderbügel, sofern welche vorhanden sind. Steve und Chris brechen auf, auch Gina ist mit dabei.

„Wir treffen uns im Café", höre ich Chris sagen und sehe durch die geöffneten Türen, dass auch Kristi noch beim Packen ist und Sherri gerade das Badezimmer verlässt. Nach mehrmaligem Blick in den Kasten, unter die Betten und in das Badezimmer, es ist ja nur das Nötigste, was man mit sich trägt, und wenn man da etwas vergisst, schmerzt es umso mehr, verlasse ich gemeinsam mit Sherri und Kristi die Albergue.

Es sind inzwischen doch mehr als 20 Minuten vergangen und als wir im Café ankommen, machen sich die anderen drei bereits wieder fertig für die heutige Etappe, die uns bis Ledigos führen soll. Sherri und Kristi lassen es sich aber nicht nehmen, ausgiebig zu frühstücken. Ich bleibe bei ihnen, trinke zwei Tassen Tee, esse ein überdimensioniertes Croissant mit einer Fruchtfülle und kaufe mir für den Tag noch ein großes Baguette, von dem ich auch bereit bin, etwas abzugeben.

Es ist üblich, die Wasserflaschen an den öffentlichen Brunnen zu füllen und nicht in den Unterkünften. Man kann das Wasser hier wirklich bedenkenlos trinken, sollte aber schon darauf achten, dass der Brunnen auch als Trinkwasserbrunnen ausgewiesen ist.

Wir verlassen Carrión de los Condes auf der gegenüberliegenden Seite, von der wir in die Stadt gekommen sind, über eine mittelalterliche steinerne Brücke. Zwei Straßenbiegungen danach finden wir uns auf einer langen, geraden Schotterpiste wieder. Es ist sonnig, aber der Wind bläst uns heute unangenehm entgegen. Dennoch machen wir anfangs ordentlich Tempo. Mir ist die schnelle Gangart von Kristi, wenn es darauf ankommt, vertraut. Mich überrascht aber der Elan, den Sherri heute an den Tag legt. Es dauert nicht lange und wir überholen die ersten Pilger. Der Weg ist kerzengerade, über viele Kilometer einsehbar und verschwindet zu einem Keil geformt am weiten Horizont. Unaufhörlich wirbelt der Wind den Staub der Straße hoch und lässt ihn für ihre Benutzer sichtbar durch die Luft ziehen.

Wir schließen zu drei Pilgern auf. Unter ihnen ein großer junger Mann aus den Staaten. Er hat es Kristi, aber vor allem Sherri angetan. Seine Schuhe hat er mit einem Klebeband umwickelt. Sie beginnen sich vorne bereits aufzulösen und er versucht, die gänzliche Zerstörung durch das Tape zu verhindern. Der Mann trägt auch nur einen kleinen Rucksack am Rücken, bestimmt nicht größer als 15 Liter. Kein Platz für Klamotten, lediglich für Toilettensachen und sonstiges Kleinzeug.

Er brauche keine Kleidung zum Wechseln, sagt er. Wenn es schön ist, wäscht er einen Teil. Schuhe wird er sich aber welche kaufen müssen. Sherri ist sichtbar fasziniert von dem Burschen und seiner unkonventionellen Haltung. Kristi unterhält sich mit den beiden anderen Pilgern, die mit ihm laufen. Es handelt sich dabei um konventionelle Pilger, wenn man einen Vergleich anstellen will. Mit großem Rucksack, ordentlichem Schuhwerk, wie wir eben.

Ich lausche den Gesprächen ein wenig und werde dem bald müßig, da sich auch das straffe Tempo von zu Beginn jetzt bereits nach nur zweieinhalb Kilometern merklich eindämmt. Unbemerkt von Sherri und Kristi, befinde ich mich jetzt wieder alleine am Weg. Manchmal gilt es, einen Pilger zu überholen. Man begrüßt sich mit „Buen Camino", spricht vielleicht noch ein paar Worte, aber die Begegnungen halten sich wie schon in den Tagen zuvor in Grenzen. Es ist angenehm zu gehen. Der Wind ist nicht so stark, um einen zu behindern, aber er kühlt merklich den von der Sonne erhitzten Körper. Ich finde immer mehr Freude daran, am Camino zu sein, hier wandern zu dürfen, Menschen kennen und schätzen zu lernen und mich von der Gastfreundschaft der Bewohner verwöhnen zu lassen. Manchmal danke ich es dem Camino mit einem strahlenden Gesichtsausdruck, so wie in diesem Moment, in dem ich alleine bin und von einem Glücksgefühl übermannt werde.

Nach 15 Kilometern in Eintönigkeit der Landschaft und Einsamkeit erreiche ich Calzadilla de la Cueza, einen kleinen Ort, klangvoll im Namen und geisterhaft im Anblick, wie so viele Orte, die ich in den letzten Tagen durchschritten habe, und der erste nach mehr als 17 Kilometer Fußmarsch seit meinem Aufbruch aus Carrión de los Condes. Die Straße führt um ein paar Häuser herum, gelbe Pfeile laden mich aber ein, in deren Mitte zu gehen. Ich folge ihnen und werde nach weniger als 100 Metern wieder mittels einer Markierung zur außen vorbeiführenden Straße verwiesen. Ich verlasse die schmale Häuserflucht und die bekannte Straße begrüßt mich wieder. Mehr vorerst nicht, denn ich werde bereits erwartet.

Gleich rechts von mir, als ich aus dem Labyrinth hervortrete, warten Chris und Gina gespannt auf mich. Chris freut sich beinahe wie ein kleines Kind und Gina streckt ihm den Daumen entgegen. Ich bin nicht ganz im Bilde, was zu ihrem Heiterkeitsausbruch führt, setze mich aber vorerst einmal an ihren Tisch, der sich auf einer kleinen Terrasse vor einer Bar befindet.

„Ich hab es dir doch gesagt: Da kommt Reinhard." Er klatscht dabei seine rechte Hand mit der von Gina zusammen. Ich bin immer noch nicht bei der Sache und das treibt die Heiterkeit der beiden weiter an. Chris erlöst mich und erklärt mir, dass er mich am Geräusch meines Stockes erkannt hat, wie schon des Öfteren, fügt er noch hinzu. Ich erinnere mich an „Mister Klick-Klick".

„Nicht nur du", sage ich, nun ebenfalls erheitert.

Es ist Mittagszeit und ich mache mich über einen Teil der am Vorabend gekauften Trockenwurst her. Laut Etikett soll sie besonders scharf sein. Nun ja, mein Empfinden trifft es nicht so ganz. Chris und Gina gönnen sich ein großes Baguette mit Schinken und Käse aus der Bar. Die Terrasse ist nicht völlig vom Wind verschont und so schieben wir den Tisch gänzlich an die Hausmauer heran. Wir sind noch beim Essen, als auch schon Sherri und Kristi um die Ecke biegen.

„Ihr habt es euch aber gemütlich gemacht", sagt Kristi und rückt sofort einen Stuhl an unseren Tisch und noch einen für Sherri. „Ich hole uns einen Kaffee", hat Sherri zu Kristi zuvor noch gesagt. Ich reiche die Hälfte meines Baguettes an Kristi weiter.

„Für eure Sardinen", sage ich dabei und erhalte ein Dankeschön. Ich bin fertig mit dem Essen und hole mir einen Milchkaffee aus der Bar. Ein Pilger mit Fahrrad hat inzwischen neben uns Platz genommen. Ich erhasche einen Blick auf ihn im Vorbeigehen. So stelle ich mir die Räuber in den früheren Jahrhunderten vor. Ich sitze bereits, aber irgendetwas zwingt mich, andauernd zu dem Mann zu sehen. Er ist groß, ein wenig korpulent, er kneift die Augenlider etwas zusammen, um seine Augen vor der Sonne zu schützen, was gerade meinen ersten Eindruck von ihm unterstreicht, und die langen grauen Bartstoppel tragen nicht minder dazu bei. Ich bin gerade in Begriff, sein Alter auf etwas über 40 festzulegen, als Sherri ihn anspricht. Auch Kristi ist offen für ihn und beide bitten ihn an unseren Tisch. Er ziert sich anfangs, kommt der Aufforderung aber doch nach. Ein Spanier, aber kein richtiger, wie sich herausstellt. Sein Englisch ist etwas gebrochen, er wohnt in Madrid, erzählt er uns.

„Ich heiße Josef, nicht Joseph oder José", wie er dabei betont. Er besteht auf Josef. „Es ist ein deutscher Name. Meine Großeltern lebten in Deutschland – Düsseldorf", sagt er. „Ich bin bei ihnen aufgewachsen."

„Dann sprichst du doch auch Deutsch?", frage ich ihn in deutscher Sprache. Er versteht mich nicht und ich wiederhole es auf Englisch.

„Oh nein, ich kann kein Deutsch mehr. Ich bin im Alter von fünf Jahren zu meinen Eltern nach Spanien gekommen. Ich lebe jetzt 40 Jahre in Spanien." Er entschuldigt sich fast dabei.

„Aber du musst doch noch ein wenig von der Sprache haben", sagt Kristi.

„Guten Tag. Wie geht es?" Josef sagt die Worte auf Deutsch.

„So viel kann ich auch", sagt Kristi und grinst dabei. Josef beteuert noch, dass sich seine Großeltern vermutlich auch meist in der Muttersprache mit ihm unterhalten haben und er sich nicht wirklich an diese Zeit erinnern kann. Wir lassen es gut sein. Josef will uns auf einen Kaffee einladen, einen „Cortado", wie er sagt. Gina und Chris lehnen dankend ab, sie machen sich auf den Weg, zu lange sitzen sie schon hier.

„Ich habe noch", sage ich, aber Sherri und Kristi lassen sich gerne einladen.

„Probiert ihn", fordert Josef die beiden auf, während er die kleinen Tassen vor ihnen auf den Tisch stellt.

„Sieht ein wenig aus wie ein Espresso", sagt Chris. Er steht bereits und ist schon im Gehen. Sherri kostet zuerst und wendet sich dann fragend an Josef.

„In Spanien trinken wir Kaffee mit Milch nur am Morgen, danach ohne Milch oder eben einen Cortado. Er hat einen leichten Schuss Milchschaum, darum auch die etwas hellere Farbe und er wird scharf durchgepresst."

„Man kann sich daran gewöhnen", sagt Kristi nach einem weiteren Schluck Cortado.

Auch für uns wird es jetzt Zeit, aufzubrechen. Chris und Gina haben bereits 15 Minuten Vorsprung. Josef fährt mit seinem Fahrrad langsam neben uns her. Er erzählt uns, dass er von zu Hause aus gestartet ist, von Madrid, und in Burgos auf den Camino Francés aufgefahren ist. Acht Tage ist er unterwegs. Anfangs ist er schneller gefahren, aber seit Burgos lässt er sich Zeit. Es drängt ihn nichts, wie er sagt. Wir sind noch gar nicht richtig in Schwung gekommen, da teilt sich der Camino. Ein grüner Pfeil zeigt in ein lichtes Waldstück und trennt sich von der Piste, die neben der Bundesstraße entlangführt. In Sherris Wanderführer ist der Weg grün eingezeichnet. Eine etwas längere, dafür aber schönere Strecke, abseits der neben dem Verkehr vorbeiführenden. Josef rät uns, auf dem gekennzeichneten Weg zu bleiben. Zu leicht kann man sich hier verlaufen. Sherri, Kristi und ich nehmen die grüne Markierung, während Josef auf der gelb gekennzeichneten bleibt.

Immer mehr Wolken schieben sich nun am Himmel zusammen. Nach Regen sieht es aber nicht aus. Ich muss es einfach loswerden, dieser Gedanke hat sich in mir festgesetzt.

„So stelle ich mir die Wegelagerer im Mittelalter vor", sage ich in die Stille, die uns umgibt.

„Von wem sprichst du?", fragt Kristi.

„Na von Josef, passt er mit seinem Aussehen nicht ein wenig in diese Zeit?" Kristi und Sherri lächeln, beide pflichten mir bei.

„Ich bin jetzt doch etwas beruhigt, dass er nicht mit uns gekommen ist. Du hast es geschafft, mir Angst zu machen, Reinhard." Sherri ist das Lachen etwas vergangen, aber nicht Kristi.

„Vielleicht folgt er uns", sagt sie zu Sherri, die sich sofort umdreht.

Sherri meint: „Ich finde das wirklich nicht komisch."

„Glaubst du, jemand, der Angst hat, sich am Camino zu verlaufen, raubt Pilger aus? Ich stelle mich bei diesen Worten vor Sherri. Kristi kann sich vor Lachen kaum gerade halten. Sherri beruhigt sich wieder und ich spreche Josef noch ein sanftes Gemüt zu.

Nach der Abzweigung auf die grüne Strecke habe ich keine Markierungspfeile mehr gesehen und das seit mehr als einer halben Stunde. Ich will meine Begleiterinnen, vor allem Sherri, nicht beunruhigen und blicke zu den Wolken hoch; versuche, sie mit dem Weg, den wir entlanggehen, zu ordnen und kann eine große Krümmung nach rechts erkennen. Da wir zuvor vom gelb markierten Teil links abgebogen sind, sollten wir in einer großen Schleife geführt wieder auf den

Camino zulaufen. Nach einer weiteren halben Stunde der Unsicherheit, die sich auch schon bei Sherri und Kristi breitgemacht hat, können wir die Schleife vollenden und sehen ein wenig erleichtert zwei Frauen mit Rucksäcken auf ihrem Rücken. Wir nehmen uns vor, in Zukunft ausschließlich der gelben Streckenführung zu folgen und da taucht auch schon Ledigos vor uns auf. Abermals nur eine kleine Aneinanderreihung von Häusern und eine Albergue. Gina und Chris sitzen auf einer Bank neben der Straße. Sie haben auf uns gewartet. Gina sieht nicht besonders begeistert aus.

„Was ist los?", ruft ihr Kristi, noch Meter von ihr entfernt, entgegen.

Gina und Chris lassen uns herankommen, dann sagt Gina: „Mir gefällt es hier nicht, auch die Unterkunft ist nicht mein Fall." Chris enthält sich eines Kommentars.

„Was gefällt dir nicht?" Sherri setzt sich dabei neben Gina auf die Bank.

„Ich weiß nicht, alles, aber wenn ihr hierbleiben wollt, Betten sind noch frei." Die Worte kommen etwas freudlos über ihre Lippen.

„Wie weit ist es bis zur nächsten Ortschaft?", fragt Kristi.

Chris antwortet: „In etwa eineinhalb Stunden. Es ist kurz nach zwei", ergänzt er noch, als er merkt, wie ich nach der Uhrzeit auf Kristis Handgelenk schiele.

„An mir soll es nicht liegen, ich gehe auch gerne weiter." Ich drücke es so aus, dass ich dabei verständlich mache, dass in mir die Bereitschaft zum Weitergehen überwiegt. Auch Kristi würde es nichts ausmachen.

„Ich hoffe nur, wir bekommen dort noch Betten", wirft sie lediglich als Bedenken ein.

Nach einem kurzen Wortgeplänkel zwischen Gina und Sherri entschließen wir uns fürs Weitergehen.

Wir treffen ein weiteres Arrangement, bei dem Kristi und

ich nun die Geschwindigkeit erhöhen. Es soll uns nicht noch einmal der Umstand ereilen, dass alle Herbergen belegt sind wie in Fromista. Ich habe angeboten, vorauszulaufen, und Kristi hat sich mir angeschlossen. Nach nur 15 Minuten sind wir für unsere Freunde nicht mehr zu sehen auf der langen Geraden, auch die zwei Damen, die wir zuvor überholt haben, werden bereits kleiner. Ich blicke nochmals zurück und lasse Kristi vor mir auf dem schmalen und mit Büschen umwucherten Pfad herlaufen, in den wir nun eintreten. Die Sträucher haben gelbe Blüten und die Stängel reichen oft bis an unsere Beine heran. Kristi meint, es müsse Ginster sein. Ich bin leider überfragt, lichte sie aber vorsichtshalber für eine spätere Beweisführung mit meiner Kamera ab. Wir lachen, während ich ihr mein Vorhaben nahebringe und es auch durchführe. Im Gänsemarsch drängen wir uns an einer dreiköpfigen Pilgergruppe auf dem schmalen, in Gelb gerahmten Terrain vorbei. Kristi beschwert sich, dass ich sie zu sehr antreibe, und will mich nach vorne lassen. Ich bleibe aber hinter ihr und versuche, mich ein wenig zu bremsen. Der Weg hat seine Vormachtstellung gegenüber dem Strauchwuchs zurückgewonnen und erlaubt es uns nun, nebeneinander herzugehen.

Es ist 14.50 Uhr und wir entscheiden uns dazu, uns zu trennen. Ich erhöhe meine Geschwindigkeit, es macht mir auch richtiggehend Spaß, noch etwas schneller zu laufen. Kristis Umrisse werden kleiner beim Zurückblicken und vor mir nimmt eine große Gruppe von Menschen Gestalt an. Es sind fünf Pilger, die ich wenig später überhole, mir unbekannte Wanderer auf dem Camino. Mit einem mehrmaligen „Buen Camino" bin ich regelrecht an ihnen vorbeigebraust, vielleicht habe ich sie sogar ein wenig in Staub gehüllt, ich habe es aber vermieden, zurückzusehen. Bald darauf taucht auch schon ein Gebäude links vor mir auf, großflächig eingezäunt und es erweckt den Eindruck einer Hazienda. „Los Templarios" steht in großen Lettern über dem weit gespannten Torbogen. Ich habe die letzten fünf Betten bekommen und warte nun am Eingang auf meine Freunde. Die fünfköpfige Pilgergruppe, die ich eben überholt habe, trifft noch vor meiner Familie ein. Ich schäme mich, als sie mich begrüßen und an mir vorbei in die Albergue gehen, um erwartungsgemäß nach Betten zu fragen. Unentwegt zwingt mich meine Neugierde, einen Blick hinter mich an die Rezeption zu werfen, die jetzt von einer müden Pilgerschar umstellt ist. Mein Gewissen spricht mit mir und die Worte, die ich vernehme, sind nicht freundlich, sie machen mir Vorwürfe, machen mich klein und hindern mich am Atmen. Wie durch einen großen Stein, der einem um den Hals gebunden ist, zieht es mich nach unten und dann dieses Wunder, das einen erfasst. Es schneidet den Strick entzwei und erlöst dich vom Gewicht des Steines, wie eben, als ich die Schlüssel in den Händen der fünf Pilger sehe. Einer nach dem anderen verschwindet im Gebäude. Sie haben reserviert.

Kristi kommt gemeinsam mit Sherri, Chris und Gina. Sie hat auf die anderen gewartet. Ich berichte ihnen von meinem Erfolg, die letzten fünf Betten ergattert zu haben, und ich erhalte symbolhaft Lorbeerkränze von meinen Freunden, die ich mich aber aus den zuvor erwähnten Empfindungen weigere anzunehmen.

Chris und ich teilen uns ein Doppelzimmer und die Mädchen das letzte Dreibettzimmer. Die Albergue verbreitet den Eindruck eines Sanatoriums. Sie strahlt Ruhe aus, Massagen werden angeboten. Sie verfügt über einen großen Aufenthaltsraum nebst Bar und angeschlossenem Speisesaal. Die Zimmer sind von der Personenanzahl klein gehalten und auf dem neuesten Stand. Der Ort Terradillos de los Templarios ist ungefähr einen Kilometer entfernt. Niemand von uns verspürt die Lust auf eine Besichtigung und wir genießen die Annehmlichkeiten, die uns diese Unterkunft bereithält.

Viele der Gäste nehmen über das Internet Kontakt mit ihrer Familie und den Freunden zu Hause auf, so auch meine Freunde. Sie führen Telefongespräche über das Web und ich stelle darin meine Erinnerungen des heutigen Tages sichtbar, für all jene, die mich über meine Website begleiten, auch das Bild der gelben Ginstersträucher fehlt nicht. Da sind aber auch die Nebensächlichkeiten, die es mitunter zu erledigen gilt. Scheinbar unbedeutend, aber doch von Belang. Ich bürste meine Wanderschuhe auf der Terrasse sauber, stelle sie in die letzten Sonnenstrahlen, die noch durch das immer dichter werdende Wolkenband durchbrechen, und lasse sie vom kräftig wehenden Wind durchströmen. Er vertreibt die abgestandene Luft aus ihnen und füllt sie mit neuer Frische. Ich feile meine Fußnägel, das zweite Mal in den 20 Tagen, die ich inklusive Anreise bereits unterwegs bin. Kristi hat sich jetzt, die Telefonverbindung über das Internet aufrechthaltend, auf die Terrasse gesetzt und beobachtet mich schmunzelnd bei meiner Pediküre. Mag sein, dass sie auch meine immer noch blasenfreien und von Pflastern ungeschmückten Füße bewundert. Meinem Knie geht es auch besser, obwohl mein Vorrat an Tabletten gestern früh zu Ende gegangen ist. Es fühlt sich nur ein bisschen taub an, vermutlich legt sich auch das.

Das Abendessen entpuppt sich als Gradmesser für Feinschmecker. Meine Vorspeise besteht aus Spaghetti, geschwenkt in Olivenöl, mit reichlich Knoblauch und Chili. Als Hauptspeise reicht man mir gegrillten Seelachs mit gedünsteten Kartoffeln und bei der Nachspeise begnüge ich mich mit dem schon zur Gepflogenheit gewordenen Vanilleeis, heute bestreut mit geriebenen Schokoladestückchen. Alle am Tisch sind bezüglich des Essens sichtlich und akustisch zufrieden, auch die übrigen Pilger im Saal unterstreichen das. Für lediglich 9,50 Euro pro Person wird das Ganze auch noch mit drei Flaschen Rotwein und zwei Flaschen Wasser untermalt. Und niemand von uns wird es leid, die Großzügigkeit, mit der wir ständig konfrontiert werden, zu erwähnen. Die verbleibende Stunde bis zur Nachtruhe verbringen wir noch an der Bar. Chris versucht jetzt einen Cortado, der ganz seinen Geschmack trifft, wie er sagt, und wir anderen trinken noch ein Glas Bier. Der Abend hat nur einen Schönheitsfehler, Steve fehlt.

Es hat die Nacht über geregnet und der Morgen kann, was das Wetter betrifft, nichts anderes bieten. Der Regen ist aber nicht so stark und ich verzichte auf den Regenponcho, also nur Jacke und eine Haube, die ich mir über den Kopf ziehe. Kristi und ich waren wie des Öfteren schon die Letzten, die sich aufgemacht haben. Chris und Gina verabschiedeten sich noch während unseres Frühstücks und Sherri ist schon davor aufgebrochen. Wir wissen ohnehin, wo wir heute unterkommen werden, in der Albergue Vía Trajana in Calzadilla de los Hermanillos. Wieder klingende Namen, die vor allem eines versprechen: Ruhe.

Gegen 11 Uhr erreiche ich gemeinsam mit Kristi Sahagún. 2400 Einwohner, aber immerhin die erste Stadt seit 60 Kilometern, seit Carrión. Hier teilt sich der Camino in zwei Abschnitte, um dann im 26 Kilometer entfernten Reliegos wieder ineinanderzufließen. Das ist auch der Grund, warum wir bereits gestern eine Unterkunft gebucht haben. Wir entschieden uns für die Strecke über Calzadilla, da sie laut der Rezeptionistin im Los Templarios die schönere sein soll. Wir haben nicht vor, hier zu halten. Das sechs Kilometer entfernte Calzada scheint uns eher in den zeitlichen Ablauf zu passen, wir machen dann aber noch Bilder in einem kleinen Park am Ende der Kleinstadt, bevor es über eine Brücke weiter nach Calzada geht. Eine Gruppe Südkoreaner, mittlerweile auch alte Bekannte, hat uns dazu ermuntert.

Der Himmel lichtet sich und der Regen hat aufgehört. Als wir Calzada erreichen, überwiegt bereits das Blau über unseren Köpfen und im Beinamen del Coto spiegelt sich wie erwartet die Einsamkeit des kleinen Ortes. Diesmal führen uns die gelben Pfeile nicht wie üblich durch den Ort, sondern bleiben beharrlich neben der schmalen Durchgangsstraße. Wir sind also auf uns selbst gestellt und durchstreifen die wenigen Straßen rund um die Dorfkirche.

Wie aus dem Nichts taucht plötzlich Steve vor uns auf. Mit einem breiten Grinsen im Gesicht kommt er auf uns zu. Wir umarmen uns und tauschen die Erfahrungen des gestrigen Tages aus. Er hat in Ledigos übernachtet, es ging so, sagte er. Ashley, John, Simon und Anita waren auch dort, erwähnt er nebenbei. Ich mache von Steve und Kristi je eine Ablichtung mit deren Mobiltelefon und suche dann einen geeigneten Platz, um meine Kamera für eine Selbstauslösung zu positionieren, um uns alle drei darin einzufangen. Mich erschreckt dabei, wie Steve auf Kristi zugeht, sie umarmt und dann zu mir kommt. Er umarmt mich ebenfalls, wünscht mir alles Gute für den weiteren Weg und verlässt uns. Er blickt noch einmal zurück, aus seinen Augen quellen Tränen, stark und heftig. Ich habe Steve in all den Tagen, in denen ich ihn nun kenne, niemals weinen sehen. Es bedurfte mehr als eines Augenblicks, diesen Eindruck zu verarbeiten, und ich stehe jetzt neben Kristi, meinen Arm um sie gelegt, um ihr beizustehen bei den Tränen, gegen die auch sie jetzt anzukämpfen hat. Wir sehen uns an, aber keiner von uns

257

kann die Fragen, die uns nun heftig durchbohren, auch nur ansatzweise beantworten.

Als wir uns einigermaßen gefangen haben, auch wenn wir den Antworten nicht nachgekommen und auch der Fragen nicht Herr geworden sind, betreten wir die auf unserer Suche nach einer Bar noch übrig gebliebene Seitengasse und haben Glück. Gleich noch einmal, denn die Bar wird gerade erst vor unseren Augen aufgeschlossen. Wir sind die ersten Gäste des heutigen Tages und mehr als zwei Tassen Milchkaffee werden wir auch nicht umsetzen. Beinahe schweigend sitzen wir auf zwei von der Nässe gerade trocken geriebenen Plastikstühlen und ich teile mit Kristi das frische Baguette, das ich zuvor in Sahagún gekauft habe.

„Was hat Steve vor?", fragt mich Kristi.

„Ich weiß nicht recht, aber ich hoffe, er will so schnell wie möglich nach Santiago."

„Das hoffe ich auch." Kristi sagt es mit ein wenig Wehmut in ihrer Stimme. Wir verfallen erneut in Schweigen und es kommen auch keine Pilger daher, die uns davon erlösen.

21
Beharrlichkeit

Wir verlassen das in sich gekehrte Calzada und nehmen die Vereinsamung mit uns, die wir durch die eben stattgefundene Begegnung mit Steve erfahren haben. Es sind schließlich Gina und Chris, die uns in die Gesellschaft zurückführen, gleich nachdem wir den verwaisten Ort verlassen haben. Sie hatten einen Stopp in Sahagún eingelegt, von uns unbemerkt, aber man findet sich wieder entlang des Camino.

Sherri erwartet uns bereits, als wir die Straße entlangmarschieren, Ausschau haltend nach einem Namen, den ich mir in meinen Reiseführer geschrieben habe. „Vía Trajana", klingt nach einer Straße, ist aber unsere bereits reservierte Unterkunft für heute Abend in Calzadilla de los Hermanillos. Man könnte fast meinen, je länger der Name der Ansiedlungen entlang des Camino, desto geringer ist die Zahl der Einwohner, aber dieser Ort kann zumindest auf 150 Bewohner verweisen, auch wenn ich davon nicht mehr als die Wirtin unserer heutigen Albergue und ihren Mann sehen werde.

Mit Sherri erwartet uns auch Tiffany. Wir sind uns schon das eine oder andere Mal über den Weg gelaufen. So richtig ins Gespräch komme ich aber erst heute mit ihr. Sie ist Ärztin und stammt aus Miramichi im südöstlichsten Teil von Kanada, etwas nördlich von Main in den Staaten. Heute arbeitet und lebt sie auf den Bermudas. Ich habe sie nicht danach gefragt, aber ich schätze ihr Alter auf Ende 30, vielleicht Anfang 40. Sie ist schlank und hat hellbraunes, glattes bis in den Nacken fallendes Haar. Jetzt fällt es mir auch wieder ein, ich habe sie öfter mit Anita, der Mutter von Simon, gesehen. Sie erzählt mir, dass sie ein volles Jahr im Kongo gearbeitet hat, eine Art Praktikum, wie sie sagt, nach Abschluss ihres Studiums. Das interessiert mich besonders, da ich über dieses Land die wildesten Geschichten gelesen habe. Da werden zum Beispiel Ziegen verurteilt, weil sie ohne Berechtigung neben der Straße weiden. Menschen werden mit bösen Blicken beworfen, und wird jemand dabei beobachtet, wie er einem einen bösen Blick zuwirft, so wird er verhaftet und vor Gericht gestellt. Die unglaublichsten Verurteilungen gibt es dort. Besonders schlimm sind Berichte über Frauen, die ich gelesen habe. Die für uns nicht tragbare Brutalität, die ihnen entgegengebracht wird. Schilderungen über Massenvergewaltigungen und Verstümmelungen der Genitalien mit Gewehrläufen und Eisenstangen sind zur Routine geworden. Tiffany bremst meine Darstellung. Sie erklärt mir, dass sie in Brazzaville war, der Republik Kongo. Wovon ich spreche, ist die Demokratische Republik Kongo und man müsse zwischen diesen beiden Staaten doch beträchtlich unterscheiden. Sie gibt mir noch ein wenig Nachhilfeunterricht, was diese zwei Länder betrifft, und betont dabei, in Brazzaville doch relativ sicher gewesen zu sein. Aber im anderen Kongo spielen sich wirklich schlimme Dinge ab, pflichtet sie mir bei.

Der Morgen ist wolkenverhangen, aber trocken. Chris und Gina sind abermals die Ersten am Camino. Ich denke, die beiden verstehen sich immer besser in den letzten Tagen, seit Castrojeriz besonders gut, wie ich finde, so wie die Bindung zwischen Sherri und mir immer stärker geworden ist und, nicht zu vergessen, zu Kristi. Es bleibt aber dabei, dass wir alle eine Familie geworden sind, eine sechsköpfige und der Zeitpunkt rückt näher, an dem wir uns trennen müssen. Einen Vorgeschmack darauf hat uns gestern bereits Steve gegeben. Chris hat für sich am Vorabend noch ein Zimmer im Hotel Parador in León gebucht. 120 Euro, ein stolzer Preis für eine Nacht und es wurde bereits ein Pilgernachlass berücksichtigt. Auch Kristi und Sherri haben bereits anklingen lassen, dort übernachten zu wollen. Es deutet also viel darauf hin, dass gerade León, eine Stadt, der so viel Schönes nachgesagt wird, diesen Eindruck nicht in uns hinterlassen wird.

Tiffany und Anita haben sich heute Morgen Chris und Gina angeschlossen. Beide sind uns am Abend noch vertrauter geworden. Ashley, John und Simon haben ebenfalls hier übernachtet. Alles alte Bekannte, keine weiteren Pilger. Es werden auch täglich weniger und das wird sich vermutlich auch bis León nicht mehr ändern.

Ich verlasse gemeinsam mit Sherri und Kristi als Letztes die kleine, gemütliche Albergue. Unser Ziel ist Mansilla, das haben wir uns am Vorabend zum Vorsatz genommen. Die wenigen Häuser des kleinen Ortes sind bald durchlaufen und zunächst werden wir auf einer asphaltierten Bundesstraße entlanggeführt. Sie verläuft gerade und die Sicht wird lediglich durch ausgedehnte Hügel durchbrochen. Fahrzeuge sehe ich keine, nicht einmal Pilger auf Rädern.

Die Laufbereitschaft von Sherri und Kristi lässt zu wünschen übrig. Oftmals bleiben sie stehen und machen Bilder von Dingen, die sich für mich nicht zu erkennen geben. Ich bremse bereits meinen Gang, doch die Lücke zwischen uns wird größer. Wiederholt blicke ich mich um und nun sitzen beide in der Mitte der Straße, mit dem Rücken zu mir. Ich bleibe stehen, beobachte sie und warte. Wie schon gesagt, es fahren keine Autos und die Stelle, an der sie sich niedergelassen haben, ist weit einsehbar. Also wenn ich das von

dieser Entfernung aus richtig erkenne, beginnen sie zu medi-
tieren, zumindest erweckt es den Anschein. Nach weiteren
fünf Minuten, in denen ich die beiden beobachtet, achtgege-
ben habe, ob sich nicht doch ein Fahrzeug überlegt hat, hier
langzufahren, und darauf wartete, dass sie sich wieder erheben und weitermarschieren, bin ich dem Geschehen letztlich
eher entflohen.

Ich werde auch bald auf eine besser zu gehende Schotterpiste geleitet und weit in der Ferne sehe ich einen einzelnen
Pilger. Es ist nicht erkennbar, ob es sich um einen weiblichen oder männlichen, jungen oder älteren Pilger handelt,
auch nicht, ob ich die Person kenne. Es spielt nicht wirklich
eine Rolle, aber man macht sich so seine Gedanken alleine in
der Weite der Natur, die einen umgibt. Und gerade diesem
Umstand habe ich es zu verdanken, frei geworden zu sein in
meinem Kopf, wieder aufnahmefähig zu sein für so vieles,
vor dem man sich verschlossen hat, das man für selbstverständlich gehalten und nicht mehr wahrgenommen hat.

Vielleicht war es gerade das, was Kristi und Sherri zuvor
eingefangen haben. Erkennbar nur im Umfeld ihres Blick-
winkels, nicht aus der Entfernung, aus der ich sie beobachtet
habe, so wie der Anblick, der sich gerade vor mir öffnet,
inmitten des breiten, nur mit Kieselsteinen bekleideten
Weges, und mich halten lässt. Ich muss an John, den Foto-
grafen, denken, während ich zu Boden sinke, gewollt und
nicht durch das Gewicht, das auf meinen Schultern lastet.
Mit den Knien suche ich im nackten Boden nach Halt und
es eröffnet sich für mich das Wunder der Natur. Ein Gänse-
blümchen, das der Widrigkeit und Trockenheit des Weges
trotzt und sich emporhebt, schwer erkennbar, zur Freude
der vorbeiziehenden Pilger. Es ist wahrlich ein Wunder!
Umgeben von drei größeren Kieselsteinen, verharrt es hier

vermutlich schon seit Wochen und jedem der Tausenden Füße, die hier entlangkamen, war es sichtbar, unbewusst oder bewusst, sie haben es verschont, vor der Last der Menschheit, die sie zu tragen verurteilt sind. Eingefangen in meine Kamera und nicht des Weges beraubt, trage ich es mit mir und lasse es dennoch für alle Nachkommenden in seiner Zartheit blühen. Ich befeuchte es noch mit einer Träne, die mein Augenlid verlässt und über meine Wange abtropft, nicht aus Schmerz, sondern aus innigster Freude und Zufriedenheit. Mit vor Glücksgefühlen aufgeblähtem Herzen gehe ich weiter. Die dichte Wolkendecke schützt meine Haut vor der Sonne und die angenehme Temperatur verlockt mich in ein zügiges Voranschreiten. Ich überhole den zuvor gesichteten Pilger mit einem „Buen Camino" und stoße nach weiteren zahlreichen Schritten der Abgeschiedenheit und einer Biegung, deren Einsicht mir durch Büsche verstellt war, auf Tiffany und Anita. Mit dabei sind Sylvie und ihre südafrikanische, ausschließlich auf Fleisch bedachte Freundin. Ich setze mich zu ihnen.

„Mittagspause", sagt Anita und Tiffany erkundigt sich nach meinen Schultern, deren Anblick immer noch abstoßend wirkt. Sie hat mir gestern die Blasenpflaster, die ich mir daraufgeklebt hatte, entfernt. Es ist besser, wenn Luft daran kommt, hatte sie gemeint und ich habe sie machen lassen.

„Es geht", sage ich nur und mache mich über meine Trockenwurst und das halbe Baguette her, das ich von gestern noch übrig habe.

Wir brechen gemeinsam auf, aber das Wohlbefinden, welches ich im Augenblick verspüre, verlangt nicht nach Konversation, im Gegenteil, es gibt mir Ruhe, drängt mich aber im selben Moment voran und ich gehorche. Bald habe ich die Freunde hinter mir gelassen und bin wieder ganz

Pilger. Den Stock in der linken Hand, mein Hab und Gut auf dem Rücken, eine noch halb gefüllte Wasserflasche und ein zusätzlicher Beutel mit meiner Jacke baumeln mir am Gürtel. Der Zusatzbeutel etwas höher als zu Beginn meiner Reise und auf der anderen Seite angebracht. Mit den Tagen, in denen mein Knie mir Unbehagen bereitete, haben sich auch unzählige Meinungen über die Ursache in meinem Kopf breitgemacht. Eine davon war, dass mir der Stausack beim Gehen gegen das Knie geschlagen hat und eventuell dies die Beleidigung hervorrief. Sie verkörpern Freiheit, diese Augenblicke der Ruhe und Einsamkeit, die ich jetzt immer öfter finde. Die Nässe und Kälte der Tage zu Anfang haben sich in Trockenheit und Wärme gewandelt, wie ich es so liebe, aber es macht mich auch traurig in Anbetracht der bevorstehenden Trennung.

Etwas verträumt nehme ich zwei Pilger in dem vor mir liegenden Anstieg wahr, nach der Furche, die ich eben durchschritten habe. In deren Zentrum befindet sich ein kleiner Teich, stehendes Wasser, von Bäumen umgeben in die Landschaft gesetzt. Man erkennt viele der Pilger bereits an ihrer Körpersprache, dem Gang oder, wie es bei mir ist, durch den Stock und es ist ein Kinderspiel für mich, so vertraut gewordene Freunde wie Gina und Chris vor mir auszumachen, auch wenn Ginas Rücken heute kein Rucksack schmückt. Sie hat ihn wieder mal mit dem Taxi fahren lassen, erklärt sie mir, als ich an sie herankomme.

Wir gehen ein Stück gemeinsam, unterhalten uns eher über Belangloses, nur um es zu vermeiden, auf den anstehenden Abschied gelenkt zu werden. Ein von Maschinen geformter Bach, in Beton gekleidet, fließt einen Teil des Weges neben uns her. Der Stand des Wassers ist niedrig und es bewegt sich kaum. Nach einer Zeit des gemeinsamen Wanderns lasse ich Chris und Gina zurück. Es ist nicht so, dass ich mich von ihnen verabschiedet habe, ich bin nur etwas vorausgegangen. Die Meter zwischen uns wurden mehr und letztlich waren sie hinter mir verschwunden.

Die Aufschrift „Mansilla de las Mulas" auf einer Tafel weist mich neben den üblichen gelben Pfeilen entlang der Durchzugsstraße in den Ortskern. Den schweren Fahrzeugen bleibt die Weiterfahrt durch ein altes, steinernes Stadttor versagt. „Las Mulas" heißt übersetzt „Maultiere" und Mansilla erfuhr seine Blüte im 12. und 13. Jahrhundert. Seinen Beinamen erhielt es von den Viehmärkten in der Stadt. Von der einst wichtigsten Marktgemeinde dieser Region blieb nicht mehr als ein 1900 Einwohner beherbergendes Städtchen.

Die nun wieder am Himmel sichtbar gewordene Sonne wirft dunkle Schatten in die schmale, quer zu ihr liegende Gasse, in die ich eintrete. Den Blick nach vorne gerichtet, mal auf den Boden nach Markierungen achtend und dann wieder in Kopfhöhe, Ausschau haltend nach Schildern, auf denen Albergue stehen könnte.

Ich werde eingewiesen in eine Gasse. Sie ist sonnendurchflutet und strahlt vor Leben. Diesmal nicht von der Fülle an Pilgern, sondern von den Menschen, die hier leben. Von jungen, sehr jungen Menschen, kleinen Kindern, prächtig gekleidet und gut gelaunt. Von Erwachsenen, welche die Eingänge der Bars verstopfen, ebenfalls feierlich gekleidet und vergnügt. Heute ist Sonntag und ich werde auch schon auf die besondere Bedeutung dieses Tages hingeführt. Ich sehe eine junge Frau, weiß gekleidet, und der Schleier, der ihr Gesicht vor den Blicken der übrigen Menschen verborgen halten soll, ist über ihren Kopf geworfen und klebt an ihrem zu übertriebenem Volumen gebrachten schwarzen Haar. Ein Mann hält ihren linken Arm eingehakt in seiner rechten Hand und führt sie aus einer der von Dutzenden mitfeiernden Personen verstellten Bar. Kinder tänzeln durch die Gasse und bringen Frische in die alten Mauern. Ich schlängle mich vorsichtig an ihnen vorbei und nicke den Erwachsenen beim Vorübergehen freundlich zu. Die Gasse ist lang und allmählich wird es ruhiger. Es baut sich abermals das altgewohnte Bild vor mir auf. Rucksäcke lehnen an den Eingängen der Lokale oder werden noch von ihren Herren oder Herrinnen getragen und Stöcke stoßen auf den Stein oder lehnen an den Wänden. Ich halte weiterhin Ausschau nach einer Unterkunft. Ein Schild prangt gut sichtbar links vor mir über der Gasse und zu meiner rechten Seite begrüßen mich deutsche Worte. Es sind Martin und Daniel, sie sitzen mit Sandra und Marion, jeder ein großes Glas Bier vor sich, an einem Tisch. Ich frage sie, ob sie jemanden von meinen Leuten gesehen haben. Sie verneinen. Martins Zeigefinger weist auf ein Schild, zehn Meter weiter in die Gasse hinein. „Albergue Municipal" steht darauf.

„Wir schlafen dort", sagt er und fügt hinzu, dass sie über einen schönen Innenhof verfügt und noch genügend Betten frei sind.

Ich entschließe mich, hier auf meine Familie zu warten, hole mir ein kleines Bier aus der Bar und setze mich zu den vier deutschen Pilgern. Auf meine Frage nach Carola und Franziska hin schütteln sie den Kopf und geben mir zu verstehen, dass sie sich zuletzt nur noch sporadisch gesehen haben. Zu meinem Glas Bier habe ich auch zwei gegrillte Hühnerflügel bekommen, gratis versteht sich, und ich freue mich darüber.

„Es muss an der Hochzeit liegen, wir haben auch welche bekommen", sagt Martin, als ich meine Freude über die schöne Geste kundmache.

„Wir haben Käse und Oliven bekommen", stellt Sandra richtig und meint mit wir Marion und sich selbst.

Ich stehe auf, um mir noch ein Glas Bier zu holen, da sehe ich Gina und Chris durch die nach wie vor von den Hochzeitsgästen verstellte Gasse auf mich zukommen. Gina erklärt mir, als ich die beiden auf die Unterkunft vor uns anspreche, dass ihr Gepäck in eine andere Albergue gebracht wurde. Laut Beschreibung müsste sie einen Block dahinter liegen. Chris will sich die Herberge ansehen und geht mit Gina. Wir vereinbaren, dass ich hier warte. Ich mache mich erneut auf ins Lokal, da höre ich vor mir: „Guten Tag, Österreich", mit einem amerikanischen Akzent.

Es ist Kristi mit Sherri an ihrer Seite. Ich erwidere ihr sofort mit: „Guten Morgen, Amerika."

Auch wenn es nicht mehr als sieben Stunden her ist, seit wir uns zuletzt gesehen haben, ist die Freude, die beiden wiederzusehen, doch sehr groß. Mag sein, dass sie auch noch an Brisanz wegen der bevorstehen Trennungen gewonnen hat. Wir warten nicht länger und suchen gemeinsam die Albergue Municipal auf, angetrieben vom munteren Treiben der Einheimischen in der Gasse, das uns scheinbar ein vermehrtes Ankommen von Betten suchenden Pilgern vorspielt. Es sind noch freie Betten vorhanden, auch für Chris und Gina, die es uns kurz darauf gleichgetan haben.

Das Abendessen nehmen wir geschlossen ein. Es wird ein fünfköpfiges Familienessen, dem lediglich Steve entsagt. Wir nehmen nochmals in Gedanken Kontakt zu ihm auf und anschließend erklärt uns Gina, auch im Parador in León zu übernachten. Eine Nacht zumindest, gemeinsam mit Chris, sie teilen sich dadurch die Kosten für das Zimmer. Sherri und Kristi buchen noch während des Abendessens ebenfalls ein Zimmer für zwei Nächte im Parador. Sie haben sich auf dem Weg hierher dazu entschlossen, auch dass sie zwei Tage in León bleiben wollen. Ich komme mir jetzt ein wenig alleingelassen vor.

Chris wendet sich an mich: „Warum nimmst du dir nicht mit jemandem zusammen ein Zimmer. 60 Euro, das ist nicht viel für diesen Luxus, der, wie ich finde, uns auch mal zusteht." Ich spiele mit meinen Mundwinkeln, bewege den Kopf hin und her, sage aber nichts. „Ich hätte es dir auch angeboten, aber Gina hat sich schon dazu entschlossen." Chris entschuldigt sich beinahe dabei und Gina blickt mich verlegen an.

„Wir könnten ein Zusatzbett in unser Zimmer stellen lassen", sagt Kristi. Sherri sieht sichtlich verwirrt zu ihr und ich vernehme dem Ausdruck von Kristi, dass es als Scherz aufzufassen ist. Ich lächle also und Sherri begreift es schließlich auch.

Unsere E-Mail-Adressen haben wir bereits in Burgos ausgetauscht, beim Abschied von Wolfgang, ansonsten wäre jetzt der geeignete Zeitpunkt gewesen. Ein wenig Bedrücktheit liegt in der Luft und lässt die Gemüter schwer werden. Gina und Chris, auch etwas berührt, entscheiden sich heute, früher schlafen zu gehen. Ich kann aber zumindest die beiden Mädchen noch überzeugen, mit mir auf ein Glas Bier zu gehen, mit etwas Nachdruck von Tiffany und Anita. Wir sind ihnen beim Zurückgehen begegnet und auch sie wollten noch nicht zurück in die Unterkunft. „Meine Güte, es ist erst halb neun", hatte Anita gesagt und wir besuchen nun gemeinsam die Bar gegenüber der Albergue.

Über die Stadt hat sich ein schützendes Wolkenband gelegt, das die mollige Wärme des sonnigen Nachmittags unter ihr behütet. Eine laue Sommernacht geleitet uns in den Innenhof der Albergue. Anfangs nur leise und eher Fragen auf-

268

werfend, jetzt aber deutlicher zu hören, je weiter wir in den Hof treten. Gesang, der aus vielen Kehlen dringt, und der Klang einer Gitarre, der ihn zu geleiten versteht. Ein Tisch, auf der einen Seite eine Bank und gegenüber stehen Stühle, auf denen singende Pilger sitzen, weitere Stühle stehen daneben. Ich erkenne John an der Gitarre, daneben Jérôme, den Brasilianer aus Carrion. Meine Begleiterinnen gesellen sich ohne Aufforderung dazu und stimmen auch gleich in den Gesang ein. Ich hingegen laufe hoch ins Zimmer, krame etwas in meinem Rucksack hervor, umfasse es mit beiden Händen, drücke es an meine Brust und stürze förmlich zurück in das illustre Geschehen. Ich dränge mich zwischen den Stühlen hindurch und zwänge mich in den halben Platz auf der Bank, zwischen John und Jérôme.

Es ist gerade dieser Moment, über den ich mir zu Beginn der Reise Gedanken gemacht habe, ohne es vorherzusehen, dass er eintreffen wird, aber ich wollte vorbereitet sein, sollte er wider Erwarten doch eintreffen. Gestellt zu sein der Herausforderung, die sich auftun kann, wenn sie auch ungewiss und nicht planbar ist.

Es war die Zeit, in der ich merkte, in meinem beruflichen Eifer beschnitten zu werden, meines Einflusses enthoben, reduziert auf das Minimum und der Herausforderung meines Geistes entzogen. Ich habe mit meiner Camino-Familie über meine Entlassung gesprochen, darüber, wie es ist, herausgerissen zu werden aus einer Aufgabe, die man liebt, ungerecht und dumm vollzogen durch eine Person, nicht bedacht der Folgen für das Unternehmen und die verbleibenden Mitarbeiter. Ich habe ihr auch gesagt, dass ich hier am Camino eine Antwort suche, sie vielleicht auch finde. Wir haben aber nicht über die eineinhalb Jahre davor gesprochen, als es anfing, seine Bahnen zu ziehen. Wenn man 48 Jahre alt wird, steht das halbe Jahrhundert nur noch kurz von einem entfernt. Es ist wichtig, Aufgaben zu haben, um das Gehirn mit Nahrung zu versorgen, es herauszufordern und dadurch gesund zu halten. Nun, diese sind mir entzogen worden und ich habe mir Alternativen gesucht und gefunden. „Körper und Geist fit halten" wurde mein Wahlspruch. Ich füllte meine geschaffene Freizeit damit aus, meinen Körper gesund zu halten. Ich begann zu laufen. Anfangs war es schwierig. Bereits die ersten ein oder zwei Kilometer brachten mich völlig aus dem Gleichgewicht. Atemnot, schmerzende Beine und Glieder waren die Begleiter. Mir war aber bewusst, ich muss da durch und nach und nach wurden die zurückgelegten Kilometer mehr und die Zeit, die ich dafür benötigte, weniger. Ich habe mich dann bei 50 Kilometern pro Woche eingependelt. In den Wintermonaten habe ich mich der kalten Luft wegen, die meinen Lungen nicht gut zu bekommen scheint, zum Schwimmen entschieden. Glücklicherweise gibt es in meiner Heimatstadt ein Hallenbad. Zweimal die Woche bin ich jetzt schwimmen gegangen. Jeweils 100 Längen, also zwei Kilometer, und ich bin auch im Winter, ob Kälte, Schnee oder Regen, zu Fuß zur Arbeit gegangen. Aber auch der Geist wollte gefordert sein. Neben dem Forcieren des Schreibens von Artikeln für eine private Finanz-Community machte sich ein Gedanke in mir breit. Eine Idee, der ich mich zunächst gar nicht stellen wollte, als so absurd und fern meiner Natur habe ich sie empfunden. Aber der Gedanke ließ mich nicht los und ich gewann dem Ganzen immer mehr Respekt ab. Eine Tätigkeit, bei der man sein Gehirn auf dreierlei Arten trainiert. Ein Teil davon zielt darauf ab, die Finger beider Hände in einem Gleichklang zu koordinieren und das in einer Reihenfolge, die sich ständig ändert und die es gilt zu lernen, zu lernen, zu lernen. Ein Ende gibt es dabei nicht, so vielfältig sind die Kombinationen. Der zweite Teil zielt darauf ab,

Texte zu lernen, viele Texte und sie müssen einem im Gedächtnis bleiben. Und schließlich der dritte Teil. Er verbindet die beiden ersten Teile, stellt sie in das richtige Verhältnis zueinander und mit etwas Gespür erwacht es daraus. Musik. Was kann schöner sein? Und mein Geist wird dabei auf drei Ebenen gleichzeitig gefordert. Ich spiele nun seit eineinhalb Jahren Gitarre und der Anfang war schwer. Schwer deshalb, weil ich nicht mit dem dafür notwendigen Gehör ausgestattet bin, ein Grund auch, diese Idee anfänglich als Irrsinn anzusehen. Ich habe mich aber darauf besonnen, kein Meister der Musik zu werden, sondern es als Bereicherung, als Medizin und Balsam zugleich zu betrachten, und ich bringe es auch schon zustande, die eine oder andere musikalische Darbietung fehlerfrei vorzubringen. Bei Weitem nicht perfekt, aber in den richtigen Augenblicken und der richtigen Umgebung unterhaltend und auch erfreuend.

So sitze ich nun an diesem Tisch neben John, der die Gitarre führt. Ich halte Blätter in der Hand, die mit einer Plastikspirale zusammengehalten werden. Darauf sind Liedtexte abgedruckt, aller Welt bekannte, so wie der Text zum eben gesungenen „Take Me Home, Country Roads" von John Denver. Ein doch sehr bekanntes Lied, meist ist es aber so, dass den Mitsingenden nur der Refrain im Gedächtnis ist, vielleicht noch die erste Strophe und danach beginnt der Gesang zu stocken. Ich zeige die Blätter John und er beginnt, „Morning Has Broken" anzuspielen. Ich reiche die gebündelten Texte weiter in die Runde und das Lied wird bis zum Schluss durchgesungen. In meinen Texten findet sich auch „Hallelujah", das jetzt auf Zuruf gesungen werden will. John, der die Gitarre zufällig beim Besitzer der Herberge aufgetrieben hat und auch kein wirklich talentierter Gitarrist ist, muss leider passen. Auf meinen Wunsch hin reicht er mir die Gitarre und ich versuche mein Bestes.

271

Es ist ein Lied, das ich schon sehr oft gespielt habe, aber nur für mich und nicht vor so einem großen Publikum wie hier. Der unaufhörlichen Aufforderung der Anwesenden nachkommend, spiele ich noch weitere zwei Stücke aus meinem selbst gemachten Liederbuch und werde dabei mit akustischer Hingabe unterstützt. Dann gebe ich die Gitarre an Jérôme weiter.

Ich sehe in die Gesichter von Sherri und Kristi und ich fühle mich zurückversetzt in meine Kindheit, einen Bereich der Unschuld in meinem Leben, und genau diesen Zustand spiegelt der Ausdruck in ihren Gesichtern wider. Unschuld, Glück und vor allem die Freude, überrascht worden zu sein, nicht mit dem Kommenden gerechnet zu haben, wie es einem als Erwachsener nur noch selten gelingt. Zum ersten Mal in den 20 Tagen, in denen ich mich auf dem Camino Francés befinde, wurde die angestammte Nachtruhe nicht eingehalten, haben seine Pilger es geschafft, mit der Gewohnheit zu brechen und sich selbst einzubringen, in den Zauber, der von ihm ausgeht. Ich nehme das Gefühl mit in den Schlaf, vor allem aber den Ausdruck von Bewunderung und Überraschung, den nur kleine Kinder auszustrahlen vermögen, in den Gesichtern von Sherri und Kristi und ich spüre noch die innige Wärme der Umarmung, mit der sie es unterstrichen haben.

22
Ruhe

Die dicken Klostermauern zu Sahagún halten den Raum kühl, zu kühl beinahe in den Stunden der Nacht. Flore und Julien haben sich dicht an Adeline geschmiegt und genießen die angenehme Wärme, die ihnen Adelines Körper spendet. Ihre große Schwester ist bereits wach. Eine Menge Gedanken trampeln barfuß durch ihren Kopf. Nur ab und zu gelingt es ihr, dem Klatschen der nackten Füße zu entrinnen und einzutauchen in einen friedvollen Schlaf. Kurz erscheinen ihr diese Momente und sie werden begleitet von Träumen, beängstigend und verwirrend. Mit Erleichterung nimmt sie die Intensität wahr, mit der sich die Helligkeit vor das Dunkel der Fenster schiebt. Adeline will heute nach León, ein langer Weg für ihre jüngeren Geschwister. Sie lässt sie noch ein wenig Kraft tanken im schützenden Schlaf, der sie umschlungen hält. Allmählich häufen sich die Geräusche im Raum und das Licht an den Fenstern durchbricht in breiten staubigen Streifen die Dunkelheit. Es wird Zeit, aufzubrechen.

Laut Anweisungen, die Adeline im Kloster erhalten hat, muss sie sich zunächst westwärts halten. Eine Straße wird sie danach nördlich nach Mansilla bringen und weiter bis nach León. In den frischen Morgenstunden geht es sich leichter und Flore und Julien laufen vergnügt voraus, immer aber den Anweisungen Adelines folgend. Eine erste Rast legen sie ein, als die Sonne schon hoch über ihren Köpfen steht.

„Der in beinahe regelmäßigen Abständen mit bewaldeten

Streifen durchzogene Landstrich wird euch weniger Kraft aus den Leibern saugen als die nach Mansilla führende Straße."

Adeline erinnert sich der Worte des Mannes im Kloster und sie folgt ihnen. Nördlich über den Bergen ziehen sich die Wolken jetzt dichter zusammen, sie verfärben sich dunkelgrau und werden nicht selten von grell aufleuchtenden Blitzen durchschnitten, die bis an den Horizont reichen. Unterhaltend für Julien und Flore, nicht mehr, zu weit entfernt ist das Geschehen und die gleißende Sonne hält es auf, weiter nach Süden vorzudringen. Die drei kreuzen einen von Rädern, Hufen und Menschenfüßen geebneten Pfad. Adeline weiß, es ist die Straße, die sie nach Mansilla führen soll, aber sie überlegt. Wenn sie sich nordwestlich halten, umgehen sie Mansilla und sie werden León früher erreichen. Der Tag ist heute ohnehin lang und wer weiß, ob die Sonne das Wolkenband bis zum Abend hin aufhalten kann.

Die Entscheidung ist getroffen und sie tauscht die scheinbare Sicherheit der Straße gegen das Unbekannte neben ihr.

Julien und Flore halten sich in nur geringem Abstand hinter Adeline, die ständig ihr Haupt gegen den Himmel gerichtet hat, der ihr den Weg weisen soll. Julien teilt sich mit Flore den Stock, den Marlon angefertigt hat. Flores rechte Hand umfasst ihn nur wenig oberhalb von Juliens linker Hand und an den kaum sichtbaren Linien in ihrem Gesicht zeichnet sich ein leichtes Lächeln, eingefasst in einem gelben Kopftuch. Die angeborene Blässe ist aus der der Sonne ausgesetzten Haut Juliens verschwunden und hat einer roten bis bräunlichen Färbung Platz gemacht. Seine Sommersprossen auf der Nase sind größer geworden, aber durch die Rötung, die sie einschließen, weniger auffällig als zuvor. Adelines lange Schritte nehmen heute wenig Rücksicht auf die viel kürzeren Beine ihrer Geschwister, die sich gelegentlich dazu gezwungen sehen, im Laufschritt zu ihr aufzuschließen.

Wieder sind Flore und Julien mehrere Meter hinter Adeline zurückgefallen. Diesmal hält sie an und wartet. Wasser bremst sie am Weitergehen. Etwas braun gefärbt als Fluss, der Neigung nach nicht erkennbar nach Süden fließend, sich fortbewegend, im mit Blitzen durchzogenen Grau des Nordens, dem Unwetter entrinnend, sanft und ruhig. Das gegenüberliegende Ufer ist zwar mehr als zehn Schubkarren entfernt, aber flach, es bietet sich regelrecht für eine Überquerung an. Adeline nimmt den Stock von Julien und geht ein Stück in den Fluss hinein bis zur Mitte. Das Wasser reicht ihr an der tiefsten Stelle bis an ihre Oberschenkel, der Untergrund ist fest und auch dem Druck lässt sich leicht standhalten. Adeline kehrt zurück ans Ufer.

„Wir müssen da rüber", sagt sie. Julien traut der Sache nicht und spricht seinen Einwand aus, der sofort von Flore belächelt wird. Adeline stellt sich zu Julien und zeigt ihm anhand der Nässe ihres Kleides, wie hoch das Wasser reicht. „Bis zu deinem Bauch, nicht höher", sagt sie und versucht damit, die Angst in ihm zu besänftigen. Flore verspottet ihn ein wenig seiner Ängstlichkeit wegen.

„Ich halte dich an der Hand", sagt Adeline. „Mit der anderen kannst du dich am Stock stützen."

Nach erfolgreicher Überredungskunst treten sie ins Wasser. Adeline hält Flore vor sich an der Hand und Juliens Hand fest umschlossen hinter sich. Dieser stemmt sich auch noch mithilfe seines Stockes dem Wasser entgegen. Dem Wasser, das jetzt stärker fließt und auch an Umfang gewonnen hat, nicht viel, aber doch für Adeline merkbar. Was Adeline nicht sieht, ist, dass der Fluss einige Biegungen oberhalb aus einem weiteren Fluss, der dem Gebirge ent-

275

springt, gespeist wird. Und an der Stelle, an der sie zusammenfließen, paaren sie sich und gehen in einen gemeinsamen Fluss über. Ein riesiger Baumstamm blockiert das Wasser und lässt es ansteigen. Der Baumstamm ist aufgelaufen an der angeschwemmten Erde in der Mitte des Flusses. Eingehakt am gesplitterten Holz, das von einem Blitzschlag herrührt und an der Bruchstelle noch schwarze Brandflecken aufweist. Die Fülle der grün bewachsenen Äste hält das Wasser zurück, das durch das Gewitter in den Bergen gespeist wird. Etwas gibt nach, vielleicht ist es auch die Summe der Widerstände, die mit einem Mal brechen, und der Baum setzt seine Reise fort, angetrieben von den Wassermassen, die er zuvor aufgestaut hat.

Einige Biegungen darunter stemmt sich Adeline, Flore und Julien an den Händen führend, mit dem Rücken dem immer noch sanft dahinfließenden Wasser entgegen. Sie haben bereits die Mitte des Flusses überschritten. Adeline spürt noch, wie das Nass unaufhaltsam an ihr emporsteigt, blickt zurück, flussaufwärts, dreht sich in Richtung des heranstürzenden Flusses, tauscht dabei mit Gewalt die Positionen von Flore und Julien, weil sie unabdingbar ihre Hände fest in die ihren drückt, und blickt dem anrollenden Unheil entgegen.

Mit voller Wucht erfasst die drei das Wasser, entreißt sie dem festen Untergrund, wirbelt sie empor und spült sie mit sich. Flore und Julien werden immer noch von ihrer Schwester an den Händen festgehalten. Den Kopf nur mühsam über Wasser haltend, ringen sie nach Luft. Unzählige Wellen brechen über ihren Köpfen und Wasser dringt in ihre Kehlen. Hustend erwehren sich ihre Lungen der kalten Flüssigkeit, spucken sie aus, in den Fluss zurück.

Dann wird es dunkel. Der Baum hat sie alle drei erfasst, rollt über sie hinweg, Äste verhaken sich in ihren Kleidern und nehmen sie gefangen. Nur mit größter Anstrengung gelingt es Adeline, ihren Mund durch die Blätter hindurch an den lebensnotwendigen Sauerstoff zu führen. Unaufhaltsam wird sie unter Wasser gedrückt von den sich nach vorne schiebenden Zweigen und der Wucht des Baumstamms, der über ihr liegt. Der Gegendruck in ihrer rechten Hand versiegt und leblos erscheint ihr die Hand, die sie umschlossen hält. Adeline vernimmt noch die Gegenwehr von Julien in ihrer linken Hand. Auch sie erlischt, so wie die Kraft in ihr selbst. Ihr Kehlkopf verschließt sich nicht mehr dem Wasser, hustet es nicht mehr heraus. Er lässt zwei tiefe Atemzüge gefüllt mit Wasser in die Lungen fließen und mit dem einhergehenden Fehlen des Sauerstoffs verfällt Adeline in Bewusstlosigkeit. Sie nimmt noch wahr, wie sich ihre Hände um Flore und Julien verkrampfen, ein Zucken in ihren Gliedmaßen und dann streckt sich ihr Körper ein letztes Mal, Stille kehrt ein.

23
León

Nach wie vor liegt der Wolkenschleier über dem Städtchen Mansilla, als ich in den Morgenstunden unsicher auf einen gelben Pfeil blicke, aufgemalt auf den Pflastersteinen am Boden vor mir. Er weist mir den Weg auf eine Brücke, die mich über den Fluss führen soll. Auch dort sehe ich einen gelben Pfeil am Geländer und er fordert mich auf, darüberzugehen. Ich bin unsicher, denn der helle Fleck am Wolkenschleier über mir bestätigt mein Gefühl. Die aufgemalten Markierungen führen mich eindeutig in Richtung Norden. Ich gehe ein Stück zurück, halte Ausschau nach Pilgern in die beiden Gassen hinein, die sich auf dem kleinen Platz, auf dem ich stehe, gabeln. Ich sehe niemanden. Wie üblich scheine ich bei den letzten zu sein, die gedenken, den Ort der nächtlichen Schlafstätte zu verlassen. Zumindest Sherri und Kristi sind noch beim Frühstück im angrenzenden Restaurant und ich warte. Nur wenige Minuten später kommen sie aus dem Lokal, ihre Habseligkeiten auf den Rücken gepackt und die Wanderstöcke in den Händen haltend.

„Was ist los, Reinhard?", ruft mir Sherri entgegen. Ich lege ihnen meine Zweifel in Bezug auf die Richtigkeit des angewiesenen Weges nahe. „Wir gehen beinahe wieder in dieselbe Richtung zurück, von der wir in die Stadt gekommen sind." Ich verweise dabei auch noch auf die Himmelsrichtung.

Nach langem Hin und Her folge ich den beiden und der Anweisung der Pfeile. Sie geleiten uns schließlich zu einem Pfad, der neben einer stark befahrenen Autostraße entlangführt. Die Unsicherheit scheint nur mich zu begleiten. Sherri und Kristi machen einen vergnügten Eindruck und lassen meine Einwände an ihnen abprallen und stattdessen den Vorabend noch einmal nachklingen.

„Hast du gewusst, dass Reinhard Gitarre spielen kann?", wendet sich Sherri neugierig an Kristi.

„Nein, aber es war toll. Ein wunderschöner Abend, wenn nicht der schönste bisher." Kristi sieht dabei zu mir.

„Ja, es war so unerwartet, man könnte so etwas nicht besser inszenieren." Ich unterstreiche damit das Spontane, das zu dieser Party geführt hatte.

„Du bist voller Überraschungen", sagt Kristi zu mir. „Du hast mich damit wirklich glücklich gemacht, weißt du das?" Ich tue etwas unwissend und erstaunt, um meine Leistung kleiner aussehen zu lassen, und betone nochmals, erst vor 18 Monaten mit dem Spielen begonnen zu haben.

„Umso mehr bewundere ich es, wie du gespielt hast", sagt Sherri und Kristi bestätigt sie dabei.

Ich erzähle ihnen noch von dem Beweggrund, der mich zum Gitarrespielen gebracht hat, und davon, warum ich mich entschlossen habe, die Liedtexte mitzunehmen.

„Wer kommt schon auf die Idee, Texte von Liedern mitzunehmen?"

„Noch dazu, wenn man gar kein Musikinstrument dabeihat", ergänzt Kristi die Worte von Sherri und sagt dann wiederum zu ihr gerichtet: „Aber hast du gemerkt, wie die Leute mitgesungen haben, als Reinhard mit den Texten gekommen ist? Mir geht es nicht anders, ich kann den Refrain singen und beim Rest bleibe ich stecken. Du merkst es dann auch, wie der Gesang leiser wird. Toller Einfall", betont sie nochmals, wobei sie meinen Namen erwähnt.

Ich freue mich und suche ständig nach Markierungen, die den eingeschlagenen Weg bestätigen. Endlich, eine blaue

Muschel, aufgemalt auf einen Stein, erlöst mich von der Unsicherheit. Der Pfeil daneben führt uns fort von der Autostraße in ein grünes Waldgebiet. Die heutige Etappe misst lediglich 19 Kilometer und ich habe eben beschlossen, sie gemeinsam mit Kristi und Sherri zu Ende zu gehen, auch wenn es mich ständig drängt, schneller zu laufen. Es ist immerhin unsere letzte gemeinsame Strecke, die wir auf unserer Reise zurücklegen werden.

Gegen Mittag erblicken wir schließlich die Stadt León von einer Anhöhe aus. Dafür mussten wir zuvor die Autobahn überqueren auf einer vermutlich speziell für uns Pilger gebauten Stahlkonstruktion, dunkelblau und von Weitem sichtbar.

Kristi fragt mich nochmals, ob ich mich nicht doch dazu entschlossen habe, ebenfalls im Parador zu übernachten. Ich verneine lediglich. Begründungen hinsichtlich der Kosten verkneife ich mir.

Die Randbezirke, durch die wir in das Herz von León geführt werden, sind ruhig. Sie liegen abseits der stark befahrenen Zubringerstraße. Je mehr wir aber in das Innere der Stadt vordringen, desto lebendiger wird sie. Ein Geschäft reiht sich an das nächste. Wir folgen den gelben Pfeilen, die uns nur noch an den mit Lichtsignalen ausgestatteten Stellen über die stark befahrenen Straßen lassen. Abermals stehen wir vor einer Kreuzung und warten auf das grüne Licht der Ampel über uns.

Eine Frau spricht uns an, sie ist um die 30. Ich kann sie anfangs fast nicht verstehen. Sie spricht Spanisch, ein paar Brocken Englisch und vermutlich wohnt sie auch hier in León. Sherri meint, dass sie uns ein Zimmer anbieten will. Wir kommen der Sache näher. Sie zeigt auf die Straße, die an der Kreuzung den Weg nach links einschlägt, fort von der

Markierung, die ins Zentrum führt. Sherri und Kristi machen der Frau klar, dass sie bereits ein Zimmer haben, und zeigen mit ihren Fingern auf mich. Ich versuche, mich ihrer Finger zu erwehren. Die Dame lässt nicht mehr locker und will das Zimmer auch an mich alleine vermieten. Ich vernehme aus ihren Handbewegungen, dass es weniger als 100 Meter entfernt liegt. Ich kann es mir ja zumindest einmal ansehen. Das Parador wartet ohnehin nur auf meine Begleiter. Wir verabreden uns noch auf ein gemeinsames Abendessen und ich folge dem beharrlichen Drängen der Fremden.

Bereits an der dritten Kreuzung, an der wir stehen bleiben und auf einen freien Übergang warten, deutet die Frau auf den auf der anderen Straßenseite befindlichen Gebäudebock. Ein riesiger Komplex, beinahe so groß wie ein Fußballstadion. Die Fassade im Parterre ist geschmückt mit kleinen Läden, Cafés und Bars, darüber quellen Balkone aus der Wand, neun Stockwerke hoch. Manche sind mit Glas verkleidet. Es ist also eine Wohnung, die mir Maria, wir haben uns inzwischen gegenseitig vorgestellt, anzubieten gedenkt. Wir fahren mit dem Lift in den sechsten Stock. Die Wohnung ist riesig, bestimmt 100 Quadratmeter. Ich versuche nochmals, Klarheit in die Sache zu bringen.

„Wie viele Personen?", frage ich ständig und zeige dabei in die Räume. Ich kann immer nur „Solo" verstehen. Das soll also wirklich alles für mich alleine sein. Ich bin mir nun über den angesprochenen Preis nicht mehr sicher, zu undeutlich ist ihre Aussprache. Zwar habe ich 15 Euro verstanden, denke jetzt aber, dass sie 50 Euro gemeint haben kann. Maria spricht nochmals mit ihren hochgehaltenen, gespreizten Fingern zu mir und die sagen eindeutig 15 Euro. Wahnsinn, denke ich mir, drei Schlafzimmer, zwei Badezimmer, Wohnzimmer, Küche und Balkon. Ich gebe Maria das Geld. Sie bedankt sich, führt mir noch vor, dass sich die

Tür von selbst schließt, und öffnet eine Schublade. Hier soll ich den Schlüssel morgen früh, wenn ich die Wohnung verlasse, hineinlegen. Sie zeigt mir noch ein paar Zettel, die sie aus der Schublade hervorholt. Es stehen Zeilen des Dankes darauf, auch Zeilen in deutscher Sprache. Maria schreibt mir noch ihre Telefonnummer auf und ich verabschiede mich von ihr. Unglaublich, wenn das meine Freunde wüssten, vielleicht hätten sie dann auf die Nacht im Luxushotel verzichtet.

Es ist noch sehr früh, 13 Uhr. Ich entschließe mich, Wäsche zu machen. Der Balkon zeigt nicht zur Straße, sondern in den Innenhof, in Richtung Sonne, die nun merklich zwischen den Wolken hervorblickt. Es ist die dritte Woche, die ich mit dem heutigen Tag auf meiner Reise vollmache. Ich nutze die Zeit und schreibe eine ausführliche Zusammenfassung darüber für meine Website. Internetanschluss habe ich hier zwar keinen, aber es wird sich am Abend sicherlich die eine oder andere Bar finden, um mein Werk hochladen zu können in die virtuelle Welt, auf der ich einen Abdruck meines realen Empfindens wiedergeben werde.

Wir waren schon in León, als wir von einem kleinen Personenkreis angehalten wurden. Ein paar Fragen, nichts Aufregendes. Sie gaben jedem von uns einen Stadtplan. Ich halte ebendiesen Stadtplan in den Händen, während ich neben der Straße vor dem Appartement stehe. Der Camino Francés zieht ausnahmsweise eine rote, diesmal nicht gelbe Spur durch das Papier. Über eine Seitenstraße laufe ich zwischen zwei Gebäudeblocks entlang und befinde mich schließlich auf der gekennzeichneten Straße. Sie führt mich in die Altstadt von León, vorbei an den Überresten der einstigen Stadtmauer, entlang der Calle de la Rúa, rechts über die Calle Ancha bis zur Plaza Regla und der Kathedrale von León. Es ist kurz nach 18 Uhr und der Winkel der Sonne lässt die Mauern der Kathedrale in einem kräftigen Gelb erscheinen. Ein majestätischer Wegweiser nach Santiago de Compostela lädt mich ein einzutreten. Für fünf Euro bekomme ich einen elektronischen Führer in die Hand gedrückt. Er soll mich durch die hoch aufragenden Mauern geleiten und mir einen Einblick in die Vergangenheit dieses beeindruckenden monumentalen Baus bringen.

Die erste Entdeckung, zu der mich dieser Bau führt, und dabei habe ich den Sprachkanal gerade erst mal auf die deutsche Sprache eingestellt, ist Chris. Er hat seinen Rundgang soeben beendet, alleine, wie er mir zu verstehen gibt. Chris bestätigt noch unser geplantes Abendessen.

„Halb acht, draußen auf der Plaza." Ich verfolge Chris noch im Klang seiner Worte und freue mich auf später. Auch Ort und Zeit des Treffens ergeben nun ein Bild, ergänzend zu der vagen Verabredung von heute Mittag.

Nicht wirklich beeindruckt von der akustischen Begleitung durch die bedeutendste Sehenswürdigkeit dieser Stadt, habe ich in einer Bar meine Erlebnisse der letzten drei Wochen für meine daheimgebliebenen Freunde transparent gemacht. Jetzt sitze ich im Gastgarten, mit Sicht auf die Plaza Regal. Ein Griff nach der Uhr in meiner Hosentasche verrät mir, dass es 19.15 Uhr ist. Ich warte. Ein Glas Bier leistet mir Gesellschaft. Unaufhörlich muss ich an das große Appartement denken und daran, welche Verschwendung es ist, dass es nur von einem Pilger genutzt wird. Es macht sich wieder Unbehagen in mir breit. Fragen verschrecken mich erneut, die sich zuvor in meinen Kopf genistet haben.

Habe ich schon mal etwas von verloren gegangenen Pilgern gehört? Gelesen? Hat vielleicht irgendjemand mal davon gesprochen? Etwas davon erwähnt? Verschwinden

Menschen einfach so am Camino Francés? In León? Sollte ich ein weiteres Opfer werden? Treibt eine Organmafia hier ihr Unwesen?

Ich hatte nach Einstiegsmöglichkeiten in der Wohnung gesucht. Darauf geachtet, dass alle Fenster und vor allem die Balkontür verschlossen sind, bevor ich gegangen bin. Wie froh wäre ich jetzt, abgelenkt zu werden von diesem Gedanken. Meine Augen wandern über die Plaza. Sie ist nicht überfüllt mit Menschen und somit ist es ein Leichtes, alles zu überblicken. Kein bekanntes Gesicht. Wo ist meine Familie, die mich beinahe drei Wochen begleitet hat? Nochmals greife ich in die Hosentasche, 19.40 Uhr. Ich bezahle und entschließe mich, auf die Plaza zu gehen, meine Freunde werden ja ohnehin jeden Augenblick erscheinen.

Eine weitere halbe Stunde, die ich um die Plaza schleiche, zuletzt erweitert durch Ausflüge in die angrenzende Fußgängerzone, niemand taucht auf. Ich habe Hunger und entschließe mich, in einem Restaurant in der Fußgängerzone, welches Pilgermenüs anbietet, mein Abendmahl einzunehmen, im Gastgarten, auch wenn es bereits kalt geworden ist. So habe ich die Straße und die vorbeiziehenden Menschen im Blickfeld. Beim Essen kommt mir ein Gedanke und ich logge mich auf meiner Website ein. Ich sitze dicht am Eingang und habe sogar Verbindung, etwas schwach, doch für mein Vorhaben reicht es.

So wie ich es beabsichtigt habe, ist es mir bisher gelungen, mich vor den Fragen der Außenwelt verborgen zu halten. Meine Gedanken nur auf die Pilgerreise gerichtet und freigehalten von den Dingen, die mir im Moment überflüssig erscheinen. Lediglich über eine E-Mail-Adresse auf meiner Website, die nur meine Familie zu Hause und ein enger Freundeskreis kennen, halte ich Verbindung zu dieser Welt.

Ein Schlupfloch, das bisher nur fünfmal genutzt wurde, um mir Worte der Anteilnahme entgegenzubringen. Ich blicke jetzt erneut darauf. Eine neue Nachricht, 30 Minuten alt und als Absender erkenne ich die Adresse von Sherri. Ich öffne das Mail.

Hallo Reinhard, haben uns entschlossen, gemeinsam im Parador zu essen – 21 Uhr, du musst unbedingt kommen. Wir warten auf dich, Sherri und Kristi.

Ein harter Schlag, der mir soeben versetzt wurde. Der Kellner bringt die Nachspeise und ich schiebe meinen Tablet-PC zur Seite. Hätte ich doch nur früher nachgesehen, denke ich mir. Abermals ziehe ich meine Uhr hervor, 20.35 Uhr. Ich esse die Eiscreme fertig, rücke meinen mobilen Computer heran und schreibe: *Hallo Kristi, Sherri, Gina, Chris, ihr wisst ja, wie sehr ich mich der elektronischen Konversation auf dieser Reise entziehe und dummerweise habe ich die E-Mail von Sherri erst jetzt beim Abendessen gelesen. Verzeiht mir, wenn ich heute nicht mehr ins Parador komme, aber meine Wohnung liegt auf der anderen Seite der Stadt. Ihr müsst wissen, ich habe eine Wohnung mit drei Schlafzimmern für heute Nacht bekommen, ganz für mich alleine. Von der Frau heute Mittag, Sherri und Kristi erinnern sich bestimmt daran. Lasst uns den gestrigen Abend in Mansilla als Abschiedsabend in Erinnerung behalten. Selten hatte ich mit meinen Mitmenschen so viel gemein wie mit euch, auch wenn ihr gleich im Parador beim Abendessen sitzen werdet und ich hier in der Altstadt mein mittlerweile lieb gewonnenes Pilgermenü verzehre. Ein Sprichwort sagt: Man trifft sich immer zweimal im Leben. Bis dahin bleiben wir zumindest auf dem internationalen Datenhighway verbunden und geht den Weg zu Ende bis Santiago de Compostela, so wie wir es uns versprochen haben. Meine Gedanken sind auch bei Steve. An meine Camino-Familie, mit lieben Grüßen Reinhard.*

Ich spaziere noch ein wenig durch die Straßen. In einer Bar stelle ich sehnsüchtig die Verbindung zu meiner Website her. Sherri hat geantwortet. Es sind Zeilen, die mich traurig machen, sie klingen nach Abschied und dennoch geben sie mir ein Gefühl der Verbundenheit, sie enden mit: „Deine Camino-Familie". Ich hasse Abschiede und mir ist etwas flau geworden im Magen. Doch ich erinnere mich, dass Chris vorhat, morgen weiterzugehen. Ich könnte noch ein paar Tage mit ihm gemeinsam laufen, wenn wir die tägliche Wegstrecke erhöhen, und vielleicht treffen wir auch noch Steve. Ein wenig wehmütig und in Gedanken bei meinen Freunden, gehe ich zurück in die Wohnung. Mich befällt neuerlich dieses Unbehagen meiner Sicherheit wegen, als ich dort angekommen bin. Ich befinde mich im sechsten Stock, niemand wird hier oben durchs Fenster steigen. Die Balkontür lässt sich nicht richtig verriegeln, nur zuhaken. Ein Schwachpunkt, denke ich mir. Ich stelle etwas davor, das umfällt und Krach macht, wenn man die Tür öffnet. Den Schlüssel stecke ich ins Schloss der Eingangstür und drehe ihn waagrecht, sodass man ihn nicht einfach so herausstoßen kann. Es ist kurz nach 23 Uhr und ich begebe mich zu Bett. Ich drehe das Licht aus. Dunkelheit und Stille betreten den Raum und ich versuche zu schlafen.

24
Güte

Die Gewitterwolken im Gebirge sind nicht bis in den Süden vorgedrungen und haben sich über Nacht zur Gänze aufgelöst. Der Sonnenaufgang wirft Licht auf das Gebiet um León sowie auf die Fuhrwerke der Händler, die auf die Märkte der Stadt drängen. Vereinzelte Karren, keine Konvois, gezogen von Maultieren oder Ochsen, sowie der einachsige Wagen von Sancho, der jetzt von seiner Frau und den drei erwachsenen Söhnen über die Krümmung der Brücke geschoben wird. Zu hochgespannt und unüberwindlich ist sie für den Ochsen alleine, der an den Karren gespannt ist. Es ist unterhalb der Stelle, an der sich der Fluss, der von León kommt, mit dem Fluss aus den Bergen vereint. Dieser Fluss, der am späten Nachmittag des Vortages zu gewaltigen Wassermassen heranwuchs, wild um sich schlug und Verderben brachte, plätschert nun sanft dahin, ohne auf den Schluss seiner begangenen Gewalttat zu gelangen.

Einer der drei Burschen sieht etwas Gelbes an einem Zweig wehen, auf der Böschung etwas oberhalb der Brücke. Die beiden älteren Brüder gehen darauf zu. Es ist ein Stück Stoff und jetzt sehen sie auch noch weiter flussaufwärts einen Körper reglos halb im Wasser und halb am Ufer liegen. Sie stürmen darauf zu, in Begriff, ihn aus dem Fluss zu ziehen. Doch dazu kommt es vorerst nicht. Sie fallen auf die Knie. Ramiro, der älteste Sohn, richtet seinen Blick verkrampft auf den leblosen Körper von Adeline. Unter ihr befindet sich noch ein kleinerer Körper, ein Kind, so viel kann er erkennen. Und davor ein weiteres Kind, ein Mädchen, immer noch verschlungen vom Fluss, die aus ihren Höhlen vorgetretenen Augen starren ihn an. Ramiros Bruder hat seinen Kopf in seinen Händen vergraben und nun steht auch Sancho, der Vater der beiden, am Schauplatz. „Sie sind ertrunken", sagt er, „beim Durchqueren des Flusses. Es muss gestern passiert sein, als die Elsa über das Ufer getreten ist." Sancho und seine Familie stammen aus Zalama, einer kleinen Ansiedlung von Gehöften entlang des Flusses Elsa, des Flusses, der sich mit seinesgleichen gepaart hat, kurz bevor ihn Adeline mit ihren Geschwistern zu durchqueren versuchte.

„Es müssen Fremde sein, sonst hätten sie gewusst, dass unterhalb eine Brücke über den Fluss führt." Sancho bekreuzigt sich und winkt seiner Frau nach dem Karren. „Wir nehmen sie mit zur Kirche San Isidoro. Es sind Christenmenschen und sie haben sich eine ordentliche Bestattung verdient." Sancho hat die aufgestickte Jakobsmuschel an Adelines Beutel bemerkt, der immer noch um sie gewickelt ist.

Es herrscht bereits reges Treiben in den Straßen von León. Sancho lenkt den Wagen direkt vor die Kirche San Isidoro. Glücklicherweise ist Diego, der Messdiener und Freund von Sancho, zugegen. Sancho schildert ihm den Vorfall, so wie er ihn vermutet, und weist ihn noch auf eine Besonderheit hin.

„Sie halten sich immer noch an den Händen. Sie haben sich ineinander verkrampft. Wir konnten sie nicht lösen und da haben wir sie so auf den Wagen gelegt, wie wir sie vorgefunden haben." Gemeinsam mit der Hilfe seiner Söhne, legen sie die drei Leichname auf das Portal zum Eingang der Kirche.

„Ich werde mich darum kümmern", sagt Diego. „Geh du

nur zum Markt, du kannst ja vor dem Nachhausefahren nochmals vorbeischauen." Er verabschiedet sich von Sancho und sucht nach einem Geistlichen.

Am späten Nachmittag und nach einem erfolgreichen Tag, was die Verkäufe betrifft, kommt Sancho nochmals alleine zur Kirche zurück und sucht nach seinem Freund. Diego deutet ihm, draußen zu bleiben, als er ihn am Eingang zur Kirche erkennt. Er läuft auf Sancho zu und drängt ihn ins Freie. Dort flüstert er ihm zu: „Du kannst dir gar nicht vorstellen, was heute hier los war. Ein Riesenaufruhr. Der Bischof war hier und der Gerichtsmediziner vom König selbst. Sie haben die Leichen fortgebracht."

Sancho versucht, seinen Freund zu beruhigen, er weiß auch um seine Einfältigkeit. Aber er zweifelt nicht an seinen Worten, da er mit Sicherheit den Bischof von einem gewöhnlichen Geistlichen unterscheiden kann.

Und tatsächlich, die Mühlen des Gerichts haben sich in Bewegung gesetzt. Der Gerichtsmediziner, ein enger Vertrauter von Alfons VII., und der Bischof führen ein ernstes Gespräch. Alleine und hinter verschlossenen Türen. Der Bischof ist bemüht, Besonnenheit an den Tag zu legen, doch der Gerichtsmediziner redet immerfort auf ihn ein und will umgehend eine Handlung erzwingen.

„Wer ertrinkt schon in einem nicht einmal hüfthohen Fluss mit leicht dahinfließendem Wasser? Es hat auch nicht geregnet in den letzten Tagen und die drei sind nicht länger tot als ein oder zwei Tage." Der Gerichtsmediziner will damit einen Suizid andeuten und auch Mord an den beiden Kindern. Er verweist dabei auf die Umklammerung der Hände. Den Einwand des Bischofs in Bezug auf das Gewitter in den Bergen und einen damit verbundenen möglichen Anstieg des Wasserspiegels weist er ab.

„Habt ihr gestern etwa bemerkt, dass der Bernesga plötzlich angestiegen ist?" Ich habe nachgesehen, alles furztrocken, was über den Fluss ragt."

Der Gerichtsmediziner hat dabei aber außer Acht gelassen, dass es sich um einen anderen Fluss handeln könnte, der das todbringende Wasser brachte.

„Ich mache Euch einen Vorschlag", sagt er. „Ich gebe Euch die zwei Kinder. Ihr könnt sie begraben, wie es Euch richtig erscheint. Aber die Frau gehört mir und ich will, dass sie nach dem Gesetz als Selbstmörderin hingestellt und verurteilt wird."

„Warum nur? Die Frau war auf dem Weg nach Compostela. Sie ist Pilgerin, habt Ihr nicht das Zeichen an ihrem Beutel gesehen? Begeht jemand hier Selbstmord, nachdem er mehrere Hundert Kilometer durchs Land gepilgert ist?"

Der Bischof schüttelt den Kopf, um damit seine Aussage zu unterstreichen.

„Es ist nicht unsere Aufgabe, die Gründe dafür zu suchen oder zu finden, aber die Fakten sprechen eindeutig für Suizid und, Bischof", der Gerichtsmediziner beugt sich näher an ihn heran, „noch gebe ich Euch die Kinder."

„Nennt mir Eure wahren Beweggründe und ich werde zustimmen", sagt der Bischof.

Der Gerichtsmediziner rückt noch näher an den Geistlichen heran und flüstert ihm vertraulich ins Ohr: „Wie Ihr sicherlich wisst, bereitet der Stiefvater unseres Königs sein Heer für eine Schlacht bei Fraga vor. Im nächsten Monat bereits will er mit seinen Truppen vor den Almoraviden stehen. Was Ihr vermutlich nicht wisst, und Ihr könnt sicher sein, ich habe es aus glaubwürdigen Quellen erfahren, ist, dass die Almoraviden in großer Überzahl sein werden. Alfons wird die Schlacht verlieren und mit ein wenig Glück kommt er dabei im Kampfe um."

„Ich sehe aber die Zusammenhänge nicht." Der Bischof würde dem Tod von Alfons nicht nachweinen.

„Wir müssen dem Volk etwas geben und ich kann es mir nicht leisten, dass der Geist einer Selbstmörderin auch nur im Geringsten Einfluss auf das Geschehen nimmt. Denn wenn das Schicksal uns gnädig ist, wird Aragón seinen König verlieren und unserem Alfons VII. würde ganz Spanien offenstehen. Er könnte sich zum Kaiser von Spanien krönen."

Der Bischof hat verstanden. Er wechselt die Seiten. „Und das Volk will herangeführt werden an dieses Ereignis. Ein Spektakel, das die Unfehlbarkeit unseres Rechtssystems untermauert, und welche Rolle spielen dabei die Gefühle einer einfachen Frau? Politik kümmert sich nicht um die Anliegen von Leuten mit niedriger Herkunft oder einer einzelnen Frau und schon gar nicht um das Volk. Vielmehr versteht sie es, die Massen zu bündeln und für ihre eigenen Zwecke zu nutzen. Das Volk ist einfältig und will manipuliert werden. Je stärker es ein Herrscher versteht, seine Untertanen zu führen, umso stärker werden sie hinter ihm stehen."

Der Gerichtsmediziner kniet sich vor den Bischof und die beiden besiegeln ihren Pakt, noch am selben Tag wird ein Gerichtsbeschluss durchgesetzt.

Bereits in den frühen Morgenstunden des folgenden Tages beginnen die Vorbereitungen für das öffentliche Schauspiel. Am Schandanger werden in einem Anstand von einer Elle Holzblöcke festgenagelt, ein großes schweres Wagenrad wird herangerollt. Bald darauf beginnen sich die Menschen zu sammeln und in den letzten Zügen des Morgens ist der Platz um den Schandanger gefüllt mit Schaulustigen, die gierig dem bevorstehenden Ereignis entgegensehen. Jetzt treten Geistliche von Rang in die Öffentlichkeit, gefolgt von engsten Vertrauten des Königs, darunter auch der Gerichtsmediziner. Alfons VII. selbst ist nicht zugegen, eine politische Angelegenheit hat ihn bereits Tage zuvor auf Reisen geschickt und er wird von diesem Geschehen erst später erfahren.

Auf einem Karren wird der Leichnam von Adeline herangebracht und über die aufgenagelten Holzblöcke gelegt. Der Scharfrichter hebt das schwere Wagenrad mit großer Mühe hoch und lässt es auf einen Unterschenkel des Leichnams fallen. Knochen splittern im Klang des aufschlagenden Rades, die Haut platzt auf und totes Fleisch quillt hervor, aber kein Blut, das dem Schauspiel seinen Glanz verleihen könnte. Erneut hebt der Scharfrichter das Rad hoch und es bricht den zweiten Unterschenkel und danach die beiden Oberschenkel. Die Leute jubeln und jedes Mal, wenn das Rad zu Boden fällt, erheben sich ihre Stimmen und spenden dadurch dem Geschehen den nötigen Applaus. Nachdem auch die Arme mehrfach gebrochen wurden, wird der geschundene Leichnam durch das Rad geflochten. Verbrecher würden nun so lange auf dem mittels einer Stange hochgestellten Wagenrad belassen werden, bis die Verwesung einsetzt. Gnadenhalber lässt man ihnen zuvor das Rad noch auf den Hals fallen, nicht so bei einem Suizid. Einem verurteilten Selbstmörder wird der Kopf abgetrennt, so wie jetzt beim Leichnam von Adeline. Damit verhindert man, dass der Tote wiederkehrt und Unheil über die Menschen und das Land bringen kann. Die gebrochenen Gliedmaßen sollen es dem Toten zusätzlich erschweren, aufzustehen und trotz fehlenden Kopfes zum Wiedergänger zu werden.

Die sterblichen Überreste von Adeline wurden in einem geheimen Akt an einer Wegkreuzung vor der Stadt verscharrt. Der Kopf wurde ihr zwischen die Beine gelegt, fern vom Rumpf, der ihn einst trug. Die Stelle wurde nicht gekennzeichnet und soll für immer in Vergessenheit geraten. Nicht so für Diego und Sancho. Diego war einer der wenigen, die teilnahmen an diesem Geschehen, und er berichtete seinem Freund Sancho davon.

Beide stehen nun über der Erde, die noch etwas locker ist und Spuren einer kürzlich stattgefundenen Grabung aufweist. Sancho kniet darüber und betet, dass die Seele dieser Pilgerin Frieden finden möge.

Die Körper von Flore und Julien wurden wie versprochen in einer geweihten Erde beigesetzt. Auch hier kniet Sancho, diesmal mit seinen Söhnen und der Frau zu seiner Seite, und sie beten. Er stellt das bauchige Fläschchen, das er von Diego bekommen hat, neben das Grab. Den Inhalt davon hat er über Adelines Grabstätte geleert und nun sickert geweihtes Wasser auf die sterblichen Überreste von Adeline.

Und ich verspüre keinen Atemzug mehr in Juliens Lungen, sein Gesicht verschwindet, so wie die Gesichter von Adeline und Flore verschwinden, es erscheint Licht an ihres statt und es verharrt, um sich eines Tages zu binden an ihresgleichen und eins zu werden, am Weg, der uns gemeinsam führt.

Die Kür

Die Kür

25

Herzlichkeit

Verwesungsgeruch erfüllt den Gang. Ein Gang, dessen Ende nicht in Sicht ist. Eingehüllt in riesige Spinnweben, schweres, sich wie Nylonstrümpfe anfühlendes Gewebe. Sie legen sich an mein Gesicht, die Hände, den gesamten Körper, der sich immer heftiger keuchend einen Weg durch diese unwirtliche Wirklichkeit des Geschehens bannt. Begleitet von Beethovens Neunter, der unvollendeten Sinfonie, die fortwährend durch gellendes, unmenschliches und einem das Blut in den Adern gefrieren lassendes Flennen einer menschlichen Kreatur begleitet wird. Meine Beine werden zu Klumpen, die ich Stück für Stück nach vorne setze, in die Unendlichkeit dieses Gemäuers. Angetrieben von einer Macht, der ich nicht zu entrinnen vermag. Fette Würmer säumen den Weg, zerplatzen wie pralle Tomaten, wenn ich auf sie trete. Schmieren sich um meine Füße. Schleim verklebt die Spalten zwischen den Zehen, machen sie zu einer breiigen Masse und lassen mich wie auf Schienen in das Innere der Dunkelheit schlittern, begleitet von Beethoven und dem Stöhnen und Flennen menschlicher Wesen.

Plötzlich, aus dem Nichts, aus der bedrückenden Enge dieser Mauern, erstreckt sich ein riesiger mit vor sich hin flammenden Fackeln beleuchteter Raum. Eine massive weibliche Gestalt mit Brüsten gleich reifen Kürbissen, die an ihrem fleischigen Körper hängen und an deren Pforte Spinnen ihre Netze knüpfen, versperrt mir den Weg. Eine beinahe zahnlose, blutverschmierte Fratze öffnet sich und fordert mich auf einzutreten. Im Vakuum meines Schädels wird jeder aufkeimende Gedanke in ein Nichts gezogen. Ich betrete den Raum. Ringsum säumen mich nackte Frauenkörper mit Blutkrusten um ihre Mäuler. Hässliche alte Weiber, deren erloschene Pracht an das Ende der Welt erinnert. Mit Blut gemischter Speichel tropft aus den Mäulern, rinnt entlang der runzeligen Brüste und fließt zu Boden. Zwischen ihren Beinen suhlen sich Würmer in einem weißen Schleim. Ekel durchfährt mich. Reste von halb verdauten Nahrungsmitteln füllen meine Speiseröhre und stürzen in weitem Bogen aus meinem aufgerissenen Mund. Gelächter erfüllt den Raum, erschauerndes Gelächter, gepaart mit grunzenden Lauten und etwas Flehendem in der Mitte. Ein Mädchen, dessen gespreizte Scham mir jetzt direkt ins Gesicht klotzt. Festgebunden an Holzstämmen, windet sich sein zarter Körper inmitten der Abscheu. Ich trete näher, ich gehe auf das Mädchen zu und sehe ihm in die Augen. Ein alles zerreißender Schrei dringt bis in die kleinsten Ritzen der Mauern.

Ich werde aus dem Schlaf gerissen, sitze aufrecht im Bett und lausche der Dunkelheit. Große Schweißperlen rinnen über meine Schläfen, langsam wandern sie über die Wangen und perlen ab. Mein Hals ist verkrampft, die Adern sind angeschwollen und ich spüre, wie Blut durch sie hindurchgepumpt wird, angetrieben von den hämmernden Schlägen in meinem Herzen. Alles um mich herum ist ruhig, lediglich das stoßweise Zischen aus meinem aufgerissenen Mund ist zu vernehmen. Langsam entspannen sich die Muskeln um meinen Kehlkopf, der Atem wird gleichmäßig und auch der Rhythmus meiner Herzschläge nähert sich dem Einklang. Ein Film aus kaltem Schweiß hat sich über meinen Rücken gespannt. Die Uhrzeit auf meiner Armbanduhr kann ich nicht erkennen, zu dunkel ist es im Raum. Ich stehe auf, die

Tür zum Schlafzimmer steht offen. Ein vorsichtiger Blick in den Vorraum. Fensterlos und in völliger Dunkelheit gefangen, stellt er sich mir entgegen. Ich ertaste den Lichtschalter und mit einem leichten Druck darauf verschwindet die Dunkelheit und die weißen Mauern blenden mich. Ich gehe den Raum entlang, alle Türen stehen offen, kein Zimmer ist verschlossen. Rechts vor mir befindet sich die Küche, ich knipse das Licht an, mein Blick ist auf die Balkontür gerichtet. Der Verschlusshaken sitzt fest in der Verankerung und das Glas steht nach wie vor so, wie ich es hingestellt habe, auf der Flasche über dem Boden davor. Ich gehe zurück ins Schlafzimmer und sehe im Licht nach der Uhrzeit. Es ist 4.10 Uhr. Wach gerüttelt von einem Albtraum, versuche ich weiterzuschlafen.

Es ist beinahe 7.30 Uhr, als ich ein weiteres Mal geweckt werde. Diesmal vom hellen Licht, das sich durch das Fenster ins Zimmer schiebt. Mit einem Ruck fahre ich hoch, steige aus dem Bett und versuche sofort, die halbe Stunde, die ich meiner Meinung nach zu lange geschlafen habe, wieder aufzuholen. Ohne wirklich Zeit eingespart zu haben, verlasse ich das Appartement. Ich habe noch Zeilen des Dankes für Maria auf die Rückseite meiner Visitenkarte geschrieben. Auf dem Stadtplan habe ich eine Route eingezeichnet, die mich an den gelben Pfeilen vorbeiführt und nicht wieder in einer weiten Schleife durch die Altstadt.

Toll gemacht, denke ich mir, als ich am Gehsteig vor dem Wohnblock stehe und den Stadtplan nicht wie geplant in den Händen halte, sondern ihn geistig auf dem Küchentisch liegen sehe. Ich habe ein fotografisches Gedächtnis und meine, mich der gezeichneten Route erinnern zu können. Ich marschiere los.

Ich bin im Stadtkern angekommen und der gespeicherte

Plan in meinem Kopf stimmt so gar nicht mit der dreidimensionalen Realität, die mich jetzt umgibt, überein. Ein wenig verloren irre ich durch die Stadt und versuche, eine Orientierung zu finden in Form von gelben Pfeilen, blauen Muscheln oder einfach nur Menschen mit Rücksäcken. Gefunden habe ich eine Kirche. Ein Mann mit einem großen eisernen Schlüssel in der Hand, den er zuvor durch das Schloss der im Vergleich zu ihrem Bau eher klein wirkenden Holztür gedreht hat, winkt mir zu. Mehrmals vernehme ich das Wort „offen" und irgendetwas drängt mich dazu, seiner Einladung nachzukommen.

Ich trete über die Schwelle, unbewusst, nicht willens und dennoch der Aufforderung folgend. Wie weggeblasen ist mit einem Mal der Lärm des morgendlichen Treibens einer Großstadt. Stille umgibt mich. Ich tauche meinen Finger in das Weihwasserbecken, bekreuzige mich und knie mich auf die Stufe der durch einige Meter abgegrenzten Sitzreihe im mittleren Teil der Kirche. Licht bricht sich über den bemalten, hoch aufragenden Glasflächen und legt einen weißen Glanz um den Altar. Einzelne Bündelungen des Sonnenlichts glühen darauf hoch und die Lider schließen sich instinktiv über meinen Augen. So grell war das momentane Empfinden und es hat sogar Schmerzen verursacht.

Noch etwas benommen von diesem Geschehen höre ich Geräusche am Eingang und blicke zurück. Es dauert einige Minuten, bis sich meine Augen dem Wechsel von Licht zu Schatten angepasst haben, und erst nach mehrmaligem Reiben mit meinen Fäusten über den fest zugekniffenen Augen erkenne ich eine alte Frau, gestützt auf einen Stock, entlang des Mittelganges zur vordersten Sitzreihe schreiten. Ein ebenso betagter Mann begleitet sie. Meine Neugierde ist damit befriedigt. Ich spreche noch Worte in Richtung des hell erleuchteten Altars, bekräftige sie mit einem „Vaterunser" und finde mich am überschaubaren Platz vor der Kirche wieder.

Ein Schrecken fährt mir in die Glieder, meine Armbanduhr zeigt 8.45 Uhr. Demnach war ich beinahe eine halbe Stunde in der Kirche. Ich kann es nicht glauben und will jetzt wissen, wo ich mich befinde. Dazu fasse ich nach meinem Reiseführer, der stets griffbereit im obersten Fach meines Rucksacks untergebracht ist. Es kann sich nur um die Basilika San Isidoro handeln. Dies bestätigt dann auch ein Schild, an dem ich beim Verlassen des Platzes beinahe anstoße, und eine blaue Jakobsmuschel ist vor mir am Boden in einen Pflasterstein eingearbeitet. Ich folge ihrer Weisung.

Kurz darauf erwartet mich der mächtige Bau des Parador-Hotels. Die Wegweiser des Camino führen über den weit gestreckten Platz davor. Ich denke an meine Freunde und traue meinen Augen erst beim zweiten Hinsehen, als sie bereits nur noch wenige Meter von mir entfernt ist. Es ist Gina und ich habe sie nach all den gemeinsamen Tagen eben zum ersten Mal laufen sehen. Sie wirft mich beinahe um, als sie mir nur leicht abgebremst in die Arme springt. Ein wohliges Gefühl durchfährt mich. Wir drücken uns fest, nicht enden wollend und dann bin ich es, der die Fesseln löst. Gina bedauert den gestrigen Abend, dass unser Abschied so ausfallen musste, und bekräftigt nochmals, in Verbindung bleiben zu wollen. Ich weiß, dass sie noch ein paar Tage in León bleibt, sie trifft sich hier mit ihrer Mutter und ich gebe ihr die Telefonnummer von Maria bezüglich der Wohnung, von der ich ihr erzähle.

„Chris ist vor ungefähr einer Viertelstunde losmarschiert. Du kannst ihn noch einholen", sagt sie, immer noch über das ganze Gesicht strahlend. Wir drücken uns nochmals kräftig, küssen uns auf die Wangen, ich lasse mir ihr Wort

301

geben, den Weg zu Ende zu gehen, und drehe ihr schweren Herzens meinen Rücken entgegen.

Nach lediglich vier oder fünf Schritten bleibe ich stehen, drehe mich nochmals um und blicke in das knallrote Gesicht von Gina. Weinkrämpfe schütteln ihren Körper und Tränen durchfluten das geschwollene Gesicht. Mit dem Handrücken versucht sie, das Wasser von ihren Augen beiseitezuschaffen, um mich noch einmal sehen zu können. Der Anblick füllt auch meine Tränensäcke und bringt sie zum Überlaufen. Meine Nase wird feucht und mir scheint, als würde mir der Kehlkopf aus dem Halse springen, pochend wird er jedoch in seiner Verankerung festgehalten. Ich winke ihr noch ein letztes Mal, dann setze ich meine Reise fort, alleine und ohne die Vertrautheit meiner Camino-Familie.

Nach den letzten Außenbezirken von León teilt sich der Camino. Ich nehme den direkten Weg nach Hospital de Órbigo, meinem Etappenziel für diesen Tag und mit 34 Kilometern meine bisher längste Strecke. Es scheint ein heißer Tag zu werden und ich habe mich zuvor bei Kaffee und Kuchen darauf vorbereitet. Sonnencreme verleiht nun meiner Haut Schutz und Feuchtigkeit, der Hemdkragen ist hochgestellt und der Schlapphut schützt meinen Kopf und seine breite Krempe zusätzlich meinen Nacken. Ich habe Spaß daran zu laufen, die Nerven um mein Knie herum sind zum Teil abgestorben und quälen mich nicht länger, lediglich dieses taube Gefühl irritiert mich ein wenig. Eine Zeit lang begleitet mich die industrielle Welt in einer kubistischen Darstellung, doch schlussendlich gewinnt die Natur wieder Überhand und eine Raststätte ist das letzte Zeugnis einer modernen und hektischen Umgebung.

Ich liebe den Geschmack von Kirschen und werde förmlich an den Verkaufsstand gezogen. Frische, rubinrote Herzkirschen leuchten mir entgegen. Prall im Aussehen, fest im

Biss und süß im Abgang. Nichts könnte dieses Gefühl besser beschreiben, das mich durchfährt nach den ersten Kostproben, die über meinen Gaumen wandern, auch wenn es überholt klingt.

Ich nehme Platz auf der Terrasse der Raststätte. Mein heutiges Mittagessen, in Olivenöl eingelegte Sardinen, schlinge ich mit einem Stück Baguette förmlich hinunter, die köstliche Nachspeise gierig in Augen haltend. Die Kirschen haben die Form von Herzen, darum auch der Name. Sie platzen auf, als ich vorsichtig auf sie beiße, auf den harten Kern in ihrer Mitte bedacht. Ein süßer Saft ergießt sich über meine Zunge. Halb zerdrücke ich sie mit meinem Gaumen und halb zerreiße ich sie mit meinen Zähnen, um auch den letzten Tropfen des köstlichen Saftes an meinem Gaumen zu spüren, bevor er hinabgleitet in das Innere meines Körpers. Würde mich jetzt jemand beobachten, es wäre nicht schwer, seine Gedanken zu lesen.

Schleierwolken schmücken den Himmel und nehmen der Sonne ein wenig Kraft. Der Weg ist fest und breit und beizeiten sehe ich Kristi und Sherri weit vor mir herwandern. Ich erkenne sie an ihren Umrissen und an der Bewegung, ihrem Gang. Ich erhöhe dabei meine Geschwindigkeit, beinahe laufe ich schon und ich bin versucht zu rufen: „Wartet auf mich!" Doch ich weiß, dass es nicht sein kann. Sie verbringen eine weitere Nacht in León, zusammen, vielleicht treffen sie auch noch Gina und besuchen sie in ihrer neuen Wohnung. Es sind neue Pilger, für mich fremde noch unbekannte Personen, die meine Sinne täuschen. Vermutlich eben erst gestartet in León, aufgesprungen auf einen fahrenden Zug, der bald sein Ziel erreichen wird. Mir wird nun auch bewusst, dass ich Chris heute nicht mehr sehen werde. Ich hätte es auch wissen müssen, dass er keine 34 Kilometer an einem Tag läuft und logischerweise die andere

Strecke gewählt hat, auf der es mehr Möglichkeiten der Nächtigung gibt.

Neuerlich meine ich, getäuscht zu werden in meiner Wahrnehmung. Diesmal ist es der tänzelnde Gang eines Mädchens, das gerade hinter einer Biegung verschwindet. Neugierig strecke ich meinen Kopf empor, in der Hoffnung, dadurch über die Büsche entlang der Kurve blicken zu können. Die Spannung hält an, während ich mit weiterhin hochgestrecktem Kopf die Krümmung zu Ende gehe.

Jetzt lüftet sich das Geheimnis, es ist Shuran.

Ich habe sie bisher nur einmal gesehen und dennoch ist mir ihre Gangweise vertraut. Sie erkennt mich ebenfalls, als sie neugierig auf das Geräusch zurückblickt, das ihr folgt. Sie bleibt stehen. Auch wenn sich unsere bisherige Begegnung auf einen Zeitraum von nicht mehr als einer halben Stunde auf einem Rastplatz beschränkt hat, ist die Begrüßung äußerst herzlich. Auf die Frage nach ihren Begleitern erzählt sie mir Altbekanntes. Nina und Cock sind noch in León und Hector hat sie bereits zwei Tage zuvor verlassen. Wir machen Fotos von uns mit dem Selbstauslöser meiner Kamera und gehen zusammen weiter.

Shuran erzählt mir von ihrem Studium, das sie vor nicht ganz einem Jahr abgeschlossen hat. Sie hat das Praktikum unterbrochen, das ihr wenig Spaß bereitete, und sich entschlossen, hier am Camino Francés nach einem Fingerzeig ihr weiteres Leben betreffend zu suchen.

Es ist schwer, sagt sie, in ihrem Land eine geeignete Anstellung zu finden, zu viele junge Leute studieren heutzutage und der Arbeitsmarkt gibt einfach zu wenig her. „Du wirst es komisch finden, dass gerade in einem Land wie Südkorea der Jakobsweg ein solches Ansehen besitzt", sagt sie so, als würde sie sich gerade in ihrer Heimat befinden, mit den Gedanken etwas fort von mir.

Es erstaunt mich wirklich und ich bestätige ihr das auch mit einem lang gezogenen „Aha" und als sie zu mir blickt, unterstreichen es noch die verzerrten Züge, die mein Gesicht hervorruft. Sie hat ein kindliches Lächeln und das gefällt mir. Noch mehr als das von Kristi, es ist unschuldiger und der Welt noch fremd. Sie erreicht damit auch andere Regionen meines Körpers, neue Regionen, in die das geschwisterliche Lächeln von Kristi bisher nicht vorgedrungen ist. Es ist mir nicht möglich, einen klaren Gedanken zu fassen, nicht in diesem Augenblick. Ich lausche ihrer Stimme, Bilder springen durch meinen Kopf, heften sich an lose Gedanken, die sich nicht ordnen lassen. Ich spüre mich selbst, den Takt, den mein Herzschlag vorgibt, etwas schneller als zuvor, die prickelnde Wärme, die meine Adern durchfließt, und die Sehnsucht, die mich befällt. Sehnsucht der körperlichen Nähe, die mir in den letzten drei Wochen und auch schon längere Zeit zuvor vorenthalten wurde.

Immer noch lausche ich Shurans Worten, sie drücken aus, was ich eben noch zu verdrängen suchte. Zeit. Getimt und für richtig befunden, bereits vor Wochen oder Monaten. Ihre Zeit, die nicht im Einklang mit meiner steht, und ich habe bereits zu viel davon vergeudet. Vergeudet? Welch scheußliches Wort, fährt es mir in den Sinn. Ich habe jede Minute genossen, die ich mit meinen Freunden verbracht habe, und ich würde diese gemeinsame Zeit um nichts auf der Welt missen wollen. Die Tatsache ist aber, dass ich bereits zwei Tage hinter meinem Zeitplan liege. Sicherlich könnte ich noch ein oder zwei Tage gemeinsam mit Shuran gehen, aber irgendetwas in mir drängt mich aufzubrechen und ihrer Einladung auf ein paar gemeinsame Tage zu entsagen. Ich ringe um vernünftige Erklärungen für meine Entscheidung und nach vielen weiteren Schritten nebeneinander trennen sich unsere Wege.

Zweifel plagen mich. Die Landschaft rinnt an mir vorbei. Glücklicherweise ist der Weg jetzt kerzengerade angelegt, frei von Kurven und Abzweigungen, was mir erlaubt, einmal nicht auf die Markierungen achten zu müssen. Ich stoße auf keine Pilger, nur auf eine kleine Ortschaft, gehüllt in das Schweigen der Siesta. Es ist spät geworden. Eine Tafel mit Abbildungen von verschiedenen Fertigeissorten glitzert im Sonnenlicht von einer Gebäudewand, darüber steht „Bar". Es ist seltsam und entspricht so gar nicht meinem Naturell, aber ich verspüre plötzlich Lust auf etwas Süßes.

Es ist der bisher imposanteste Empfang, der mir dargeboten wird. Hospital de Órbigo begrüßt mich mit einer, ich würde schätzen, 200 Meter langen Steinbrücke, die mich direkt in die Dorfmitte führt. Einen Fluss suche ich vergebens, lediglich ein einsam vor sich hin plätscherndes Rinnsal kreuzt die Brücke zu Beginn. Links der Brücke ist die Fläche unbebaut. Ein Fußballplatz ruft hier beizeiten die Leute zusammen und rechts von der Brücke aus sehe ich moderne Bauten, Wohnhäuser und auch eine Albergue, abgehoben vom beeindruckenden Flair der alten Mauersteine.

Es ist fast 16 Uhr und ich versuche mein Glück gleich bei dieser Albergue. Ich bekomme noch ein Bett, aber alles hier ist so anders. Ich teile mir das Zimmer mit drei Franzosen, die den Weg gemeinsam mit dem Fahrrad fahren. Das Zimmer ist zwar schön, mit eigenem Bad, aber ich bin jetzt der Außenseiter. Zuvor war ich Bestandteil einer Gruppe, nun bin ich ein Fremder neben einer Gruppe. Ich verstehe niemanden. Alle sprechen Spanisch oder Französisch. Ich sitze alleine beim Abendessen, wirklich alleine, nicht nur gefühlt.

Vor dem Abendessen bin ich noch durch den Ort gegangen. Nur wenigen Pilgern bin ich dabei begegnet, gekannt habe ich keinen. Mir wird klar, dass ich mich heute vermutlich abseits der vorgesteckten Etappenziele befinde. León war für viele ein gesuchter Zwischenstopp oder gar der Beginn ihrer Reise auf dem Jakobsweg und nur wenige werden eine so lange Strecke wie ich heute gehen. Noch drei solche Tagesmärsche und ich bin im ursprünglichen Zeitplan. Ich betrachte eine Karte, die den Camino beschreibt, Tagesziele absteckt und Unterkünfte zeigt. Astorga wird darauf für den nächsten Halt vorgeschlagen, es liegt 18 Kilometer weiter und scheint mir eindeutig zu kurz für eine Etappe. Danach Foncebadón, 26 Kilometer von Astorga gerechnet. Zu lange wäre diese Etappe und dazwischen gibt es nicht viele Möglichkeiten.

Meine Wahl fällt auf Rabanal, 40 Kilometer von hier aus. Sollte doch zu schaffen sein. Ich gehe früh zu Bett und der Gedanke an meine Freunde, meine Camino-Familie, wiegt mich in den Schlaf.

So früh war ich noch nie auf dem Camino, es ist noch nicht mal 7.30 Uhr. Die Sonne blinzelt mir über die steinerne Brücke entgegen und zaubert herrliche Bilder einer Morgendämmerung in meine Kamera. Die Farbe des Himmels ergießt sich von einem kräftigen Azurblau bis hin zu einem blasen Blau, das sogar ins Weiße reicht, an der Spiegelung, die die Sonne über der Brücke wirft, und nichts trübt das Farbenspiel, keine einzige noch so kleine Wolke.

Ich folge einer trockenen und staubigen Landschaft. Die Temperatur hat es eilig emporzusteigen, um heute neue Rekorde aufzustellen. Sie setzt alles daran, die Bestmarke von 32 Grad Celsius des Vortages zu überbieten, und die einsam sich langsam hinter meinem Rücken hochschiebende Sonne ebnet das Umfeld dafür. Ich liebe dieses Zusammenspiel. Gerade noch ist der Untergrund hart und steinig, dann wieder weich und sandig und die Schritte werden dabei schwerer, gleiten durch den Sand, suchen nach Halt, nach der Basis für den nächsten Schritt. Manchmal fahren Radfahrer an mir vorüber, Pilger, welche die Ankunft in Santiago de Compostela bereits Tage vor mir feiern werden, und ich beneide sie nicht. Immer mehr gelange ich zur Einsicht, dass es nicht die Ankunft, das Erreichen des Ziels ist, das dich belohnt, es ist vielmehr der Weg dorthin. Er beschenkt dich täglich und je länger du auf ihm wandelst, desto mehr kann er dir geben und es ist wichtig, den Weg in einem Stück zu gehen und ihn nicht aufzuteilen auf zwei oder drei Jahre. Geh ihn erst, wenn du die dafür nötigte Zeit aufbringen kannst. Zerreiße ihn nicht und kürze ihn auch nicht ab, denn er nennt sich Camino Francés und die Geschichte, die er erzählt, entspringt in den Pyrenäen und endet am Grab des heiligen Jakobus. Verpasse nichts davon, denn es könnte gerade dieses Stück sein, das dich mit einbezieht und dich teilhaben lässt an den Wundern, von denen er erzählt.

Es ist erst kurz nach 11 Uhr, als ich Astorga erreiche. Endlos zieht sich der Zugang in die Stadt. Eine Stadt, die auch heute vielen Pilgern Unterstand gewähren wird, nicht mir, denn ich habe noch viel vor an diesem prächtigen Sommertag, der seiner kalendarischen Einteilung nach in den Frühling fällt. Unübersehbar wirken die Kathedrale und der daran angrenzende Bischofspalast. In einem kleinen Laden habe ich mir frisches Brot und kühles Wasser besorgt, als Begleiter für den bevorstehenden Aufstieg nach Rabanal. 300 Höhenmeter gilt es, auf den anstehenden 22 Kilometern zu erklimmen. Anfangs noch sanft ansteigend, werde ich auf schließlich 1150 Meter Seehöhe geführt und nach weiteren 350 Höhenmetern, die ich dann in nur sechs Kilometern zurücklegen werde, erreiche ich den Cruz de Ferro und die

Stelle, an der ich mein Reisegepäck etwas erleichtern werde. Aber das erst am nächsten Tag.

Ich kreuze noch eine Autobahn, blicke auf die in hohem Tempo und Eile unter mir vorüberfahrenden Fahrzeuge und verlasse erneut das pulsierende und in Rastern gesetzte Leben. Der Camino führt mich in eine alte, vergessene Welt, fernab der Zivilisation, gepaart mit Einsamkeit und Ruhe.

Gegen 14 Uhr erreiche ich Santa Catalina de Somoza, einen 60 Einwohner zählenden Ort und vermutlich die letzte Möglichkeit zu nächtigen vor Rabanal, das noch zwölf Kilometer entfernt liegt. Es ist sehr einsam hier, ich sehe keine Pilger, nicht einmal Bewohner. Vermutlich liegt es an der Hitze und an der eben eingeläuteten Siesta. Ich setze mich an einen steinernen Tisch und mache mich über ein Stück Baguette und Trockenwurst her. Mein Mittagessen, und nach den bereits verdauten zwei Pfirsichen, die ich in Astorga zu mir genommen habe, auch von meinem Körper gefordert. Ich überlege, ob ich nicht hierbleibe. Ein neuer Hitzerekord wurde bereits aufgestellt, das fühle ich und die 28 Kilometer haben es in sich gehabt.

Ich liebe die Sonne, soll ich mich vor ihr verstecken, ich sitze auch jetzt nicht im Schatten. Wer sagt das, bin ich es? Meine Gedanken spielen verrückt. „Was sind schon zwölf Kilometer, leicht in zweieinhalb Stunden zu schaffen, herrliches Wanderwetter, so wie ich es mir gewünscht habe." Ich führe Selbstgespräche. Meine Wasserflasche sagt mir, dass sie noch mehr als halb gefüllt ist und ich breche auf.

In der Ferne beobachte ich schneebedeckte Gipfel, nicht meine Richtung, weiß ich, so hoch muss ich nicht hinauf. Rote Erde wechselt sich mit weißem Sand und zeichnet ein Muster auf meinen Schuhen, die ich gestern noch gebürstet habe, freigemacht von den Spuren der Tage zuvor. Zu einer Kette angehäufte Steine begleiten mich manchmal auf dem

Weg. Fragmente von Mauern, aufgehäufte flache Steinplatten, gehalten nur vom eigenen Gewicht und über die Zeit befreit von Mörtel. Teilweise eingestürzt oder umgeworfen von Menschenhänden oder umgetreten von Füßen. Pilgerfüßen? Es sind Zeitzeugen einer belebten Vergangenheit, Erinnerungen an ein einstiges Leben, das hier stattgefunden haben muss und verschwunden ist im Wandel der Jahre. Aber wie damals sind es Pilger, die gemeinsam oder einzeln wie ich diese Landschaft durchstreifen.

Eine in Beton gegossene und in mehreren Stufen unterteilte Säule ragt inmitten der breiten Schotterpiste empor. Daneben eine in dunkles Blau gefasste Blechtafel mit einer gelben Jakobsmuschel darauf. Ein weißer Pfeil darunter weist mich an, rechts abzubiegen, und führt mich an ein weiteres Zeugnis eines in Vergessenheit geratenen Ortes – El Ganso. Halb verfallene Häuser begrüßen mich und halten den Eindruck von Einsamkeit aufrecht. Oder ist es Trauer, sind es Bilder der Sterblichkeit und des Todes, die mir vor Augen geführt werden? Nicht einmal ein Hund oder eine Katze, die mir über den Weg laufen oder Schatten hinter einer dieser Ruinen suchen. Etwas geisterhaft und doch lebendig, davon zeugen Stromleitungen, die auf Masten entlang der Straße führen und ungeordnet in einem wirren Geflecht an die Häuser reichen. Der sich jährlich erweiternde Strom an Pilgern hat den Ort erneut mit Leben gefüllt und bringt einen verhaltenen Zuwachs an Menschen, die diese aus aller Welt kommenden Pilger auf ihrer Reise unterstützen und begleiten. So muss es sein, auch wenn ich heute weder Pilger noch einen Bewohner zu Gesicht bekomme.

Als eher entmutigend als anregend erweist sich ein Straßenschild, das ich gerade passiere. Sieben Kilometer bis Rabanal. Ich hätte mir gewünscht, es wären weniger. Die Sonne hat sich inzwischen an mir vorbeigeschoben, das erste Mal, dass sie mich überholt hat in all den Tagen, an denen ich unter ihr gewandelt bin, und sie strahlt mir nun ins Gesicht, im Ausmaß ihrer gesamten Schönheit. Ich ziehe meinen Hut ein wenig tiefer. Die Krempe ist breit genug, um mein Antlitz vor den heißen Sonnenstrahlen zu schützen, nicht aber meinen linken Unterarm, der jetzt voll von der Sonne erfasst wird. Obwohl ich der Meinung war, dass er sich bereits der versengenden Kraft der Sonne angepasst hat, spüre ich, wie sich die Haut aufheizt und zu brennen beginnt. Ich wickle so gut es geht mein T-Shirt darüber. Es sieht ein wenig konstruiert aus und ununterbrochen rutscht es mir vom Arm, aber es hilft. Das Wasser ist knapp geworden und es kocht beinahe. Ich trinke nur noch kleine Schlucke und dehne die Abstände, in denen ich sie zu mir nehme, immer weiter aus. Würde ich wegen eines Hitzeschlags oder vor Erschöpfung zusammenbrechen, niemand würde mich heute noch finden. Vielleicht morgen, wenn ein neuer Pilgerstrom einsetzt, um auf den Cruz de Ferro zu gelangen, oder bin ich dann bereits eingewachsen in die Natur, die mich umgibt.

Ist es ständig der Zufall, der mir den Weg weist, oder liegt es am Camino? Geschehnisse, die sich seit Beginn meiner Reise in meinem Gehirn festgesetzt haben, lösen sich jetzt und schieben sich erneut in den Vordergrund. Das Unwetter über den Pyrenäen, das mich abzuwerfen versuchte, mir die Kraft aus dem Leib saugte und mir die Frage stellte: „Bist du es wert, auf mir zu wandeln?" „Ja", schrie ich mit voller Lautstärke in den Sturm, der über mir tobte, und für den Bruchteil eines Augenblickes zogen Bilder an mir vorüber. Bilder, derer ich mich nicht erinnern konnte, die sich versteckt haben in meiner Gedankenwelt und sich erst viele Tage danach zu erkennen gaben, unter einem Baum auf der Straße nach Fromista. War es so oder war es nur Wunschdenken und was hat es zu bedeuten? Und da ist noch das plötzliche Abtauchen in längst vergangene Tage, das mich immerfort überfällt. Sind es nur die Bauwerke, die das bewirken? Was ist mit der Verletzung in meinem Knie? Habe ich denn nicht gerade dadurch meine Camino-Familie kennengelernt? Auch bloß Zufall? Die Schilderung von Steve, seiner Begebenheit in San Juan de Ortega und die Wandlung, die in ihm stattgefunden hat. Zufall? Zuletzt noch dieses Gefühl, das sich so stark an mich geheftet hat, ständig begleitet zu werden, obwohl ich mich von meinen Freunden trennen musste. Alles nur Zufall? Oder herrscht hier eine Macht, die höher ist, als mein Verstand es zulässt?

Bemüht, meiner Gedanken wieder Herr zu werden, versuche ich, alles auf die Strapazen des heutigen Tages zu schieben, vergebens. Ständig knallt mir die Sonne auf den Kopf und dann der nicht enden wollende Anstieg nach Rabanal. Ich werde meiner Sinne beraubt und niemand steht mir zur Seite in dieser Abgeschiedenheit, die mich umgibt. Mir ist jetzt, als würden meine Füße den Weg kennen. Sie gehorchen mir nicht mehr. Sie gehen von selbst, entwickeln ein Eigenleben, fernab meines Willens, ziehen mich vorwärts, den Berg hinauf und machen sich keinerlei Gedanken über die Flüssigkeit, die sie dadurch aus meinen Körper treiben. Es geschieht beinahe im Gleichklang, während der Schweiß den Stoff befeuchtet, trocknet die Sonne ihn. Zurück bleibt ein herber Geruch, der sich über meine Haut legt.

Eine neue Kilometerangabe stößt mich wieder zurück in die Realität – 4,2 Kilometer bis Rabanal. Vereinzelte Wolken haben sich entschlossen, mich zu begleiten. Zu wenige und zu weit weg sind sie, und ich höre ihre Anfeuerungsrufe nicht. Ein kleiner Schluck Wasser befindet sich noch in meiner Trinkflasche. Sie ist durchsichtig und zeigt mir den spärlichen Rest an Flüssigkeit, der mir noch geblieben ist. Ich fasse danach und spüre die Hitze, die das Tritan in sich aufgenommen hat, ein Material, das frei von Weichmachern ist und das Wasser frisch halten soll, so hat man es mir erklärt. Immer habe ich die Tage zuvor diese letzten Reste in der Flasche ausgeschüttet und sie mit neuem, frischem Wasser gefüllt. Nicht jetzt. Ich hüte diese Tropfen, als wären sie etwas Lebendiges, blicke stets danach und lasse sie kaum aus den Augen. Sie geben mir Kraft, alleine dadurch, dass ich weiß, dass sie da sind.

Der Pfad ist schmal und wird jetzt zunehmend steiler. Rechts von mir durchziehen Bäume die trockene Landschaft. Sie bieten mir aber nur wenig Schutz vor der sengenden Sonne, die mir beharrlich entgegenblickt. Nur für kurze Stücke des Weges, immer dann, wenn sich der Pfad über die Unebenheiten des Bergrückens schlängelt. Die Last auf meinem Rücken drückt mir auf die Schultern. Ich sehe förmlich, wie die neu entstandenen Blasen aufplatzen unter den Trägern, die meinen Rucksack halten. Ich spanne den Hüftgurt fester. Manchmal schwanke ich auch unter der Last, die ich zu tragen habe, dann, wenn der Untergrund tiefe Unebenheiten aufweist und ich sie durchqueren oder umgehen muss.

„Rabanal – 2,1 Kilometer" steht in gelber Schrift auf einer dunkelgrünen Tafel geschrieben. In meinem Mund ist es trocken geworden, kein Speichel bildet sich mehr, den es gilt herunterzuschlucken und meine Lippen sind aufgesprungen. Ich entschließe mich, die zu Leben gewordene Flüssigkeit, die sich noch immer in meiner Trinkflasche befindet, jetzt in mich aufzusaugen. Mehr als lauwarm rinnt das Wasser über meine Kehle. Zuvor habe ich es noch zwischen meinen Wangen hin und her wandern lassen, damit es die Spannungen an meinem Gaumen lindert. Ich halte die Flasche über meinen Kopf, um auch den kleinsten Tropfen aus ihr hervorzuzaubern. In diesem Augenblick wird mir klar, wie ergreifend und herrlich einfachste Dinge sein können wie dieser Tropfen Wasser, der mir auf die Zunge fällt. Ein Moment des Glücks, wie ich ihn schon lange nicht mehr verspürt habe und entstanden aus einem Grundbedürfnis, dessen wir uns gar nicht mehr bewusst sind. Es gibt mir neue Kraft, meine Schritte werden wieder länger, mein für diesen Tag zu erreichendes Ziel wird in den Hintergrund gedrängt, die aktuelle Gegebenheit, hier sein zu dürfen, gewinnt an Bedeutung und dann stehe ich auch schon vor einem kleinen Gotteshaus am Ortseingang von Rabanal. Ich halte und blicke auf das weite Tal unter mir, das ich durchschritten habe, um hier zu stehen und zurückblicken zu dürfen auf die emotionalste Empfindung, die mir bisher auf meiner Reise widerfahren ist.

Erst beim zweiten Anlauf bekomme ich ein Bett für die Nacht. Die erste Albergue, an der ich mein Glück versuchte, war mit einer Horde von Kindern belegt. Zwei oder drei Schulklassen, die Kinder nicht älter als 12 oder 13 Jahre und beiderlei Geschlechtes. Wie einfallslos doch die Namen der Herbergen sind, habe ich mir oft gedacht und abermals steht „Albergue de Municipal" auf dem Schild. Mittlerweile weiß ich, dass es sich bei Municipal um das spanische Wort für Stadt handelt und somit eine städtische Herberge beschildert. Das Gebäude könnte früher einmal den Zweck eines Kuhstalls erfüllt haben. Der Raum, in dem ich unterkomme, ist niedrig, schwere Holzbalken durchziehen ihn und er bietet Platz für 30 Stockbetten, eng aneinandergestellt. Je eine Dusche und Waschbecken für Männer und Frauen und dazu noch getrennte Toiletten. Alles ist sauber und Luxus verlange ich nach diesem Tag sowieso nicht. Nur etwas

Kühles zu trinken, das mir aber leider noch verwehrt bleibt. Es gibt keinen Automaten und die Betreiber der Unterkunft verkaufen auch keine Getränke, verweisen mich aber auf einen Supermarkt im Zentrum des kleinen Ortes. Zuvor wasche ich mir aber noch den Staub und den herben Geschmack von meinem Körper und mache mich wieder ansehnlich. Es ist ohnehin erst 16.40 Uhr und die nachmittägliche Siesta ist noch ein paar Minuten im Gange.

Der Supermarkt befindet sich gleich in der Querstraße, die von dem großen Platz, an dem die Albergue liegt, zur Hauptstraße führt, wenn man eine Straße so in einer 65 Einwohner zählenden Gemeinde nennen darf. Jeder noch so kleine Laden, in dem man Lebensmittel bekommt, heißt in Spanien Supermarkt. So auch dieser und ich denke, es wird mir ewig in Erinnerung bleiben, was meine Augen jetzt erblicken.

Beim Betreten des Geschäfts zog es mich, wie zu erwarten war, sofort zur Kühlvitrine und was sehe ich? Unter all den Wasserflaschen und Getränkedosen steht einsam und verlassen eine einzige Glasflasche, eine Ein-Liter-Flasche Bier. Ich fühle mich wie ein kleines Kind, das gerade sein Osternest mit den verheißungsvollen Leckereien darin gefunden hat. Auch der Verkäuferin muss ich so vorkommen, denn ich erheitere sie sichtlich durch meinen kindlich strahlenden Anblick. Ich verstehe zwar nicht, was sie sagt, aber es klingt liebevoll und ich meine, an diesem Tag der glücklichste Mensch in Rabanal zu sein mit meiner eisgekühlten Flasche Bier in der Tüte.

Die Sonne wird noch drei Stunden kraftvoll scheinen und ich wasche meine schweißgetränkten Socken und das verschwitzte Hemd. Ich beobachte, wie geschwollene Wassertropfen von meinem Hemd, das ich über eine Leine geklemmt habe, auf das Gras tropfen, meine Flasche Bier daneben und aufs Neue führe ich sie an meinen Mund, um einen großzügigen Schluck daraus zu genießen.

26
Feingefühl

Ich befinde mich in einem Heer von Frühaufstehern. Dunkelheit umschließt den Schlafraum und doch wecken mich die knisternden und schürfenden Laute, die beim Packen von Rucksäcken entstehen. Ich meine sogar zu vernehmen, wenn die Schnüre verknotet werden, immer kurz bevor der surrende Klang eines in sich verhakenden Reißverschlusses ertönt. Manchmal blinken Lichter im Dunkel zwischen den Betten hoch und das andere Ende des Raumes, der der Anfang ist, ich schlafe ja ganz hinten, wird in kleinen und großen Intervallen beleuchtet, dann, wenn sich die Badezimmer- oder Toilettentür öffnet.

Ich habe es mir jetzt angewöhnt, meine Stirnlampe griffbereit an das Bettgestell zu heften. Nicht um damit nachts im Finstern durch die Räumlichkeiten zu wandeln, nein, lediglich um morgens nach der Uhrzeit sehen zu können, da mein Ziffernblatt nicht beleuchtet ist. Es ist 5.50 Uhr und der halbe Saal ist bereits auf den Beinen. Ich versuche, noch ein wenig zu schlafen, was mir aber nicht gelingt. Ich besinne mich der bevorstehenden Etappe auf den Cruz de Ferro und entscheide dann, mich ebenfalls marschfertig zu machen. In Gedanken schieße ich bereits eine Vielzahl an Bildern des herrlichen, von der aufgehenden Sonne zusätzlich geschmückten Panoramas, das ich zu erwarten gedenke.

Nach einer Tasse Tee im Restaurant, in dem ich gestern ausgezeichnet zu Abend gegessen habe, verlasse ich die wenigen und noch zum Teil ins Dunkel gehüllten Häuser von Rabanal. Es ist 7 Uhr und das Sonnenlicht schiebt sich langsam an den Mauern abwärts. Ich überhole ein älteres Pilgerpärchen mit dem gewohnten „Buen Camino" und dann bin ich auch schon berührt von der Schönheit, die mich umgibt. Die anfängliche Frische wird rasch von dem sich hochschiebenden Lichtkreis am klaren Himmel über mir vertrieben. Ein etwas größerer schwarzer Vogel, vermutlich eine Amsel, stolziert in sicherem Abstand entlang des Weges. Ich folge ihr mit sanften Schritten und dann hebt sie ab, steigt empor und gleitet mit gelegentlichem Flügelschlag über die tiefen Einschnitte entlang des üppig bewachsenen Gebirges.

Kurz vor 8 Uhr erreiche ich Foncebadón. Zum ersten Mal auf meiner Reise bin ich von Kühen umgeben. Sie grasen auf den saftigen Weiden, die die kleine Ortschaft eingrenzen. Eine Ansiedlung, bestehend aus nur wenigen Häusern. Zum Teil verfallen und zum Teil wieder zusammengeflickt in den letzten Jahren, erneuert und bewohnbar gemacht für die jährlich steigende Zahl an Pilgern, so wie diese Albergue direkt neben der nicht asphaltierten Hauptstraße, die mir für einen Euro eine heiße Tasse Kaffee aus einer Thermoskanne spendet. Andere Pilger tun es mir gleich. Hier treffe ich auch erneut auf Leni, die zweite Landsmännin aus meiner Heimat, der ich bisher auf meiner Reise begegnet bin.

Es muss kurz nach Burgos gewesen sein, wo ich sie das erste Mal gesehen habe. Sie hat zu mir gesagt, sie sei anfangs den Camino Nord gegangen und wegen des schlechten Wetters dort mit dem Bus nach Burgos gefahren, um auf den Camino Francés aufzuspringen. Mich wundert es aber, dass sie schon so weit gekommen ist, ich hätte eher gedacht, sie sei hinter mir. Egal, ich freue mich über ein bekanntes Gesicht und halte die 23-jährige Wienerin noch ein wenig von ihrem bereits eingeleiteten Aufbruch ab. Sie ist ein bisschen korpulent und die stretchige kurze Short spannt sich um ihre Hüfte. Ein ebenfalls aus schweißabweisendem Kunststoff geformtes T-Shirt sitzt nicht ganz so eng gespannt darüber. Ich bin kein Freund von Kunststofffasern. Auch wenn sie mir für dieses Unterfangen angeraten wurden, blieb ich der natürlichen Baumwolle treu und ich habe es bisher nicht bereut.

Leni ist schon am Weg und ich trinke noch in Ruhe meinen Kaffee zu Ende. Es gibt mehrere kleine Herbergen hier oben und ich bin überzeugt, dass hier niemand abgewiesen wird, wenn die Betten einmal voll sein sollten. Es werden bestimmt Wege gefunden, da bin ich mir sicher. Die ersten Meter zum Anstieg auf den Cruz de Ferro begleitet mich noch ein aus Männerstimmen gebildeter Gesang aus einem abgeschiedenen Kloster, das ich mit Foncebadón hinter mir lasse.

Einen weiteren markanten Punkt auf meinem Weg nach Santiago de Compostela habe ich soeben erreicht, das Kreuz am Gipfel des nach ihm benannten Cruz de Ferro. Eingehüllt von unzähligen Steinen aus aller Herren Länder, mitgebracht von Pilgern und abgeladen am Fuße dieses mächtigen Eichenstammes. In all den Jahren meterhoch darum aufgehäuft und ganz oben glänzt ein kleines eisernes Kreuz im Sonnenlicht. Auch ich habe einen Stein aus meiner Heimat mitgebracht und lege ihn nun ziemlich weit oben auf dem Steinhaufen nieder, etwas unterhalb der von den zahlreichen Füßen festgetretenen Steine. Ein Blatt Papier liegt unter ihm und darauf habe ich einen großen Wunsch geschrieben, nicht für mich, und noch einen zweiten, kleineren für mich selbst. Ich übergebe meine Last der Kraft des Kreuzes, dann gehe ich zur Kapelle und spreche ein Gebet.

Leni kommt auf mich zu. Auch sie hat sich bereits ihres Mitbringsels entledigt und von etwas befreit, was ihr schwer auf der Seele lag. Ich kann es im Ausdruck ihres Gesichts erkennen. Wir sprechen aber nicht darüber. Leni hat den gestrigen Abend in Foncebadón verbracht, in der Herberge, wo wir uns heute früh getroffen haben.

„Die Nacht war sehr kalt und ich habe eine zusätzliche Decke benötigt", sagt sie und genießt jetzt die wärmende Sonne.

„Ich habe in Rabanal geschlafen", knüpfe ich an ihre Worte und füge noch hinzu, dass es dort nicht so kalt war.

„Vermutlich habe ich in einem Kuhstall geschlafen und die von der Sonne aufgeheizten dicken Holzbalken haben in der Nacht die aufgestaute Wärme wieder abgegeben."

„In einem Kuhstall?", fragt Leni etwas verwirrt.

„Es könnte einmal einer gewesen sein, meine ich." Wir lachen ein wenig darüber und dann fällt mir Jean ein, den ich gestern in dieser Unterkunft gesehen habe. Er ist sehr zu bewundern und ein Zeugnis von unaufhaltsamem Willen, der es vermag, Schranken zu durchbrechen. Hindernisse, die sich ihm täglich in den Weg stellen, und er meistert sie, manchmal auch mit der selbstlosen Hilfe der zahlreichen Pilger am Weg. Jean sitzt im Rollstuhl und er hat sich der Herausforderung Jakobsweg ganz alleine gestellt. Gestartet in Saint-Jean-Pied-de-Port und einer der wenigen mittlerweile, die bereits 550 Kilometer hinter sich gebracht haben. Es ist kein ebenes Land, das er durchfahren ist, er hat die Pyrenäen bezwungen, ein Gebirge, an dem andere an den Beinen gesunde Pilger verzweifelt sind. Auch ich bin dort an meine Grenzen gestoßen. Erschwerend kommt hinzu, dass er nicht immer den markierten Pisten folgen kann. Er muss achtgeben auf Unebenheiten und oft sind die abgesteckten Pfade so unwegsam, dass sie ihm ein Weiterkommen unmöglich machen und er gezwungen ist, sie weiträumig zu umfahren. Ich erzähle Leni davon.

„Ja, ich kenne ihn, ein Franzose", sagt sie voll der Bewunderung. „Er spricht kein Wort Englisch oder Deutsch. Es war vermutlich ebenso eine Qual für ihn, sich mit mir zu unterhalten, wie sein Weg, da ich dem Französischunterricht in der Schule leider zu wenig Aufmerksamkeit schenkte."

„Du sprichst Französisch?" Ich beneide Leni ein wenig. Wie gerne würde ich die verschiedensten Sprachen beherrschen. Mein Französisch beschränkt sich auf „Ça va?", die übliche Frage nach dem Befinden. Ich kann mir auch ein Bier in dieser Sprache bestellen, aber mich mit jemandem unterhalten, nein, das geht nicht.

„In Rabanal war er in Begleitung zweier Pilger, sie haben mir ein wenig von ihm erzählt, wie lange er schon unterwegs ist und so, und vor allem, dass er auch ohne ständige Unterstützung zurechtkommt. Habt ihr euch darüber unterhalten, was ihn in den Rollstuhl gebracht hat?", frage ich Leni.

„Nein, ich wollte nicht aufdringlich wirken und ich habe auch nicht die richtigen Worte gefunden", gibt sie mir zu verstehen.

„Ich frage dich deshalb, da ich vor dem Schlafengehen gesehen habe, wie er alleine und ohne Hilfe auf die Toilette ging. Er ist bis vor die Tür gefahren und alleine aufgestanden. Er musste sich dabei zwar an den Wänden abstützen und festhalten, konnte sich aber doch selbstständig fortbewegen, auch wenn seine Beine äußerst dünn sind."

„Das habe ich nicht gewusst", sagt Leni überrascht und fügt hinzu, dass sie froh darüber ist. „Wie erleichternd muss es für ihn sein, den Bedürfnissen der Körperpflege selbst und ohne fremde Hilfe nachkommen zu können."

„Du hast recht", sage ich. Wir sind beide ein wenig berührt, und dann möchte ich von ihr wissen, wie vielen Landsleuten sie bisher begegnet ist.

„Zwei am Camino Nord", sagt sie.

„Und seit Burgos?" Ich grenze meine Frage ein. Leni überlegt.

„Ja, mit Verena habe ich gleich nach Burgos Kontakt gehabt."

„Aus der Steiermark", falle ich ihr ins Wort.

„Ja, du kennst sie?" Ich nicke.

„Noch jemand?", frage ich.

„Gestern, Ramona. Wir haben zusammen in der Albergue in Foncebadón übernachtet."

„Kenne ich nicht", sage ich und schüttle dabei meinen Kopf.

„Sie ist in León gestartet. Ein Zweiwochentrip, wie sie es nennt. Ich bin nicht ganz warm geworden mit ihr."

„Wieso?", frage ich, „wie alt ist sie?"

„Sie ist 26 und auch recht hübsch, aber sie verkörpert die typische Touristin, die auf Abenteuer aus ist. Du hättest sehen sollen, wie sie den zwei Burschen, es waren Amerikaner, um die 25, hinterhergetänzelt ist. Mir ist es dann zu blöd geworden und ich habe die drei auch heute Morgen vorausgehen lassen."

„Ein guter Einfall von dir, dank dem wir uns nochmals gesehen haben." Ich muntere sie dabei mit einem Lächeln auf, das mir meine Freunde, vor allem Kristi und Sherri, beigebracht haben. Wir tauschen noch ein wenig unsere Gedanken aus und dann kündige ich meinen Aufbruch an.

„Wir werden uns vermutlich vor Santiago nicht mehr sehen. Ich habe auch vor, längere Abschnitte zu gehen, da ich noch etwas Zeit gutzumachen habe." Ich habe Leni schon gehen sehen und kann mir nicht vorstellen, dass sie mehr als 25 Kilometer am Tag schafft.

„Verstehe, na bis dann", sagt sie und wir umarmen uns noch ein letztes Mal.

Der Gipfel ist nicht gerade ein Gipfel. Er ist sehr breit. Der Pfad führt mich eben über die Landschaft und man könnte hier problemlos eine Kleinstadt unterbringen. In sichtbaren Abständen begleiten mich Pilger und dann stoße ich auf etwas Unerwartetes, einen Straßenmusikanten. Hier oben in den Wäldern auf 1500 Höhenmetern. Er spielt auf einer Geige und ein mittelalterlicher, nach oben hin sehr schmal und spitz zusammenlaufender Hut schmückt seinen Kopf. Ich werfe einen Euro in seinen Geigenkasten und gehe leicht belustigt weiter.

Die Sonne entfaltet ihre Kraft und die klare Luft lässt mich weit in das sich unter mir befindende Tal blicken. Ich meine, Ponferrada zu erkennen, meine Vorgabe für heute. Der Ausblick ist atemberaubend. Ich gehe am Grat des Gebirges auf einem schmalen Pfad entlang und sehe weiter, als ich an einem Tag laufen kann. Täler schneiden sich dazwischen unter mir und die unterschiedlichen grünen Farbtöne machen es sichtbar. Ich erinnere mich an den gestrigen Aufstieg nach Rabanal und daran, wie anstrengend und zermürbend dieser war, und ich werde einsichtig, dass es dieser Schmerzen bedurfte, um den Moment, der mich gerade einfängt, spüren zu können. Mir ist, als würde ich mit nackten Füßen über den Körper einer Frau wandern, einen unbedeckten, festen Körper und ich spüre die Poren und die feinen, kaum sichtbaren Härchen unter meinen Fußsohlen. Ich beginne zu laufen und das Prickeln wird stärker, es steigt hoch, umfasst meine Unterschenkel, schmiegt sich über die Kniekehlen entlang meiner Oberschenkel und bohrt sich in meine Lenden. Ich möchte stehen bleiben und das Gefühl genießen, es festhalten und einfangen, bei mir behalten für den Rest meiner Tage. Doch wäre es rechtens, es anderen vorzuenthalten, es ihnen zu verwehren, nur meines Verlangens wegen? Jeder soll es spüren dürfen, der diesen Weg beschreitet, und niemand darf so vermessen sein, es alleine für sich zu beanspruchen. Mir ist, als würde mir jemand eine Geschichte erzählen. Ich lausche den Worten, die mich Mäßigung lehren, und ich beginne zu begreifen, zu verstehen und dann zieht sich ein Schwall Luft in meine Lungen, presst sie auseinander, sodass es in meinem Rücken bis hinauf in den Nacken prickelt, und verlässt meinen Körper wieder mit all der Maßlosigkeit, die in ihm gefunden wurde. Meine Augen folgen den Schwüngen der Amsel, beinahe fühle ich den Luftstrom ihres Flügelschlags an meinem Gesicht, so nahe ist sie mir in diesem Augenblick.

El Abeco heißt der kleine Ort, den ich gegen 11 Uhr erreiche. Ich verspüre ein leichtes Hungergefühl. Die Handvoll Kirschen, sie waren eingerollt in einer aus Zeitungspapier geformten Tüte, haben meinen Appetit angeregt. Ich habe sie einem jungen Mann, der mehrere davon am Wegesrand feilbot, für einen Euro abgekauft. El Abeco befindet sich noch recht weit oben auf dem Berg, den ich nun talwärts wandere. Die aus Stein geformten Gebäude erinnern wie schon gewohnt an längst vergangene Tage.

Auf einer Terrasse, die zu einem kleinen Delikatessenladen gehört, überblicke ich das unter mir liegende Gebiet. Ich habe mir einen Schinken, den ich in der Kühlvitrine gesichtet habe, fein aufschneiden lassen und verspeise ihn nun mit gebackenen Teigstücken, die ich meist mundgerecht vom frischen Baguette abbreche. Kleine Vögel, die entlang der Terrasse spazieren, beobachten mich dabei und picken sofort die Krümel auf, die beim Abreißen der Brotteile auf den Boden fallen. Ich folge ihren Bewegungen und überbrücke die Zeit des Kauvorgangs, und ich kaue langsam, um den Geschmack des Schinkens möglichst lange an meinem Gaumen zu spüren, mit dem Abzupfen winziger Baguettestückchen, die ich den Vögeln gezielt zuwerfe.

Tauchte man die Krallen der Vögel in Farbe, so würden sie bestimmt ein interessantes Bild hinterlassen. Ein Kunstwerk, das Fragen in die Gesichter der nachkommenden Pilger werfen würde. Mir gegenüber sitzt ein koreanisches Ehepaar, ein Relikt aus den ersten Stunden am Camino. Die beiden zählen zu den wenigen, die ich noch von Beginn meiner Reise kenne. Immer größer wird jetzt die Zahl an Pilgern, die gerade vor ein paar Tagen gestartet sind. Sie erklären mir stets, dass sie nicht länger als zwei oder drei Wochen Urlaub bekommen und sich daher für den Weg ab León entschieden haben. Manche sind auch schon das zweite oder dritte Mal hier, so wie die beiden Männer, die mich am Vortag in Rabanal über Jean aufgeklärt haben. Mittvierziger aus Holland, die ein wenig wie ein vertrautes Ehepaar gewirkt haben. Fortlaufend ist mir die Frage danach auf der Zunge gelegen. Schlussendlich konnte ich sie mir doch verkneifen. Sie erklärten mir, dass sie den Camino abschnittsweise gegangen sind, so wie es ihnen ihre gemeinsame freie Zeit erlaubt hat. Vor vier Jahren haben sie das erste Mal die Luft des Camino geschnuppert und er hat sie sofort gefangen genommen. Sie sind von Saint-Jean-Pied-de-Port bis nach Burgos gegangen. Zwei Jahre später dann von Burgos nach León und heuer das Finale Stück bis Santiago de Compostela und sie erwarten sich, dass es das schönste werden wird. Ein wenig habe ich sie bemitleidet, weil es ihnen nicht vergönnt war, den Weg in einem Stück zu laufen, aber schließlich konnten sie mir doch verkörpern, dass sie die bereits gegangenen Wochen aus den Jahren zuvor mit sich führen und sie diese auch heute noch zu spüren vermögen.

Manchmal ist der Abstieg recht steil und uneben. Zerklüftete Steinplatten befehlen mir ständig, über die Zwischenräume, die sich um sie herum aufgetan haben, zu springen. Ich gehe dabei sehr vorsichtig vor, da ich Angst habe, mein mittlerweile still gewordenes Knie nochmals zu wecken und mich abermals dem Gejammer aussetzen zu müssen.

Seltsames begegnet mir. Ein noch etwas jüngerer Bursche, vielleicht Mitte 20. An der Stelle, wo sich normalerweise die Rucksäcke der Pilger befinden, prangt bei ihm eine Gitarre über dem Rücken. Nicht einmal eingepackt, und darunter ein kleiner Rucksack. Der Rücken seines Freundes, sie sind zu zweit, ist dafür umso wuchtiger bestückt. Mit vielleicht zehn Meter Abstand gehen drei Mädchen vor ihnen. Der Pfad ist schmal und verlangt nach Achtsamkeit, deshalb bleibe ich hinter den beiden Burschen zurück und lausche ihrem Gespräch. Dem Dialekt nach sollten sie aus dem Süden der Vereinigten Staaten kommen. Das Aussehen würde passen. Schwarze Haare und braun gebrannt, obwohl der Gitarrenmann seine langen Haare zu einer Art Turban um seinen Kopf gesteckt hat. Er erzählt gerade, wie er das Mädchen gestern Abend flachgelegt hat – vermutlich eines der drei, die vorausgehen – und dass ihm auch die andere, er nennt sie Charity, gut gefällt und er es heute bei ihr versuchen wird.

„Findest du nicht, dass du da ein wenig zu weit gehst?", versucht ihm sein Freund Einhalt zu gebieten.

„Ach was, die wollen es doch. Die wollen mal so richtig durchgezogen werden. Mann, hat die gestern gequiekt."

„Ich hab es gehört", bestätigt ihn sein Freund und dann beginnen sie heftig zu lachen.

Der Pfad wird jetzt etwas breiter und ich nutze die Gelegenheit, die Leute zu überholen. Zuerst die zwei Burschen, sie machen auch Platz, indem sie sich hintereinander einordnen, und schließlich noch die drei Mädchen. Natürlich mit dem gewohnten „Buen Camino". Ich blicke dabei in ihre

Gesichter, sie sind wirklich noch jung, vielleicht knapp über 20 und von der Aussprache her schwer zu definieren, von wo sie kommen. Zwei sind blond, eine ist schwarzhaarig und ich würde sie eher dem skandinavischen Raum zuordnen. Möglicherweise haben sie sich auch erst hier gefunden und stammen aus unterschiedlichen Ländern. Es ist schon seltsam, wie sich die Art der Pilger geändert hat in den letzten Tagen, seit ich meine Familie verlassen habe. Ich fühle mich einsam und nicht dazugehörend und das macht mich für den nächsten Moment traurig, aber nur kurz, denn der Camino zeigt mir nun die Schönheit des Landes. Er stößt mich an und die angesprochenen Bettgeschichten verfliegen aus meinem Kopf. Leise höre ich noch die Worte „Wenn ich ihren Arsch sehe, wird es eng in meiner Hose" und Gelächter, das jetzt im Abgang verstummt.

Nach heute bereits 27 zum größten Teil abwärts gegangenen Kilometern erreiche ich Molinaseca, eine 800 Einwohner zählende Ortschaft vor Ponferrada. Ich fühle mich müde, der gestrige Tag hat doch seine Spuren hinterlassen. Wie so oft muss ich einen Fluss überqueren, um in den Ort zu gelangen. Es ist eine schmale Brücke, nicht für den Autoverkehr gedacht, und sie ragt nur wenige Meter über dem darunter fließenden Wasser empor. Ich spüre förmlich, wie die Feuchtigkeit des Gewässers hochsteigt und mich umschließt. Eine Begrüßung, für die ich mich herzlich bedanke nach diesen heißen und staubigen Kilometern, die ich hinter mich gebracht habe, und ich halte Ausschau nach einer Albergue.

Am Fluss habe ich ein Restaurant gesehen und nehme mir vor, dort heute am Abend zu speisen. Ich finde aber nur Hostels und 30 Euro für eine Übernachtung scheinen mir entschieden zu viel. Nach nicht einmal 15 Minuten habe ich den Ort durchlaufen und stelle mich schon auf den Weitermarsch nach Ponferrada ein. Ein großes, sehr nobel aussehendes Hotel lässt mich nochmals hoffen. Etwas versteckt zwar, aber doch von der Straße aus zu erkennen, lese ich auf einem kleinen blauen Schild „Albergue". Ich gehe auf dem großzügig ausgelegten Parkplatz einige Male auf und ab, kann aber keinen anderen Eingang als das im Glas schillernde Portal zum Hotel finden. Ich trete also ein.

Die Begrüßung ist sehr freundlich. Die Dame in Uniform, dezent geschminkt und zuvorkommend, fragt mich auf Englisch, ob ich ein Zimmer brauche. Nach dem ersten Schock, den sie mir durch die Bekanntgabe des Nächtigungspreises versetzt hat, fange ich mich wieder und wir sprechen über das Schild mit der Aufschrift Albergue.

„Auf der anderen Straßenseite gegenüber dem Hotel befindet sich ein Haus und das bieten wir den Pilgern als Unterkunft für eine Nacht an. Sie sehen es, wenn Sie auf den Parkplatz treten, es ist nicht zu verfehlen." Die Dame bleibt freundlich und der genannte Preis von acht Euro macht sie noch sympathischer.

Schlüssel benötige ich keine, das Haus steht offen, erwähnt sie noch, nachdem ich die Nächtigungspauschale beglichen habe und wir besiegeln unseren Deal mit einem „Buen Camino".

Das Haus ist durch ein wuchtiges Eisentor von der Straße getrennt und steht inmitten eines großen Gartens. Es sieht einsam und verlassen aus, ich scheine der Einzige zu sein, der es besucht, und wirklich, alle Betten sind noch unberührt. Vier Stockbetten an der Zahl auf zwei Räume verteilt. Ein Badezimmer mit Toilette, Küche und Wohnzimmer, alles recht ordentlich.

Es ist 13.30 Uhr und der Ort ist noch nicht in den nachmittäglichen Schlaf verfallen. Ich nutze die Zeit, um mir in dem Laden, den ich zuvor bei meinem Streifzug durch die Häuser gesehen habe, etwas Kaltes zu trinken zu holen. Ich kehre zurück mit einer Flasche Zitronenlimonade und einer, ich konnte ihr nicht widerstehen, Ein-Liter-Flasche Bier. Auch wenn sie heute nicht ganz so einsam und verlassen in der Kühlvitrine gestanden ist. Ich mische mir einen Drink aus Limonade und Bier, das Glas habe ich in der Küche gefunden, kippe es mir mit zweimaligem Absetzen in den Rachen und fülle es gleich wieder voll. Die Flaschen stelle ich in den Kühlschrank und setze mich mit einem Glas Shandy, nur mit kurzer Hose bekleidet und mit dem Tablet-PC bewaffnet, in den großflächigen, mit ein paar Kirschbäumen verzierten und der prallen Sonne ausgesetzten Garten.

Gleich nach der Zubereitung des ersten Glases Shandy ist mir sofort die Begebenheit in Frómista eingefallen. Ich war für einen kurzen Augenblick bei meinen Freunden und habe ihnen ein Getränk aus Bier und Zitronenlimonade gemischt. Ich schreibe als Erstes die Einsicht des heutigen Tages in meinen Bericht, die schließlich am Schluss davon stehen wird: „Wir sind ständig von so viel Schönem umgeben, wir müssen es nur sehen."

Die Sonne tut meinen Schultern gut. Ich betrachte sie im Display meines kleinen Computers. Die Blasen sind bereits verschwunden und die letzten feuchten Stellen werden von der Kraft der Sonne getrocknet. Ich hüte mich, die Maus an meinem Tablet-PC zu bewegen, und drücke auch auf keine Taste, um den geschaffenen Spiegel, der durch das auftreffende Sonnenlicht auf den schwarzen Bildschirm entstanden ist, nicht zu zerstören. Allmählich verfliegt das Farbenspiel auf meinem Oberkörper und nähert sich dank den Sonnenstrahlen einer einheitlichen Farbgebung.

Mein Gesicht ist dünner geworden, fällt mir auf, und eine Rasur würde auch nicht schaden. Ich habe meinen Gürtel bereits nach zweieinhalb Wochen um eine Lochreihe enger geschnallt und nach Rabanal, also seit heute, habe ich nochmals eine Lochung herausnehmen müssen. Mein Bauchumfang ist in 23 Tagen um zwei Einstellungen in meinem Gürtel schmaler geworden und meine kurze Hose rutscht mir ohne Gürtel schon vom Leib. Ich bin mit Normalgewicht, das man bei einer Körpergröße von 187 Zentimetern und einem Gewicht von 84 Kilogramm als solches bezeichnen kann, auf die Reise gegangen. Jetzt habe ich die 80 unterschritten, das weiß ich, auch ohne Waage und ich finde auch nur noch wenige weiche Stellen an meinem Körper. Er ist drahtig und, wie ich finde, auch muskulöser geworden durch die verbrannten Fettreserven zwischen den einzelnen Muskelpartien.

Es ist beinahe 15 Uhr und ich bin weiterhin der einzige Gast in dieser Albergue. Zuweilen beobachte ich am Ende des weiten Gartens den die Straße begrenzenden Zaun und sehe Pilger in seinem Geflecht entlangmarschieren, nicht viele, aber doch in regelmäßigen Abständen. Mitunter bin ich versucht hochzulaufen, sie anzuweisen, hier zu bleiben und mir Gesellschaft zu leisten in diesem mir heute beschiedenen Idyll.

Ich raffe mich wirklich hoch und gehe in Richtung Straße. Beim ersten Kirschbaum bleibe ich stehen und pflücke die reifen Kirschen, die sich griffbereit für die Gäste des Hauses im unteren Bereich seiner Äste befinden. Ich bin groß, meine Arme sind lang und so erreiche ich die knallroten Fruchtstücke, die er, wie man meinen könnte, für mich aufgespart hat. Ich schreibe weiter an meinem Tagesbericht für meine Angehörigen und Freunde zu Hause.

Dann tritt Betina in mein Leben. Eine Deutsche, Ende

30, auch sie hat dieses Paradies gefunden. Sie fragt mich noch, ob wir diese Kirschen essen dürfen, als ich ihr eine Hand voll vom Baum pflücke.

„Das ist unser Haus für heute, unser Garten und wir haben die traurige Pflicht, die Bäume von der Last ihrer reif gewordenen Frucht zu befreien." Sie lächelt darauf und traut sich schließlich, die Kirschen zu essen. Sie ist sehr unterhaltsam und hat mich durch ihre offene Art schnell in ein Gespräch gezogen. Im Gegensatz zu mir ist sie nicht die gesamte Strecke gegangen, sondern erst seit zwei Wochen unterwegs.

„Eine Quereinsteigerin also", hatte ich zu ihr gesagt. Und jetzt kommt dieser Moment, warum ich sagen kann, sie trat in mein Leben, denn bisher hatte es niemand geschafft, mich so blutleer und sprachlos zu machen wie Betina.

Ich stehe mit ihr vor der Waschmaschine, die sie vor einer Stunde gefüllt hat, auch mit meinen Wäschestücken. Sie hat mir angeboten, sie mitzuwaschen.

„Die Wäsche sollte jeden Augenblick fertig sein", sagt sie, während sie in das Bullauge blickt.

„Du meine Güte", ruft sie laut und sieht hoch zu mir. Ich sehe sie an und warte auf eine Erläuterung.

„Das tut mir schrecklich leid, Reinhard."

„Was?", frage ich, als sie nicht gleich weiterspricht. Sie beginnt jetzt zu lachen. Ich werde ungeduldig.

„Ich habe es nicht mit Absicht gemacht, das musst du mir glauben."

Nochmals frage ich: „Was?", als sie wieder nicht weiterspricht.

„Ich habe gedacht, dass mein neues T-Shirt waschmaschinenfest ist. Dem ist wohl nicht so", und dann sagt sie die Worte, die mich blutleer und sprachlos werden lassen.

„Alles ist rosa, sogar die Jeans."

Ich werde weiß im Gesicht und mein Atem stockt. Ich sehe mich schon als einen ganz in Rosarot gekleideten Pilger in Santiago einmarschieren. Ich höre das Klicken der Kameras, die alle auf mich gerichtet sind, und die Leute jubeln mir entgegen und feuern mich an. Ein paar Männer zwinkern mir zu und einige Frauen ziehen ihren Mund zusammen und pressen die Lippen wie bei einem Kuss nach vorne. Ich sehe auf den vor Lachen hüpfenden Oberkörper von Betina, als sie die Waschmaschine öffnet. Meine Hände schließen sich um ihren Hals und drücken den Kehlkopf in sein Inneres. Letzteres geschieht natürlich nur in meinen Gedanken.

Betina holt die Kleidungsstücke heraus und ich finde keinerlei Spuren einer Verfärbung an meiner Wäsche.

„Du willst mich wohl verarschen", sage ich und mir fällt gerade ein großer Stein vom Herzen.

Betina stoppt für einen Moment ihr Lachen und sagt: „Dein Gesicht, du hättest es sehen sollen." Sie äfft dabei den Ausdruck, den ich ihr entgegengebracht haben muss, ein wenig nach, um mir so einen Spiegel vorzuhalten. Es gelingt ihr auch und wir schütteln uns jetzt beide vor Lachen.

Bis zum Abend hin hat sich die Albergue schließlich doch gefüllt. Komischerweise bin ich der einzige Mann unter den acht Pilgern. Drei Frauen, um die 30, dann eine ältere Frau aus England und noch zwei blonde Mädchen. Ich meine, darin die Mädchen auf meinem heutigen Weg zu erkennen, die in Begleitung einer weiteren dunkelhaarigen und der beiden Burschen mit der Gitarre waren. Es würde auch meinen Eindruck bestätigen, den ich beim Überholen der Gruppe gemacht habe. Das Mädchen mit den dunklen Haaren hat nicht ganz dazugepasst und anscheinend haben sie sich auch von ihren männlichen Begleitern getrennt.

Wird wohl nichts werden aus deiner Nacht mit Charity,

dachte ich mir, als bei einer kurzen Vorstellung der Name gefallen ist.

Zum Abendessen gehe ich in das Restaurant am Fluss, so wie ich es mir heute Mittag bei meiner Ankunft in Molinaseca ausgemalt habe. Und ich bin froh, dass sich nun Betina in dieses Bild geschoben hat, sie leistet mir Gesellschaft. Ich breche heute meine Gewohnheiten und verzichte auf das Pilgermenü. Stattdessen bestelle ich mir ein Rinderfilet mit Röstkartoffeln und anstelle des Weines lindert ein kalter Krug Bier meinen nach Flüssigkeit dürstenden Gaumen.

Es erscheint mir wie eine Ewigkeit, das Warten auf das Auftragen meines Tellers. Nicht weil der Koch überfordert oder zu langsam ist, nein, es ist meine Begleiterin, die mir mein Abendmahl vorenthält. Betina hat einen Salat als Vorspeise gewählt. Ich meine das Wort „gran" aus dem Mund des Kellners vernommen zu haben und Betina hat dabei mit ihrem Kopf genickt. Auch wenn mein Spanisch mehr als dürftig ist, so habe ich doch das Wort „gran" mit groß verbinden können.

„Ich weiß auch, dass der Kellner nach einem großen Salat gefragt hat, aber das hier ist eine Schüssel für eine ganze Familie", sagt Betina und kämpft mit den überdimensionierten grünen Blättern, die allmählich die Sicht auf die Filetstücke freigeben. Immer wieder fragt sie mich, ob ich nicht doch etwas abhaben möchte. Ich verneine stets höflich mit dem Gedanken an das gebratene Stück Fleisch, das mich erwartet.

Vielleicht hätte ich ihr Angebot doch annehmen sollen, als ich jetzt nach 20 Minuten jeden Stich der Gabel in den Salattrog verfolge und nicht erkennen kann, dass der Inhalt weniger wird.

„Du hättest dem Kellner sagen sollen, dass du mit dem Hauptgericht nicht auf mich warten willst." Betina spürt meine Blicke und ist versucht, schneller zu essen. Sie schafft es aber nicht, ebenso wenig wie die Übermengen an Grünzeug zu verdrücken, schlussendlich gibt sie auf.

Das Rinderfilet ist wie erwartet recht dünn, wie alle Fleischgerichte in Spanien. Es ist scharf angebraten und mein Messer schneidet beinahe in etwas Lebendiges. Rotes Fleisch ziert den Kern, umrahmt von einer braunen Kruste, salzig und leicht scharf, kein Blut tritt hervor, lediglich das durch den Bratvorgang leicht gefärbte Olivenöl legt sich wie ein Film zwischen das Fleisch und den Teller.

„Ich würde sagen, es ist auf dem Punkt gegart."

Betinas Augen folgen meinem Hinweis und sie sagt: „Ja, sieht wirklich gut aus."

„Dein Lachs aber auch." Ich sage es nicht nur aus Höflichkeit, er sieht wirklich lecker aus, beinahe bin ich etwas neidisch.

Betina stammt aus Tuttlingen, einer Stadt in der Nähe von Rottweil, wo sie lange gewohnt hat, im Südwesten Deutschlands. Scherzhaft habe ich sie gefragt, ob dort die Rottweiler zu Hause sind, und damit habe ich die gleichnamige Hunderasse gemeint.

„Du wirst lachen, aber die Hunde verdanken ihren Namen wirklich dieser Stadt. Obwohl es eine alte Hunderasse ist, deren Geschichte sogar bis in die Zeit der römischen Legionen zurückreicht, wurde sie im Mittelalter speziell um Rottweil verstärkt gezüchtet. Rottweil war einst eine Viehhandelsstadt und die Hunde erwiesen sich speziell für Viehhändler als unverzichtbar. Diesem Umstand verdanken sie heute auch den Namen Rottweiler."

Sie bringt mich etwas in Verlegenheit mit ihren Worten. Ich hatte wirklich keinen Zusammenhang zwischen Hunden und der Stadt gesehen. Meine Bemerkung sollte lustig sein und nun stellt sie sich als wahr heraus. Wie so vieles, was man so oft unbedacht ins Lächerliche ziehen will. Betina fährt sich mit der linken Hand durch ihre dunkelblonden glatten Haare. Sie verdecken nur halb den Hals und erlauben es dem kaum wahrzunehmenden Hauch eines Windes, ihren Nacken zu kühlen.

„Ich vermisse meine Freunde", sage ich und will dadurch von dem Fettnäpfchen, in das ich getreten bin, ablenken.

„Deine Freunde?", wiederholt Betina.

„Wir haben uns bereits ganz am Anfang der Reise kennengelernt und sind dann gemeinsam bis León gegangen. Wir waren wie eine kleine Familie und ich finde, wir sind es noch immer."

„Das klingt schön", Betina meint es ehrlich, das kann ich in ihren Augen sehen. Ich erzähle ihr noch mehr von meiner Familie und unserem gemeinsamen Weg. Betina ist sehr angetan von meinen Worten und bedauert es, bisher nicht viele Bekanntschaften gemacht zu haben.

„Vermutlich hätte ich auch in Saint-Jean-Pied-de-Port loslaufen sollen." Ihr Blick ist dabei in Richtung des Flusses gewandt.

„Vielleicht benötigst du nicht den gesamten Weg, um an das zu gelangen, wofür du hier bist." Ich zucke dabei unbewusst mit den Schultern. Sie dreht den Kopf zu mir und ich spüre, dass sie mir etwas sagen will. Ich warte und beobachte gespannt ihre Lippen. Sie öffnen sich ein kleines Stück und bewegen sich im Klang der Worte.

„Es sind Kleinigkeiten, unscheinbare Angelegenheiten oder Anliegen, die dich nicht ruhen lassen, die dich fortlaufend quälen. Zustände, die diejenigen, die sie verursachen, nicht im Mindesten kümmern, weil diese Personen keinerlei Gedanken daran verschwenden, dass sie jemanden damit verletzen könnten. Es liegt also an einem selbst, es zu ändern. Ich habe mich für den Camino Francés entschieden,

335

um vergeben zu können. Den Leuten, die es im Grunde nicht wert sind, dass man ihnen vergibt, und dennoch erfüllt es mich mit Erleichterung. Es macht mich frei, ich entziehe mich ihres Einflusses, jeden Tag ein kleines Stück, und die Schmerzen werden erträglich. Ich lerne, ihnen zu vergeben, und entrinne somit ihrem Einfluss. Man muss nicht immer neue Welten erschaffen, manchmal ist es schön, einfach nur darin zu leben."

Ich bin schwer ergriffen von ihrer Ansicht und sie füllt Lücken in der meinen. Manche Überlegungen erscheinen mir jetzt viel klarer und verständlicher. Es gilt nicht, allein Ereignisse und Geschehnisse zu vergessen, nein, man muss vergeben, nur so kannst du dich davon frei machen und dich endgültig lösen. Verschwende keinen Gedanken an Vergeltung, nütze sie für einen Neuanfang.

„Danke", sage ich.

„Wofür?"

„Für den heutigen Abend."

Wir gehen hinunter zum Fluss. Betina watet mit nackten Füßen durch das Wasser. Ich beobachte sie. Eigenartig, immer wenn ich das Gefühl habe, sie würde auf einem Stein ausrutschen und ins Wasser fallen, bin ich versucht, ihr zu Hilfe zu kommen. Es ist spät geworden und wir gehen zurück in die Unterkunft.

Die Frau aus England und die beiden Schwedinnen, wie ich nun weiß, teilen sich mit mir das Zimmer. Schon eigenartig, ich verbringe die Nacht mit drei Frauen in einem kleinen Raum und das nach enthaltsamen drei Wochen. Noch bemerkenswerter finde ich den einzigen Gedanken, der mir dabei durch den Kopf tanzt. Es wieder einmal genießen zu können, ohne Ohrenstoppel zu schlaffen. Weit gefehlt, noch bevor mich die Gedanken an den wunderschönen Abend in den Schlaf wiegen können, vernehme ich ein Schnarchen vom Stockbett gegenüber. Grunzende Geräusche mischen sich dazwischen und setzen sich in die entstehenden Lücken der schönen Erinnerungen von heute, bis sie sie völlig verdrängt haben und Leere hinterlassen. Ein Nichts, das nur darauf abzielt, den nächsten Ton als Schnarchen oder Grunzen zu definieren. Mir bleibt also nichts anderes übrig, als abermals meine Gehörgänge zu verkorken, und allmählich gewinnen wieder schöne Bilder die Überhand im Kampf gegen die Leere.

27
Mitgefühl

Ein Morgen, an dem ich nicht frühzeitig aus dem Schlaf gerissen werde, vergräbt die Nacht. Ein Badezimmer mit sieben Frauen zu teilen, bedarf etwas Geduld, aber schließlich erhalte ich doch einen Zugang. Betina ist die einzige, von der ich mich richtig verabschiede. Wir fallen uns um den Hals, im Bewusstsein, dass wir uns vermutlich nicht mehr sehen werden, zumindest nicht auf dieser Reise. Die übrigen bedenke ich mit einem „Buen Camino" und dann bin ich auch schon auf dem Weg nach Ponferrada zu einem Frühstück.

Es ist 8.30 Uhr, als ich dort ankomme, in der letzten großen Stadt vor Santiago. Ich sitze an der sonnigen Fassade eines Cafés mit einer wirklich großen Tasse Milchkaffee und einem hausgemachten Kuchen, auch hier wurde am Umfang nicht gespart. Eine Straße über mir ragt die Templerburg majestätisch auf einem Hügel empor. Ein imposantes Bauwerk aus dem 12. Jahrhundert und die Sehenswürdigkeit schlechthin in dieser Stadt. Es erstreckt sich auf 8000 Quadratmeter, runde Türme prägen das Bild und es führt einen schlichtweg zurück in die Vergangenheit.

Manchmal ist die Vergangenheit auch nur Zentimeter von einem entfernt. Eine junge Pilgerin, erkennbar am Rucksack, der am Stuhl neben ihr liegt, ist bereits an dem kleinen Kaffeehaustisch gesessen und ich habe sie gefragt, ob ich Platz nehmen dürfe. Wir stellen uns gegenseitig vor, zuerst in englischer Sprache wie üblich, und sie sagt, sie heiße Ramona und komme aus Österreich. Ein Band aus Bildern setzt sich in meinem Kopf in Bewegung und spult die eingefangenen und unbewusst in den Nischen meiner Gedankengänge abgelegten Geschehnisse ab. Die Schilderung von Leni und das Bild, das ich mir dabei malte. Die beiden Burschen, Amerikaner, wie Leni gesagt hatte. Dann der Abstieg nach Molinaseca, wieder die jungen Amerikaner, die blonden Mädchen und das dunkelhaarige, nicht ganz dazupassende Mädchen und nun sitze ich mit ihm auf der schmalen Straßenterrasse eines Lokals und wir trinken Kaffee. Wie schnell einen die Vergangenheit einholt.

Ramona spricht wenig, offensichtlich ist der gestrige Abend nicht ganz so verlaufen, wie sie es sich vorgestellt hatte, denke ich mir, spreche sie aber nicht darauf an. Ich vermeide es auch, ihr zu sagen, dass ich sie gestern schon gesehen habe und dass mir Leni von ihr erzählt hat. Wir sprechen allgemein wenig, versuchen aber, ein freundliches Gesicht zu machen, wenn sich unsere Blicke treffen. Ramona hat ein ebenso großes Stück Kuchen vor sich, noch fast unberührt. Sie stochert mit der Gabel darauf rum, bricht einen kleinen Bissen davon ab, führt ihn zum Mund, weiter nicht. Sie legt die Gabel mit dem an ihr gespießten Stückchen Kuchen zurück auf den Teller und nippt stattdessen an der Tasse Cappuccino, ebenfalls noch frisch. Der Milchschaum hinterlässt einen weißen Streifen an ihrer Oberlippe. Erneut treffen sich unsere Blicke und wieder dieses höfliche Lächeln. Sie ist wirklich hübsch, auch dann, wenn sie nachdenklich wirkt. Ich erzähle ihr von mir, wie lange ich schon unterwegs bin und dass ich ebenfalls aus Österreich komme. Sie nimmt es nickend zur Kenntnis, spielt weiterhin mit der Gabel an ihrem Kuchen herum und ich habe den Eindruck, dass sie mir nicht wirklich zuhört, eher dass sie in Ruhe gelassen werden will. Das mache ich dann auch, nachdem ich den Kaffee ausgetrunken und den Kuchen verzehrt habe.

„Man sieht sich", sage ich beim Umhängen meines Rucksacks.

„Ja, bestimmt", sagt sie und lächelt mir nochmals zu.

Es dauert, bis ich Ponferrada durchlaufen habe. Wieder eine alte Stadt, die viel zu erzählen hat, geformt von Abermillionen Menschen in den Jahrhunderten vor meiner Zeit und ständig wird an ihr weitergefeilt. Nie wird die Stadt Ruhe finden und nie wird sie vollendet sein. Still und bewegungslos liegt sie vor mir, als rühre sie sich nicht, und sollte ich einmal zurückkehren, wird sie sich verändert haben, wie auch die zahlreichen anderen Städte auf dem Weg. Meist nehmen sie zu im Umfang, manche aber sterben auch, wie es mir der Camino gezeigt hat, und aus ihren Wurzeln keimt dann neues Leben. Emporgehoben durch Erinnerungen und Aufzeichnungen längst vergangener Tage, verfasst und weitergegeben von Menschen, deren Heimat sie einmal waren, und erneut ins Leben gerufen von Menschen, zu deren neuer Heimat sie werden sollen. Der Geist eines Einzelnen könnte niemals, auch nicht ansatzweise, so etwas in seiner Erscheinung als einzigartig Anzusehendes schaffen. Würde ich ein Buch darüber schreiben, so würde es nur über eine einzelne Geste seines Wesens berichten. Es würde vieler Autoren bedürfen, um eine Charaktereigenschaft in ihr erkennen zu lassen, doch wäre die Zahl der Schreiber nie groß genug, um in die Seele einer alten Stadt zu blicken.

Die Sonne ist auch heute mein treuer Begleiter. Das Tal, in dessen Zentrum Ponferrada liegt, erstreckt sich über 60 Kilometer und wird von Gebirgszügen eingefangen. Viele kleine Ortschaften säumen meinen heutigen Weg. Mais wird im Garten angebaut, Felder, die nicht größer als zehn mal zehn Meter sind. Vor einem garagengroßen Handwerksbetrieb fertigt ein alter Mann Schindeln für die Dächer der

Häuser an. Weingärten im Ausmaß eines Steinwurfs und dann sind da noch diese unzähligen Kirschbäume, die entlang des Weges wachsen. Ich kann ihnen nicht widerstehen. Sie rufen nach mir und ich gehorche. Und ständig grüßen mich die Bewohner dieses Landes, denen ich begegne. Es ist diese Leichtigkeit, die immer mehr Besitz von mir nimmt. Ich bunkere nichts auf Vorrat. Ich fülle meine Wasserflasche, wenn sie leer ist, esse Kirschen, wenn mich danach gelüstet, und beobachte nun die wenigen Pilger, die an mir vorbeiziehen, als ich auf einem Stein am Wegesrand sitze und eine Kleinigkeit zu mir nehme. Mir ist, als würde mein Herz tanzen, so glücklich fühle ich mich in diesem Augenblick.

An einer durch einen dicht beblätterten Baum beschatteten Biegung stoße ich auf Raimundes, so stellt er sich mir vor. Ein Deutscher, der seit sechs Jahren in Spanien lebt, und vermutlich hat er in seiner damaligen Heimat noch Raimund geheißen. Er sitzt hier mit zwei Freunden, sie haben eine Gitarre und eine Art Trommel bei sich. Raimundes schnitzt Jakobsmuscheln, wirklich toll und ich kaufe ihm eine ab. Eine aus Nussholz. Das dunkle Holz gefällt mir besonders gut.

„Nussholz ist sehr hart und daher brauche ich besonders lange beim Schnitzen", rechtfertigt Raimundes den höheren Preis.

Ich will es ihm glauben und feilsche nicht um die 20 Euro, die er verlangt. Es sind keine weiteren Pilger im Anmarsch und ich unterhalte mich noch ein wenig mit ihm. Er erzählt mir, dass er vor sechs Jahren nach Spanien gekommen ist. Ein schwerer Autounfall hatte ihn vorübergehend aus der Bahn geworfen. Sein rechtes Bein erinnert ihn noch daran, er deutet darauf.

„Jetzt schnitze ich, und nicht nur Jakobsmuscheln. Ich besitze eine kleine Werkstatt und verkaufe meine Kunstwerke auch online." Er überreicht mir seine Visitenkarte. Ich nehme sie gerne entgegen und freue mich noch beim Weggehen über meine medaillengroße, von Hand geschnitzte Jakobsmuschel. Mit dem dazugehörigen Lederband verstaue ich sie im Rucksack. Zu schade erscheint es mir, das Kunstwerk mit meinem Schweiß zu tränken, und es wird das Gewicht auf meinen Schultern nicht erhöhen, ebenso wenig wie es das hölzerne Kreuz macht, das ich von Pater Laurentius mit auf die Reise bekommen habe.

Als die Sonne gerade den höchsten Punkt am blauen Himmel erklimmt, erreiche ich Villafranca del Bierzo, eine kleine Stadt am Fuße des Cebreiro-Passes. 31 Kilometer habe ich heute zurückgelegt und sie sind mir so leicht gefallen, dass ich kurz versucht bin weiterzulaufen. Aber hohe Anstiege erwarten mich und ich halte Ausschau nach einer Albergue. Ich finde sie in einem alten Bauwerk, das über die unter ihm liegende Stadt ragt. Villafranca ist eingebettet in ein Gebirgsmassiv und die Häuser schmiegen sich viele zig Meter am felsigen Untergrund empor. Das lebhafte Zentrum befindet sich in der Senke und meine Herberge für diese Nacht wacht hoch darüber.

Ich kann mir nicht erklären, wo plötzlich all diese Pilger herkommen. Es sind bestimmt an die 40 und sie füllen die Albergue vollkommen aus. Ich habe gerade noch ein Bett bekommen. Hier wird nichts Besonderes geboten, aber man wird auch anspruchsloser. Niemand, den ich kenne, den einen oder anderen könnte ich vielleicht schon einmal gesehen haben, ich erinnere mich aber nicht und es spielt für mich auch nicht wirklich eine Rolle. Mir ist, als würde ständig jemand bei mir sein, der mir Gesellschaft leistet. Der mir den rechten Weg zeigt und mir Schutz zuteilwerden lässt, auch wenn ich nicht das Gefühl habe, beschützt werden zu müssen. Vielleicht gilt seine Achtsamkeit auch nur einem falschen Schritt, den ich tun könnte. Einmal überknöcheln und ich würde Santiago de Compostela vermutlich nicht erreichen. Der Gedanke daran weist mich zur Vorsicht und Zurückhaltung. Und abermals hält der Camino Überraschungen für mich parat. Wie jetzt, als ich Franziska erblicke. Sie sieht mich im selben Augenblick und wir gehen aufeinander zu. Wir umarmen uns. Es sind viele Tage vergangen, seit wir uns das letzte Mal gesehen haben. Sie befindet sich nicht mehr in Begleitung von Carola und den anderen aus ihrer Gruppe.

„Wir haben uns getrennt", sagt sie mit einem Seufzer.

„Vermutlich ebenfalls eine Tugend des Camino, dass er die Leute zuerst zusammenführt, um sie anschließend wieder trennen zu können." Ich achte dabei darauf, dass meine Worte auch als freundliche Geste von ihr aufgenommen werden, so wie ich es angedacht habe.

„Siehst du den Mann mit dem Vollbart dort drüben?" Franziska weist nicht mit dem Finger, sondern mit ihrem Blick dorthin. Ich sehe auch nur einen Mann mit Vollbart in der Menge und so ist es nicht schwer zu erraten, wen sie meint. Sie führt mich hinüber zu ihm und erzählt mir dabei, dass sie sich alle drei gleich nach León getroffen haben und seither zusammen gehen. Er sitzt auf der gegenüberliegenden Seite des Hofes und hält eine Dose Bier in der Hand. Neben ihm eine noch recht jung wirkende Frau mit weit über die Schultern reichendem, glattem Haar. Es schmiegt sich locker um den schmalen Kopf, die Spitzen verkriechen sich unter dem Hemd, das unverkennbar die wohlgeformten Brüste vor zu aufdringlichen Blicken schützt. Ihr Gesicht wird betont durch breite Lippen und den leicht nach vorne gezogenen Backenknochen. Ganz anders als der Mann ist sie groß und schlank, könnte sie seine Tochter sein?

Sie ist es nicht, wie ich soeben erfahre. Sie kommt aus Deutschland und hat León als Ausgangspunkt ihrer Reise gewählt. Der Mann, ich schätze ihn auf Anfang 50, er hat sich mir nicht vorgestellt, weiß genau, wie es hier auf dem Camino abläuft. Er hat viel darüber gelesen und so verhält er sich auch. Ich kann damit nichts anfangen und in mir sträubt sich etwas, es hindert mich daran, ihn näher kennenlernen zu wollen. Ständig habe ich die Knöpfe seines Hemdes im Blick. Sie spannen sich um seinen wohlgenährten Leib und ich habe Angst, ein Knopf könnte sich lösen, während er Bier in seinen Rachen schüttet, und wie ein Geschoss auf mich zufliegen. Ganz anders hingegen ist Mia. Bei dem Namen klingelt es sofort in mir und ich erinnere mich zurück an meinen Abend in Castrojeriz, an Mia und Mau. Sie ist Lehrerin in einer Sonderschule für Kinder mit Lernschwäche und befindet sich noch im Praktikum, hat also noch keine feste Anstellung. Sie erweist sich jetzt als noch jünger als gedacht.

„Franziska hat mir viel von ihrer Zeit auf dem Camino erzählt. Es muss schön gewesen sein und ich zweifle allmählich daran, ob ich mit meinem Kurztrip das Richtige mache." Die Farbe ihrer Stimme hat einen musikalischen Klang, fast könnte man meinen, ihren südländischen Namen darin zu erkennen.

„Natürlich machst du das Richtige", mischt sich der Mann von zuvor in das Gespräch. „Man muss sich nicht fünf Wochen ausnehmen lassen auf dem Weg nach Santiago de Compostela, es genügen auch zehn Tage und um die Urkunde zu bekommen, musst du die letzten 100 Kilometer zu Fuß laufen und das Zertifikat, das du erhältst, ist das gleiche."

Ich antworte nicht darauf und entschuldige mich für einen Besuch in der Dusche.

Der Abend und das mit ihm in Gleichklang aufkeimende Hungergefühl treiben mich hinunter in den Ortskern des kleinen verwinkelten Städtchens. Der Platz scheint nur von Cafés, Restaurants und Bars eingekreist zu sein. Die Abendsonne lädt mich ein, auf der Terrasse eines Restaurants mein Pilgermenü zu genießen.

Franziska versuchte lange, mich zu überreden, mit ihr und den anderen gemeinsam das Abendessen in der Albergue einzunehmen. „Die kochen speziell für uns", hatte sie mehrmals betont. Ich wollte alleine sein. Die Internetverbindung war auch nicht die schnellste und ist ständig abgebrochen beim Hochladen der Bilder auf meine Website. Auch ein Grund, um in den Ort zu gehen. Außerdem hatte ich vor, Bares von einem Geldautomaten abzuheben, da meines allmählich zur Neige geht und mich die nächsten Tage über ein Gebirge führen, wo ich nicht nach einem Geldautomaten suchen würde.

Das Unterfangen ist leider misslungen. Ich habe es zweimal versucht und jedes Mal, wenn es zur Auszahlung kommen sollte, wurde der Bildschirm finster und das Programm hat sich neu gestartet. Ich wollte es kein drittes Mal versuchen, vielleicht schluckt er noch meine Karte, hatte ich befürchtet. Ich habe mir auch vorsichtshalber das Datum aufgeschrieben und ein Foto vom Geldautomaten und der angrenzenden Bank, die natürlich geschlossen war, gemacht. So weiß ich jetzt, dass heute Freitag ist, und nun wundert es mich nicht mehr, so viele Menschen um den Platz zu sehen, nur wenige davon würde ich als Pilger bezeichnen.

Nach dem reichlichen und guten Abendessen, von dem ich nur blanke Teller hinterlassen habe, begebe ich mich mit Tablet-PC und meiner noch halb vollen Flasche Rotwein ins Innere des Restaurants, der Wireless-Verbindung wegen, die außerhalb der Gebäude nur selten vorhanden ist. Im Lokal erwartet mich ein Feuerwerk an Begeisterung und jetzt wird mir klar, dass die Fußballweltmeisterschaft bereits im Gange ist. Es finden die ersten Gruppenspiele statt und heute Abend läuft das Spiel Spanien gegen die Niederlande. Es ist kurz vor 21 Uhr und der Anpfiff muss jeden Augenblick erfolgen. Ich finde gerade noch einen kleinen Tisch, der sich etwas verweist zu den beiden großflächigen LCD-Fernsehern an den Wänden findet. Der Kellner bringt mir auch ein neues Glas für meinen Wein. Ich vermisse das Wort Rioja auf der Flasche, Bierzo steht jetzt darauf und ich muss sagen, es ist ein köstliches Tröpfchen.

Die Geräuschkulisse stört mich nur wenig bei der Aktualisierung meiner Website. Es sind auch nur Bilder, die ich hinzufüge, mal ein paar Zeilen, die ich schreibe. Plötzlich eintretende Schreie übertönen die lautstarke Unterhaltung, die mich umschließt.

Elfmeter für Spanien.

Ich strecke meinen Hals und meinen Körper. Es gelingt mir aber nicht, einen ordentlichen Blick auf den Bildschirm zu werfen. Ich stehe also auf und trete ein wenig weiter in den Raum, bis ich ein klares Bild des folgenden Ereignisses erhalte.

Der Ball liegt am Elfmeterpunkt. Xabi Alonso läuft an – Tor.

„Gol, Gol!", höre ich in voller Lautstärke und mir platzt beinahe das Trommelfell. Was gibt es Schöneres für ein Volk? Freitagabend, und die eigene Fußballnationalmannschaft führt gerade mit 1 : 0 bei der Weltmeisterschaft.

Ich warte nicht mehr auf den Halbzeitpfiff und gehe in die Albergue. Mir ist gesagt worden, die Tür werde um 22 Uhr geschlossen. Der Aufenthaltsraum, in dem das Abendessen stattgefunden hat, ist schon verwaist, als ich ankomme. In der Unterkunft brennt noch Licht. Ich nutze es, um

meinen Rucksack packfertig zu machen, und gehe anschließend in das außen im Hof liegende Bad, um mir die Zähne
zu putzen. Als ich zurückkomme, ist es bereits dunkel im
Raum und die ersten Schnarcher stimmen ein in die all-
abendliche Nachtmusik.

Das Erste, was ich am folgenden Morgen höre, ist, dass
Spanien 5 : 1 verloren hat. Ich kann es nicht glauben und
suche nach Bestätigungen, die ich auch mehrfach erhalte.

„In der 44. Minute fiel der Ausgleich und in der zweiten
Halbzeit haben ihnen die Holländer nochmals vier Stück
reingehauen", berichtet mir ein Pilger mithilfe seines Smartphones. Ich schüttle den Kopf.

„Unglaublich", sage ich und mein Gegenüber, ein junger
Mann aus Dänemark, pflichtet mir bei.

Viele haben die Albergue bereits verlassen, auch Franziska
in Gesellschaft ihrer neuen Begleiter. Ich habe heute vor, bis
nach La Faba zu gehen. Das sind lediglich 24 Kilometer,
wenn auch ansteigende. Genügend Zeit also, um noch in
aller Ruhe einen Kaffee zu trinken. Wieder lächelt mir einer
dieser hausgemachten Kuchen in der Vitrine entgegen. Ich
kaufe mir auch noch frisch gebackenes Baguette, fülle meine
Wasserflasche am Stadtbrunnen und folge dann zwei Rucksäcken, die auf den Schultern ihrer Trägerinnen hängen. Das
zerklüftete Gebirgsmassiv, das Villafranca einfängt, macht es
auch der Sonne noch schwer, Licht in die Straßen zu werfen.

Auf einer Brücke, die sich hoch über den unter ihr fließenden Rio Burbia schwingt, halte ich. Die beiden Damen,
die ich mittlerweile eingeholt habe, sind so freundlich und
machen ein Foto von mir mit der wunderschönen, an ihren
Spitzen beleuchteten Bergkulisse im Hintergrund. Atemberaubend, das finden auch die Damen und ich füge sie in die
Landschaft ein, abwechselnd auf ihren Smartphones.

Mein Eindruck von gestern beginnt sich zu bestätigen, es sind jetzt mehr Pilger, die mich begleiten. Vermutlich haben sich viele am letzten Wochenende von León aus auf den Weg gemacht. Sie nutzen zwei Wochen Urlaub für ein besonderes Abenteuer, sie tauchen ein in eine der populärsten Wallfahrten unserer Zeit und am Ende werden sie eine Urkunde erhalten, eine Bestätigung ihrer Leistung. Sie werden sie einrahmen und an die Wand nageln, sie wird als etwas Besonderes behandelt werden und Fragen aufwerfen von Menschen, die diese Räumlichkeit betreten, doch werden die Antworten die richtigen sein, die sie imstande sind, ihnen zu geben? Waren diese zwei Wochen wirklich ausreichend, um Zeugnis darüber ablegen zu können? Ich schrieb vor einigen Tagen diesen Satz in meine Reiseaufzeichnung: „Die ersten drei Wochen spürst du den Camino in den Knochen, danach im Herzen." Und er nimmt täglich mehr Besitz von mir. Er fließt durch meine Adern, wie die Flüsse auf seinem Weg. Ich weiß auch, dass es vielen nicht gestattet ist, die 800 Kilometer in einem Stück zu laufen, und dass sie gezwungen sind, Alternativen zu finden, wie auch Wolfgang und Anna, die mich schon in Burgos verlassen mussten, doch sie haben in den zwölf Tagen begonnen, den Camino zu leben, und die Zeit wird sie bereit machen, ihn eines Tages in voller Länge zu spüren, denn ihr Herz ist jetzt bereit dazu.

Und dann traue ich meinen Augen nicht. Obwohl es der Vernunft widerspricht, so meine ich, die Person vor mir zu kennen. Die schwarze, sich um das Becken schmiegende Short, die lila Farbe an den kurzen Ärmeln des T-Shirts, die sich vom unauffälligen Beige des alles verdeckenden Rucksacks abheben, kommen mir bekannt vor. Ich erhöhe unbewusst die Frequenz meiner Schritte und sie ist es tatsächlich. Leni, von der ich mich am Cruz de Ferro verabschiedet habe, als ich mir sicher war, sie auf dem Weg nicht mehr zu treffen. Nun steht sie vor mir und lächelt mir entgegen. „Wie kann das sein? Du hier?", frage ich verwundert. Leni klärt mich schnell auf. Sie ist gestern wieder mal ein Stück mit dem Bus gefahren. Eine weitere Möglichkeit, um das Ziel Santiago zu erreichen, denke ich mir und muss ein wenig darüber schmunzeln. Wir gehen ein Stück gemeinsam und dann trennt sich unser Weg aufs Neue. Diesmal aber nicht mehr mit der Gewissheit, sie das letzte Mal gesehen zu haben.

Jede Menge kleiner Ansiedlungen kreuzen von nun an den Camino. Manchmal nur zwei oder drei Häuser, eingebettet in einen Wald aus Kastanienbäumen. Es sind essbare Edelkastanien, noch nicht abgeschlossen in ihrem Wachstum und sie streben unaufhaltsam ihrer Reife entgegen. Las Herrerías ist der letzte dieser Orte und von jetzt an geht es steil bergauf. Ich strotze vor Kraft und überhole der Reihe nach keuchende Pilger. Sie machen Platz und ihre Grußformel wirkt jetzt abgehackt und unvollständig. Ich sehe keine Pferde, aber ihre Hinterlassenschaft. Faustgroße Trümmer, zahlreich und meist noch frisch, wie es mir ihr Geruch verrät. Manchmal bin ich sogar gezwungen, einen weiten Bogen um sie zu machen, und ein andermal balanciere ich zwischen ihnen hindurch. Nochmals bäumt sich die schmale Straße auf, sodass nicht einmal mehr die Pferdeäpfel an ihr Halt finden und nur noch schleimige Spuren am aufgerissenen Asphalt hinterlassen. Das Gewicht auf meinem Rücken bringt mich ins Schwanken, die Oberschenkel beginnen allmählich zu brennen und dann überschreite ich die Kuppe, an deren Krümmung „La Faba" in die Erde gesetzt steht. Eine Lichtung, gesäumt von baufälligen alten Häusern, und ein Schild führt mich geradewegs zu meiner heutigen Bleibe.

Der Abend beginnt mit einer Messe in der an die Albergue angrenzenden Kirche von La Faba. Die Herberge wurde 2001 durch den schwäbischen Verein VLTREIA wieder ins Leben gerufen und wird seither ehrenamtlich von Leuten aus dem Schwabenland geführt. 2004 erfolgte auch die Einweihung der ebenfalls aus den Trümmern neu erbauten Kirche. Es ist 18.30 Uhr und ein Pfarrer aus Ponferrada hält den Gottesdienst. Ich habe Glück, er findet abwechselnd nur jeden Samstag und Sonntag statt. Der Großteil der Pilger nimmt daran teil und auch Einwohner aus dem Ort haben sich hier eingefunden. Die in spanischer Sprache geführte Predigt wird jetzt von einer Frau aufgegriffen, die an das Rednerpult tritt und einen Absatz aus dem Alten Testament vorliest. Ich kenne die Frau. Sie hat schwarzes Haar, das an den Ansätzen vereinzelt graue Strähnen aufweist, und ich verstehe jedes Wort, das über ihre Lippen kommt. Die Bibel ist in deutscher Sprache verfasst, ein kleines Zugeständnis, das der schwäbischen Initiative für die Wiederherstellung der Kirche gemacht wird. Die Frau ruft auch noch zu den Fürbitten auf, die aber nur von einer Handvoll der anwesenden Pilger verstanden werden. Diese bitten aber umso lautstärker und dann ergreift neuerlich der spanische Pfarrer das Wort.

Es war 12.30 Uhr, als ich hier angekommen bin. Viel zu früh, um die heutige Etappe zu beenden. Franziska, der

Mann aus Villafranca, Mia und noch eine Frau warteten bereits auf den Stufen zur Albergue, die noch verschlossen war. „Ab 14 Uhr" war es in deutschen Lettern auf einem Zettel zu lesen, der mit Klebestreifen an der verschlossenen Eingangstür angebracht war. Franziska wollte sich diese Unterkunft nicht entgehen lassen. Sie wird von ihren Landsleuten betreut und ich verstehe sie auch, ebenso warum sie die Nähe zu den deutschsprachigen Pilgern sucht. Sie sprechen ihre Sprache und das ist die einzige Sprache, der sie mächtig ist. Urlaubsreisen hat es, wenn überhaupt, nur nach Österreich oder in die Schweiz gegeben. Marathonläufe haben sie auch schon mal in die Niederlande oder nach Belgien geführt. Meist ist sie aber in Deutschland gelaufen und das Größte für sie war ein einwöchiger Urlaub in Italien vor 20 Jahren. Danach ist sie noch zweimal dorthin gefahren, aber es war nicht mehr dasselbe. Sie hatte mir das alles gestern in Villafranca erzählt, als ich mich etwas nachdenklich über ihre Begleiter äußerte, und sie hatte mir ins Gewissen geredet. „Du kennst sie nicht, also verurteile sie nicht schon im Vorfeld", hatte sie mich streng angesprochen und ich begann zu bereuen, mich dafür zu schämen, Menschen etwas anzulasten oder abzusprechen nach den ersten Worten, die sie von sich geben. Unbedacht der Zusammenhänge und Hintergründe, aus denen sie geformt wurden. Ich habe mich bei Franziska aufrichtig entschuldigt und im Geiste auch bei den Menschen, denen ich diese Vorurteile anzulasten gedachte, dann holte ich meinen Reiseführer hervor und betrachtete nochmals den bevorstehenden Weg. Er führt hoch auf den Cebreiro-Pass, über das Gebirge, bis nach Triacastela. Es half nichts, ich musste hierbleiben. Am Pass zu übernachten, erschien mir mit dem Seideninlett als Schlafhülle bei den zu erwartenden Temperaturen für zu gewagt und als ich dazu noch die größer gewordene Zahl an

Pilgern in meine Überlegungen einbezog, hegte ich sogar Zweifel daran, ein Bett zu bekommen. Ich freundete mich schlussendlich mit den bevorstehenden 26 Kilometern für morgen an, von La Faba bis Triacastela. Für eine reine Bergetappe genau richtig und es würde viel zu sehen geben.

Der Gottesdienst nähert sich seinem Finale. Ich nehme die heilige Kommunion entgegen und werde dann noch im Schutzsegen für die letzten 168 Kilometer bis nach Santiago de Compostela aus der Kirche geleitet. Die meisten Pilger sind mir unbekannt und so freue ich mich umso mehr, dass sich Mia nun doch entschlossen hat, mich zu einem Abendessen in die nur wenige Hundert Meter entfernte Bar zu begleiten. Franziska und ihre neuen Begleiter haben entschieden, sich selbst etwas in der Küche der Albergue zu kochen.

An einem recht wackelig aussehenden Tisch auf einem schmalen Betonauslass, der vermutlich als Terrasse dienen soll, sitzen drei Pilger auf Plastikstühlen. Sie machen uns darauf aufmerksam, dass, wenn wir etwas zu essen wollen, wir im Inneren des Lokals Platz nehmen müssen.

Die Bar ist klein. Vier Tische, links und rechts an die Wände gestellt, alle noch leer. Wir bestellen Vorspeise, Hauptspeise und Nachspeise, besser gesagt wir zeigen auf die Gerichte, die in englischer Sprache und darunter in Spanisch auf ein DIN A4 großes Blatt Papier aufgedruckt sind. Zum Schutz vor schmutzigen Fingern ist es in Folie eingeschweißt. Die Wirtin, eine leicht betagte und korpulente Frau, spricht nur Spanisch.

„Gehst du zu Hause auch in die Kirche?", fragt mich Mia.

„Ja, schon und ich würde sagen regelmäßig."

„Immer schon?", hakt sie nach.

„Nein, früher bin ich vielleicht drei oder vier Mal im Jahr in die Kirche gegangen. Zu besonderen Anlässen eben." Mia nickt. „Die letzten Jahre erst gehe ich beinahe regelmäßig jeden Sonntag zum Gottesdienst."

„Warum?", will Mia wissen.

„Aus Dank", sage ich.

„Aus Dank?", wiederholt sie fragend. Ich weiche ihrer Frage aber aus, weise nur darauf hin, dass es sich um etwas sehr Persönliches handelt.

„Ich finde es dennoch seltsam, dass Menschen aus Dank zur Kirche finden. Meist suchen sie die Nähe zu Gott, wenn es ihnen besonders schlecht geht, sie keinen Ausweg mehr erkennen und darin die letzte Hilfe sehen."

„Ja, leider ist es so. Aber auch das Gegenteil trifft zu. Menschen verlieren den Glauben an Gott, wenn sie zum Beispiel nahe Angehörige, Kinder oder den Lebenspartner verlieren. Sie hadern mit ihm, in der Überzeugung, dass es seine Schuld ist. Aber ist es wirklich seine Schuld? Ist Gott für alles Schmerzhafte und Schlechte verantwortlich? Ich denke nicht, genauso wenig wie er für alles Gute auf der Welt Verantwortung hat. Es sind die Menschen selbst, sie tragen ihr Schicksal in den eigenen Händen, auch wenn es ihnen oft sehr schwer gemacht wird."

„Du triffst es auf den Punkt und doch sind wir immer wieder Zeugen von Wundern. Gott kann nicht ständig über uns wachen. Er macht es, solange wir noch Kinder sind, vielleicht sind es auch Engel, welche die Arbeit für ihn verrichten, aber er legt dir ins Bewusstsein, selbst Verantwortung zu tragen und ebenso Verantwortung für andere zu übernehmen, die es nicht schaffen, für sich selbst zu sorgen. Ich sehe es oft in der Schule. Ich unterrichte Kinder mit Lernschwäche, als geistig behindert würdest du sie bezeichnen, aber sie haben eine andere Gabe. Sie führen dir jeden

Tag vor Augen, wie gut es dir im Grunde geht, und sie zeigen dir ihre Dankbarkeit, einfach nur weil du für sie da bist. Auch Gott ist bei uns, er beobachtet seine Schäflein, die selbst im Leben stehen, und er führt jene, die selbst nicht die Kraft dazu haben. Nicht immer aus für uns ersichtlichen Gründen und manchmal braucht es auch Qualvolles, um uns den rechten Weg zu zeigen."

Eine Träne fließt über ihre Wange. Ich halte sie mit meinem Zeigefinger auf.

„Ich will das nicht", sagt sie und ich entschuldige mich. Ich weiß selbst nicht, was mich dazu gebracht hat, ihr so nahe zu kommen, und ich bin froh darüber, dass die Wirtin das Hauptgericht aufträgt.

„Du kommst aus Regensburg, hast du gesagt." Mia nickt.

„Dann bist du also katholisch wie ich." Wieder nickt sie.

„Findest du, dass sich die Kirche ändern, reformieren sollte?", frage ich Mia.

Sie überlegt und sagt: „Ja, in gewissen Punkten auf jeden Fall."

„Die wären?", und ich merke dabei an, dass mein Rindfleisch etwas zäh ist, aber im Geschmack sehr gut.

„Mein Hühnerfilet ist zart. Willst du versuchen?"

„Nur wenn auch du ein Stück von meiner Schuhsohle probierst. War ein Scherz, es ist nicht so zäh. Ist eben kein Filetstück, aber es schmeckt wirklich gut."

Wir geben uns gegenseitig eine Kostprobe, dann frage ich Mia erneut: „Welche Punkte würdest du ändern in der katholischen Kirche?"

„Du kannst dir sicherlich denken, dass ich ein wenig mehr Rechte für Frauen beanspruche."

Ich unterbreche sie nicht und fordere sie mit einer Handbewegung auf weiterzusprechen.

„Viele ihrer Ansichten sind veraltet. Was spricht gegen

Frauen im Priesteramt? Das Zölibat passt schon gar nicht mehr in unsere Zeit. Generell die sexuelle Einstellung. Verhütungsverbot? In welcher Zeit leben wir eigentlich?" Sie wartet auf eine Reaktion von mir. Ich halte mich noch zurück und will sichergehen, dass sie sich auch ausgesprochen hat. „Die gleichgeschlechtliche Ehe ist auch so ein Thema." Ihre erhitzte Stimmlage kühlt sich allmählich ab. „Vergiss nicht die Besitztümer, die sie haben, und das Geld, das sie horten." Die Worte am Anfang des Satzes sind deutlich wahrzunehmen, am Ende klingen sie hörbar ab. Jetzt erscheint mir der Zeitpunkt richtig, um darauf zu antworten.

„So wie du es darstellst, sollen sich die Kirche und auch der Glaube nach den Menschen richten. Sich ihren neuen Bedürfnissen anpassen. Geänderte Bedürfnisse, die ihnen der Wohlstand gebracht und sie von den Wurzeln des Glaubens meilenweit entfernt hat. Von wo gehen solche Wünsche aus? Doch nur von Staaten, in denen Wohlstand herrscht, von Leuten, die Zeit dafür haben, sich Gedanken ihrer künftigen Vorteile wegen machen zu können und die meinen, der Glaube müsse zu ihnen finden und nicht umgekehrt. Die, die die Wurzeln ihres Daseins anzweifeln und es als ihre Aufgabe ansehen, auch Zweifel in die Köpfe ihrer Mitbürger zu säen. Sie machen es, um sich hervorzuheben aus der Masse, und sie suchen die Konfrontation zu Gott, an dessen Dasein sie meist zweifeln. Und würde die Kirche ihren Forderungen nachgeben, hätten diese Leute gewonnen. In den Augen der kleinen Leute hätten sie einen Sieg gegenüber Gott errungen und es würde ihre Macht so sehr stärken. Und der Einfluss, den sie auf die Menschen ausüben könnten?"

Ich gebe ihr etwas Zeit, die Sätze aufzunehmen, bevor ich weiterspreche.

„Hast du jemals vernommen, dass in Entwicklungsländern so ein Durst nach Veränderung in der Kirche herrscht? Je weniger die Menschen haben, desto näher sind sie Gott. Du kennst doch sicher den Satz aus der Bibel: ‚Eher geht ein Kamel durch ein Nadelöhr, als dass ein Reicher in das Himmelreich gelangt.'"

„Gerade das finde ich jetzt aber überholt. Müssen wir alles verschenken, um in den Himmel zu gelangen?", sagt Mia.

„Nein", sage ich, „man muss diesen Satz nur richtig verstehen, wie so vieles im Leben. Es war Anfang des Jahres. Ich kaufte wie üblich im Supermarkt nicht unweit meiner Wohnung ein. Meist gehe ich dorthin, wenn es spezielle Angebote gibt, wie damals. 50 Prozent auf meine Lieblingssorte Kaffee. Ich legte auch andere Dinge in den Einkaufswagen, die ich benötigte. Dann ging ich zur Kasse und bezahlte. Dabei habe ich es mir angewöhnt, den Kassenbon zu kontrollieren, da es auch schon mal Unregelmäßigkeiten bei der Preisauszeichnung gab. Diesmal sehe ich aber, dass statt zwei Packungen Kaffee, die ich im Wagen habe, nur eine Packung verrechnet wurde. Nun, ich hätte mich jetzt freuen können, Geld gespart zu haben, das habe ich zunächst auch, immerhin sechs Euro. Ich ging aber zur Dame an der Kasse und machte sie auf den Irrtum aufmerksam. Sie bedankte sich mehrfach bei mir, sie stellte mir eine neue Rechnung aus und ich gab ihr den Differenzbetrag.

Du wirst es nicht für möglich halten, welche Freude ich danach empfunden habe. Sie war um ein Vielfaches größer als die Freude zuvor, sechs Euro gespart zu haben. Ich weiß auch, dass die Angestellten die Fehlbeträge aus eigener Tasche bezahlen müssen und vielleicht hat mich auch das dazu bewogen, diesen Schritt zu machen. Aber nun komme ich nochmals zu dem eben erwähnten Satz. Ich hatte hinterher weniger Geld, war aber um ein Vielfaches glücklicher als zuvor. Verstehst du? Es bedeutet nicht, dass man sein gesamtes Vermögen verschenken muss, aber dass man es nicht auf Kosten anderer aufbauen soll. Auf etwas zu verzichten zugunsten anderer und nicht etwas zu erlangen auf Kosten anderer, das erleuchtet dein Herz und sorgt für Frieden in dir und in diesem Augenblick bist du dem Himmelreich sehr nahe. Ich denke, dass es so zu verstehen ist. Und genau dies sollten die schlauen Köpfe in unserer Welt den Menschen vermitteln."

Mia sieht mir tief in die Augen. Mir ist, als würde sie in mich blicken, als fühle sie, wie ich gerade fühle, und es ist nicht nötig, es mit Worten zu bestätigen. Jetzt ist es Zeit, ihr etwas anzuvertrauen, auch wenn es mir etwas schwerfällt, aber ich denke, sie ist bereit dafür.

„Es sind Dinge geschehen entlang des Camino, für die ich keine Erklärung finde. Die so absurd und unglaublich anmuten, ja sogar befremdend auf mich wirken. Mir ist, als hätte uns die Vergangenheit begleitet, mich und meine fünf Freunde, die ich zu Beginn meiner Reise kennengelernt habe. Bereits am ersten Tag beim Weg über die Pyrenäen hat es sich in meinen Kopf gedrängt. Das Wetter war so übel drauf, als wolle es die Welt verschlingen, und ich war nahe daran aufzugeben. Na ja, nicht wirklich, aber es hat jede Menge Kraft aus meinem Körper gesogen. Und da habe ich etwas gespürt, gesehen, ich weiß nicht, ich konnte es nicht einordnen und dann war es auch schon wieder fort. Erst Tage später konnte ich mich für einen Augenblick daran erinnern. Ich sah drei Menschen, ein schon erwachsenes Mädchen und zwei kleine Kinder, ein Mädchen und ein Junge und das Bild, das ich vor Augen hatte, wies in eine längst vergangene Zeit. Einige Male tauchte ich ab in diese Welt während der nächsten Tage, immer nur bruchstückhaft und meist sah ich den kleinen Jungen. Ich kann nicht sagen, ob er mir ähnlich sah, aber ich fand mich in seinem Wesen wieder."

„Jetzt machst du mir Angst", unterbricht mich Mia.

„Ist wohl besser, wenn ich aufhöre damit", sage ich etwas nachdenklich und ergänze noch: „Es muss ja wirklich verrückt klingen."

„Ja, tut es, aber du hast mich neugierig gemacht. Erzähl bitte weiter." Ich warte noch, bis die Nachspeise sicher auf unserem Tisch steht, und fahre fort.

„Steve, so heißt der Australier, der mit uns gemeinsam unterwegs war. Er hatte ein Erlebnis in San Juan de Ortega, einem kleinen Ort, fällt nicht wirklich auf am Camino und doch, denke ich, wird er für ihn nie in Vergessenheit geraten. Auch für mich nicht nach seiner Schilderung. Steve hatte wirklich Probleme. Er konnte nicht richtig schlafen, hatte sich oft betrunken, um seinen Kopf von den Gedanken, die ihn ständig quälten, zumindest für ein paar Stunden in der Nacht frei zu bekommen. Er war mit Sherri und Kristi, zwei Frauen aus Oregon, gemeinsam unterwegs an diesem Tag. Das sind nun schon drei meiner Freunde, die ich dir vorgestellt habe. Machen wir die fünf voll. Da waren noch Gina aus Chicago und Chris aus England. Also Steve war mit Sherri und Kristi gemeinsam an diesem Ort. Sie haben einen Kaffee getrunken in der einzigen Bar, die es dort gab, und wollten sogleich weiter. Ein Fremder, kein Pilger, hält sie an und bittet sie, eine Kerze für den heiligen Juan de Ortega in seiner Kirche zu stiften. Wenn du Steve kennen würdest, würdest du wissen, dass er solch einer Aufforderung nichts abgewinnen kann. Der Fremde ließ aber nicht von ihnen ab und alle drei folgten etwas unwillig seiner Bitte. Ein paar Tage danach sprach mich Steve daraufhin an, zuerst wandte er sich an Kristi, sie war die Einzige, die außer mir von seinen Problemen gewusst hat. Kristi konnte sich nicht an den Fremden erinnern, sagte er zu mir, auch Sherri nicht. Dann sagte er, dass er wieder schlafen könne. ‚Ich schlafe wie ein Baby, habe keine Angst mehr vor dem Einschlafen und das ohne Alkohol. Die letzten beiden Tage habe ich nichts getrunken und alles ist besser geworden nach diesem Ereignis in San Juan de Ortega, an das sich außer mir niemand mehr erinnern kann.' Anfangs konnte ich mir keinen Reim darauf machen, aber dann gab es noch ähnliche Erlebnisse von Gina und Chris und ständig diese Bilder, die mich begleiten, von dem Jungen und den beiden Mädchen. Meine Gedanken fingen an, verrückt zu spielen auf den vielen Kilometern, die ich alleine gegangen bin. Mal dachte ich, mich selbst in dem Jungen zu erkennen, dann wieder stellte ich mir vor, ein Vorfahr könnte es sein, und manchmal war es einfach nur der Geist eines fremden Jungen, der sich in mich drängte. Seit León denke ich mir, er begleitet mich. Ich habe sogar das Gefühl, dass er mich drängt, schneller voranzugehen, als ob er es nicht erwarten könne, Santiago de Compostela zu erreichen. Ich versichere dir, dass ich nicht schizophren geworden bin, aber ich erfreue mich mittlerweile seiner Gesellschaft, die ich zwar nicht sehe, aber auf eine eigene Art spüren kann, und ich nenne ihn Julien.“

Mia hat den Kuchen noch nicht einmal angerührt. Sie hält den kleinen Löffel noch genauso in der Hand wie zu Beginn meiner Erzählung.

„Mia“, sage ich, als ich merke, dass sie völlig in Gedanken versunken ist. Ich bin versucht, ihre Hand zu umfassen, erinnere mich aber an ihre Zurechtweisung von zuvor und falte meine Hände, um ihnen Einhalt zu gebieten.

„Alles in Ordnung?“, frage ich sie und dann bewegen sich ihre Augen auf mich zu.

„Ich habe Bücher über den Jakobsweg gelesen, in denen über seltsame Geschehnisse geschrieben wird, aber du sitzt vor mir und bettest mich ein in etwas, was das bisher Gelesene weit übersteigt. Im Augenblick fühle ich mich ein wenig fehl am Platz. Deine Erlebnisse haben meine bisherigen Wahrnehmungen weit übertroffen. Ich wäre gerne mit dir den gesamten Weg gegangen. Jetzt ist mir aber, als würde ich nur das Ende eines Filmes sehen, zu wenig, um darüber urteilen zu können. Du musst mir glauben, ich wollte den gesamten Camino Francés, die vollen 800 Kilometer, gehen, aber mein berufliches Umfeld hat es nicht zugelassen. Ich habe noch keine fixe Anstellung und mir ist mein Beruf sehr wichtig. Ich arbeite gerne mit Kindern und um fünf Wochen durch Spanien zu wandern, einem Weg zu folgen, von dem ich gelesen habe, den ich aber nicht kenne, war es mir nicht wert, diese Arbeit aufs Spiel zu setzen."

„Das wäre es auch nicht", beruhige ich sie.

„Du hast jetzt in diese Welt gefasst, du hast erfahren, was dich erwarten kann, und solltest du später einmal die Zeit dazu finden und immer noch die Lust dazu verspüren, 800 Kilometer durch den gebirgigen Norden Spaniens zu laufen, dann mach es."

„Ja, das werde ich."

„Und wer weiß, vielleicht genügen dir auch diese zwölf Tage, um das zu erlangen, wofür andere fünf Wochen benötigen."

In Mias Gesichtszügen lösen sich die Spannungen, die weichen und sanften Rundungen kehren zurück und zeichnen das Bild, das ich bei unserer ersten Begegnung in mir aufgenommen habe.

„Schmeckt dir der Kuchen nicht?", frage ich sie.

„Doch, doch", sagt sie und bricht große Stücke mit ihrem Löffel davon ab, um sie genussvoll zu verschlingen.

„Ich will nochmals auf deine geforderten Änderungen in der katholischen Kirche zurückkommen", sage ich.

„Ich bin mir da nicht mehr so sicher, du hast es zumindest geschafft, dass ich mir nochmals gründlich Gedanken darüber machen werde."

„Ich möchte dich keineswegs beeinflussen in deiner Ansicht, ich versuche, dir lediglich bewusst zu machen, wie wichtig es ist, sich eigene Meinungen zu bilden und nicht die Einstellungen anderer aufzugreifen."

„Ich habe verstanden", sagt Mia.

„Lass mich dir noch etwas mitgeben, was es dir vielleicht leichter macht, deine Anschauung zu formen. Die Kirche hat sich schon einmal den Bedürfnissen der Menschen angepasst. Die Kirche war mächtiger als der Staat zu jener Zeit. Kluge Köpfe sind in den Dienst der katholischen Kirche getreten, um dort ihre Macht ausüben zu können. Auch der Adel hat sich unter ihrem Einfluss zunehmend bereichert. Gelitten hat das Volk, ihm hat es nur Trauer und Tod gebracht. Wir nennen diese Zeit heute das finstere Mittelalter. Menschen wurden denunziert, um an ihr Vermögen zu gelangen, sie wurden der Ketzerei bezichtigt und im Namen der Kirche gefoltert und hingerichtet. Frauen wurden als Hexen auf dem Scheiterhaufen verbrannt und das alles von Leuten, die sich die Kirche gefügig gemacht haben. Ein wenig davon sehen wir heute erneut in anderen Religionen."

„Ich werde nicht schlau aus dir. Woher nimmst du all diese Gedanken?", fragt mich Mia.

„Du musst nur mit offenen Augen durch die Welt gehen. Lebe, und sieh nicht den anderen dabei zu."

„Das klingt alles so einfach, wenn du das sagst." Ihre Mundwinkel ziehen sich auseinander, sie bläst ein wenig Luft aus ihrer Nase und sieht mir dabei tief in die Augen.

Ein Mann betritt die Bar. Er begrüßt Mia und dann auch mich. Ich habe ihn heute das erste Mal gesehen. Er schläft in einem Zelt auf der Wiese, die zur Albergue gehört. Mia bittet ihn, an unserem Tisch Platz zu nehmen. Ich habe das Gefühl, sie kennt ihn schon länger. „Darf ich dir Rolf vorstellen?", sagt sie zu mir. „Rolf, das ist Reinhard."

„Freut mich", erwidere ich und wir schütteln uns die Hände. Er erzählt mir, dass er schon öfters den Jakobsweg gegangen ist. Zweimal von Berlin aus, wo er wohnt. Diesmal ist er in Madrid losmarschiert und bei Sahagún in den Camino Francés eingetreten. Mia nickt dabei, als würde sie seine Angaben bestätigen. Ich denke mir, es muss schwierig für sie sein, so viele unterschiedliche Eindrücke zu verarbeiten, die ihr von kurz zuvor noch fremden Menschen entgegengebracht werden, und jetzt tut es mir beinahe leid, ihr von den meinigen erzählt zu haben.

Rolf lehnt unsere Einladung auf ein Glas Wein ab und bestellt sich lieber ein großes Glas Bier. Er betont dabei, dass er durstig ist. Wir trinken dann aber doch noch gemeinsam eine Flasche Rotwein, wieder aus dem Bierzo-Tal wie eben zuvor und wie ich ihn auch gestern schon getrunken habe. Rolf erzählt: „Jeden fängt der Camino, der ihn schon mal gegangen ist, auf seine Weise. Mich hat er dazu auserkoren, ihn von allen Himmelsrichtungen aus zu gehen. Ich bin jetzt schon das sechste Jahr auf dem Jakobsweg. Dabei brauche ich nicht viel Geld. Das Zelt ist meine Schlafstelle und ich nehme mir Zeit auf meinen Wanderungen. Im Herbst und Winter arbeite ich als Kellner in diversen Kneipen in Berlin. Ich habe eine kleine Wohnung mit 30 Quadratmetern, sie ist sehr günstig, sodass ich sie auch über die Zeit, in der ich unterwegs bin, bezahlen kann. Im Frühjahr, wenn die Sonnenstrahlen mich zu wärmen beginnen, bekomme ich erneut Sehnsucht nach dem Camino. Ich plane eine neue Route, na ja, und dann bin ich abermals unterwegs."

Ich bemerke an Mias Regung, dass sie schwer begeistert ist von dem Mann. Ich schätze ihn auf knapp über 30, vielleicht 1,75 Meter groß, er hat schwarzes Haar und, was zu erwarten war, er ist auch recht gut gebaut. Die Zeit ist heute so schnell vergangen und ich finde es schade, zurück zur Albergue gehen zu müssen. Rolf weiß noch von einer zweiten Albergue auf der anderen Seite des Bergdorfes.

„Eine Schulklasse ist dort untergebracht", sagt er und ich bin versucht zu fragen, was er mit einer Schulklasse vorhat. Mein Blick genügt aber bereits für ihn und er sagt: „Wenn Kinder dort sind, sind bestimmt auch Erzieher dort und ich bin mir sicher, die rauchen auch mal gerne etwas Gutes." Er greift sich dabei mit der linken Hand an seine Brusttasche.

Mia drängt jetzt. Sie verabschiedet sich von Rolf. Auch ich sage Tschüss. Es ist dunkel geworden und auch kalt. Ich hole mir noch die versprochene Überdecke von Wolfgang, einem der beiden ehrenamtlichen Helfer aus dem Schwabenland, und begebe mich, zwei Betten von Mia entfernt, zur Nachtruhe.

29
Begeisterung

Heute Morgen bin ich beinahe froh, von den lästigen Frühaufstehern aus dem Bett getrieben zu werden. Der anstehende Abschnitt über das Gebirge macht mich neugierig.
Gegen 6.30 Uhr befehligen Wolfgang und Peter, die
ehrenamtlichen Helfer aus Deutschland, die wenigen noch
in den Betten liegenden Pilger aufzustehen. Sie sammeln
bereits die Decken ein, die sie nicht nur mir für die eisige
Nacht zur Verfügung gestellt haben. In der Küche gibt es
heißes Wasser in einer Thermoskanne. Für 50 Cent hänge
ich mir einen Teebeutel in ein Häferl, wie wir bei uns zu
Hause einen kleinen Krug aus Keramik mit Henkel nennen,
und ich bin mir nicht ganz schlüssig, ob ich jetzt in der Früh
nicht doch meine Jacke überstreifen soll. Ich prüfe nochmals
die Außentemperatur und ziehe sie schließlich an. Franziska
und ihre Begleiter, auch Mia, sind schon vor 20 Minuten
losmarschiert, als ich noch mein Gesicht gewaschen und
Zähne geputzt habe. Ich trinke den Tee hastig aus und
bedanke mich als einer der letzten Verbliebenen bei Wolfgang für die Aufnahme in der Albergue. Ich erwähne dabei
nochmals, dass es hier wirklich sehr schön war. Vor allem
deshalb, um ihm eine Freude zu machen. Unaufhörlich hat
er es hervorgehoben, wie gepflegt und sauber diese Herberge ist. Er ist nicht müde geworden, es zu betonen, und ich
hatte schon den Eindruck, als würde es seine eigene sein.

Ich suche nochmals das Bett, in dem ich geschlafen habe,
und den Platz darum auf Gegenstände ab, die ich eventuell
vergessen haben könnte. Alles verstaut. Ich nehme meinen

Stock in die linke Hand und rufe noch „Buen Camino", während ich das Haus verlasse.

Nebel umhüllt das Dorf und verwehrt mir die Sicht auf das darüber liegende Gebirge. Die schmale Ebene, die mit aus Stein gebauten Häusern bedeckt ist, greift schnell in ein steil ansteigendes Gebirgsmassiv über. Auf dem felsigen Untergrund setzt sich die Feuchtigkeit aus dem Nebel ab und es gilt, Vorsicht walten zu lassen. Die nassen Steinplatten geben nicht immer genügend Halt für meine Schuhe und oftmals rutschen sie nach hinten oder zur Seite unter der Last auf meinem Rücken. Ich bin gewarnt und passe mein Fortkommen dem Untergrund an.

Unaufhaltsam schiebt sich die Sonne durch den Nebel. Anfangs erkennbar an den hellen und grellen Stellen beim Blick gen den Himmel. Jetzt reißt sie bereits deutlich sichtbare Löcher in die Nebelwand und ich erkenne grün eingefärbte Schattierungen dahinter. Bewaldete Gebirgskämme, die meine Augen, dirigiert von der emporsteigenden Sonne, mit einem Farbenspiel aus Gelb- und Grüntönen verwöhnen. Welch Anblick, welch Schönheit und Ruhe, die mich umgibt. Könnte doch die ganze Welt einen Blick darauf werfen, welche Wirkung hätte es auf die Menschheit? Würde es sie zähmen, sie zurechtweisen in ihren Taten? Manche vielleicht; anderen wiederum würde die Gier befehlen, Zäune darum zu bauen, um aus diesem Wunder der Natur Geld zu schöpfen. Den Anblick nur jenen zu gewähren, die bereit sind, dafür tief in die Tasche zu greifen, und ihn all den Armen und Bedürftigen zu verwehren, die zuvor daraus Kraft für ihr spärliches Dasein geschöpft haben.

Und wir würden es zulassen, wie wir es ständig tun. Wir würden darüber sprechen, wie wir es ständig tun. Und wir würden draußen stehen, wie wir es ständig tun. Wir würden sie beneiden, wie wir es ständig tun. Und wir würden klein beigeben, wie wir es ständig tun. Wir würden uns zurückziehen, wie wir es ständig tun.

Zorn keimt in mir hoch, beide Hände pressen den Knauf meines Wanderstocks, die Knöchel meiner Finger werden weiß, mein Gesicht verkrampft sich und dann dieser fürchterliche Schrei, der tief aus meinem Innersten in diese Stille stößt. Würden jetzt alle, die empfinden wie ich, mit gleicher Kraft und im selben Augenblick solch einen Schrei loslassen, wir würden die Ungerechtigkeit ersticken wie der fehlende Sauerstoff die Flamme und das Kartenhaus der Mächtigen würde zusammenbrechen wie die Mauern von Jericho. Meine Hände lockern sich wieder und Blut fließt in meine Knöchel zurück. Ich atme tief durch und mir schmeckt die Luft der Freiheit.

Ich erreiche winzige Bergdörfer, lediglich geformt aus einer Handvoll Häusern. Vermutlich sind es ganze Familien, die hier ihre Heimat gefunden haben. Nach dem Zustand der Bauten zu urteilen bereits seit vielen Generationen. In einer der abgeschiedenen Ansiedlungen sehe ich Rolf. Er steht vor einem Zaun aus dicken Holzbalken, der das Ausmaß der Straße markiert und die tiefen Abgründe begrenzt. Er beobachtet zwei Pferde, die hinter dem Zaun gleich neben der Straße Stellung bezogen haben. Ihre Köpfe folgen den Anweisungen seiner Arme und er ist sichtlich erheitert von seinen Künsten.

„Hast du den Schrei gehört?", fragt er mich, den Kopf nur kurz zu mir gedreht, er folgt lieber den Bewegungen der Pferde.

„Welchen Schrei?", stelle ich mich dumm.

„Na ein Schrei eben, vor zehn Minuten, er muss von weiter unten gekommen sein."

„Nein, tut mir leid, habe ich nicht." Ich will ihn keineswegs verarschen, mir ist es lediglich ein wenig peinlich und es drängt mich dem Gipfel zu.

Ich erreiche O Cebreiro, ein einsames, von Pilgern gern besuchtes Dorf auf 1300 Meter Seehöhe, unweit des gleichnamigen Passes. Es gibt sogar eine Kirche hier oben für die 30 Einwohner und vermutlich noch einmal so viele Menschen in den Gebäuden auf dem Weg hierher. Erbaut aber einst für die unzähligen Pilger, die dieses Weges kamen. Es ist die Santa María la Real und den Überlieferungen nach soll es sich dabei um die älteste Pilgerkirche entlang des Camino Francés handeln. Neben der Kirche stehen zwei Frauen und drei Männer. Ich erinnere mich, sie in La Faba gesehen zu haben. Einer rüttelt an der verschlossenen Tür. Ein zweiter tritt heran, er zweifelt anscheinend an den Kräften des anderen. Das Tor bleibt verschlossen. Ich gehe weiter.

Die Türen und die Fenster der Albergue rechts von mir sind weit geöffnet. Sie schöpft frische Luft für die Pilger, die auch heute wieder kommen werden, und entledigt sich des Geruchs ihrer bereits losgezogenen Besucher der Nacht zuvor. Die richtungsweisenden gelben Pfeile sind zahlreich auf den Straßen und den Häusern aufgemalt, doch zeigen sie nach unterschiedlichen Zielen. Ein Pfeil aber weist steil aufwärts in den Wald und ich folge ihm.

Ich sehe niemanden vor mir und wenn ich zurückblicke, sehe ich nur die fünf Pilger von zuvor, wie sie immer noch durch den Ort irren. Der Wald hat mich umschlungen, es ist dunkel geworden. Die Sonnenstrahlen schaffen es nicht mehr, bis zu mir durchzudringen. Der anfängliche Weg ist nur noch ein kaum erkennbarer Pfad. Stille umgibt mich. Als etwas Unheimliches vernehme ich sie zum ersten Mal. Ich bleibe stehen. Vernehme ich nicht vielleicht doch Geräusche von Pilgerfüßen? Nichts durchbricht die Ruhe. Nicht einmal der Ruf oder der Gesang von Vögeln, die mir bisher noch nie ihre Gesellschaft versagt haben. Es beginnt, mich zu frösteln, und ich überlege, erneut die Jacke hervorzuholen, die ich nach dem Durchbruch der Sonne durch den Hochnebel ausgezogen und verstaut habe. Ich lasse sie, wo sie ist, und beschließe stattdessen, schneller zu gehen.

Ständig höre ich das Brechen von Ästen und Zweigen, das knackende Geräusch verläuft sich im Unterholz. Abermals bleibe ich stehen und lausche. Nichts ist zu hören. Ich suche nach gelben Pfeilen, die an den dicken Rinden der Bäume aufgemalt sein könnten. Vergebens, und Unsicherheit macht sich in mir breit. Habe ich mich verlaufen, hoch oben in den Wäldern zwischen Galicien und Kastilien?

Dann mit einmal packt mich etwas, es entreißt mich der Angst, die mich befallen hat, bläst das Dunkel aus meinen Gedanken und ich beginne zu lachen. Es ist meine Wahrnehmung, die sich verlaufen hat, in die Irre geführt und umhüllt wurde von etwas Unbekanntem, mir scheinbar Bedrohlichem, doch dahinter beobachtete mich fürsorglich Agape. Hielt sich versteckt vor mir, um mich einer Prüfung zu unterziehen, wie weit mein Glaube reichen und wie schnell mein Geist zu zweifeln beginnen würde. Und er hatte gezweifelt. Ich schäme mich jetzt, auch wenn ich gleichzeitig lache. Die Zweifel haben mir ins Herz gestochen, doch ich habe zurückgefunden, ich habe den Stichen die Grundlage entzogen, ihnen die Kraft geraubt und damit mein Befinden gefüttert. Ich habe das Gefühl zurückerlangt, das verantwortlich ist für das Gleichgewicht in meinem Inneren und dem, was mich umgibt. Auch wenn ich einen Einklang nie erreichen werde, so fühle ich mich ihm doch um ein kleines Stückchen näher. Ein kleiner Junge lächelt mir zu und fordert mich auf, weiterzugehen.

Ich habe mich dem Pass an seiner höchsten Erhebung entgegengestellt, begrüßt nur von der Sonne und der Wärme, die sie ausstrahlt. Eine schmale Lichtung, die mir erlaubt, einen Blick über ein Bildnis zu werfen, das sich mir entgegenstreckt, entstanden durch eine Formel aus Feuer, Erde und Stein. Es breitet sich vor mir aus und wartet sehnsüchtig darauf, dass ich es berühre, mit meinen Füßen kraule, wie es meine Hände mit einem Hund machen würden, und es streckt dabei alle viere von sich, um so sein Wohlgefallen zu bekunden und sich zu bedanken.

Nach ein paar Hundert Metern betrete ich eine von Menschenhand geformte Straße, die sich außen herum um diesen Pass schlängelt. Unzählige Kieselsteine wurden darauf verteilt und sie tragen Menschen heran. Es sind Pilger, die ich eben noch gesehen habe, fünf an der Zahl und doch liegt beinahe eine Stunde dazwischen. Zeit, die lediglich ein Hauch war in meiner Empfindung und die mir dankbar ist, mit ihr gewesen zu sein.

Die beiden Frauen und die drei Männer blicken neugierig in den Wald, aus dem ich gerade trete. „Gibt es dort etwas zu bewundern, haben wir etwas übersehen?", meine ich sie fragen hören.

„Ja, ich habe den Berg an seiner intimsten Stelle berührt und die Bäume haben sich gegen den Himmel gestreckt, aus Leidenschaft und Ekstase. Ich konnte spüren, wie sich tief in ihm die Steine zurechtrückten, sich Spannungen lösten, die ihm Unbehagen bereiteten, und wie er sich jetzt wie neu geboren fühlt." Das wäre meine Antwort gewesen, hätten sie mich danach gefragt. Doch uns trennen bereits so viele Meter, sie hätten es nicht mehr gehört.

Der Weg schlängelt sich den Cebreiro-Pass hinunter. Etwas stärker fallend, als der Anstieg war. Frisch aufgeschüttete Kieselsteine lassen mich beinahe wie auf einem Förderband nach unten gleiten. Noch kein einziger Grashalm konnte sich einen Platz zwischen den Steinen schaffen. Ich bemerke auch, wie die Vegetation nach außen gedrängt wurde. Bedeckt von unzähligen Steinchen, gibt sie dem Weg klein bei. Vorerst. Sie hat lediglich eine Schlacht verloren, nicht den Kampf und am Ende des Jahres wird die Natur ihren Raum wieder zurückerobert haben, vielleicht auch noch ein Stückchen mehr.

Das Gebirge ist aber noch nicht überwunden, nur der Pass. Ich bin in eine Senke geführt worden und diese schafft den Übergang auf den nächsten Bergkamm. Es geht nochmals hoch und wiederum spannen sich die Muskeln in meinen Unterschenkeln und Oberschenkeln. Abermals wird meine Lunge in Bewegung versetzt und mein Puls beginnt erneut zu steigen, wie das Gelände um mich herum. Und wieder werde ich belohnt mit einer atemberaubenden Aussicht, als ich den Rücken des Berges erklommen habe. Ich stehe aufgestützt auf meinem Stock am Wegesrand und genieße den Blick über dieses zerklüftete Gebirgsmassiv. Zwei Pilger tun es mir gleich, auch sie haben sich den Anblick verdient und ich sehe es in ihren Gesichtern, wie dankbar sie dafür sind.

Ich sollte heute eigentlich mehr Pilgern begegnen, tue es aber nicht. Oft bleibe ich stehen, lasse die Landschaft in mich fließen und versuche, ein wenig davon mitzunehmen in meinem Herzen und auch mit meiner Kamera, für all jene, denen das Glück nicht beschieden ist, es so nahe und lebendig zu sehen.

Es geht abwärts. Meine Muskeln freuen sich, auch meine Lunge und der Pulsschlag finden wieder Ruhe. So schön dieser Gebirgszug auch sein mag, so trügerisch ist er. Abermals finde ich mich auf einer nicht mehr als 100 mal 50 Meter breiten Ebene wieder. Ein paar Häuser stehen hier, auch ein Rasthaus, direkt neben der breit asphaltierten Bundesstraße, die bis hier hochführt und in einer lang gezogenen Kurve den flachen Übergang zwischen zwei Gebirgskämmen begrenzt. Das wenige, aber saftige Grün wird von einer Handvoll Kühen Zentimeter für Zentimeter abgegrast. Ihre Hinterlassenschaft ist auf den schmalen Gassen zwischen den wenigen Häusern gleichmäßig verteilt. Noch intensiver erscheint mir der nächste Anstieg. Er trennt sich von der öffentlichen Straße und verliert sich im mit niedrigen Bäumen und Büschen bewachsenen Gebirge. Obwohl ich mich auf 1300 Meter Seehöhe befinde, knallt die Sonne mächtig auf mich herab. Mein Hemd habe ich schon bis zum Hosenbund aufgeknöpft. Ich beobachte Schweißperlen, wie sie an meiner nackten Brust nach unten rollen. Die wenigen Haare vermögen sie nicht aufzuhalten, lediglich ein wenig in ihrer Richtung zu verändern.

Auf einem flachen, großen Stein, mit der Sonne vor sich und dem Berg in ihrem Rücken, sitzen zwei Mädchen, halb so alt wie ich. Auch in ihre Glieder hat sich der heutige Tag gesetzt und sie verraten mir noch, dass dies der letzte Gipfel sein wird, nicht nur für heute. Sie zeigen mir das Relief der Landschaft in ihrem Reiseführer. Für einen Moment erleichtert es mich, doch dann beginne ich auch schon, diese Zeit zu vermissen.

Zwei „Buen Camino" und die Blicke der Mädchen hinter mir schieben mich den Berg empor.

Nach vier Stunden Gehzeit habe ich das Gebirge überschritten und vor mir erstreckt sich ein Tal, dessen Ende ich nicht erkennen kann, und irgendwo dort unten, ganz weit hinten, liegt Santiago de Compostela. Ich setze mich, hieve zuvor Peaches von meinen Schultern und lege sie ins Gras. Ich nenne meinen Rucksack Peaches, das ist mir eben wieder eingefallen. Kristi fragte mich einmal, wie mein Rucksack heißt. Ich habe zuerst etwas verwirrt geschaut, doch dann sagte sie, dass sie ihrem einen Namen gegeben hat, auch Sherri dem ihren, betonte sie dabei.

„Wie willst du den deinen nennen?", fragte sie mich nochmals. Ich habe die Farben gesehen, Orange und Rot, und so ist mir dann sofort Peaches eingefallen. Und so voll gepackt, wie er war, erinnerte er mich an einen reifen Pfirsich.

Ich nehme das Baguette aus der Seitentasche, ein Reststück von gestern, und kaue es mit dem Vorrat an Trockenwurst, den ich immer bei mir führe. Ich denke dabei an meine Camino-Familie. Wie weit ist sie schon vorangekommen? Chris wird mir sicher am nächsten sein, vielleicht einen oder zwei Tagesmärsche hinter mir. Sherri und Kristi sind zwei Tage in León geblieben, sie haben vor, Santiago in den letzten Junitagen zu erreichen. Gina vermutlich noch ein paar Tage später. Aber wo ist Steve? Seit León habe ich viele Kilometer gutgemacht, ich bin jetzt in meinem Zeitplan und soviel ich weiß, ist der von Steve dem meinigen doch sehr ähnlich.

Ich höre Pilger herankommen, ich denke dabei an die beiden Mädchen von zuvor und nun sehe ich sie auch. Aber es sind Tamas und Sofia, ein Pärchen aus Ungarn. Ich lege meine Jause zur Seite und springe hoch. Ich kann es kaum glauben, wieder jemanden aus der Anfangszeit auf dem Camino zu treffen. Wir kennen uns aus dem Kloster von Roncesvalles. Auch wenn wir nicht wirklich einen Kontakt zueinander gefunden haben, so eng schließt er sich nun um ums.

Sie sind beinahe zehn Jahre jünger als ich und körperlich voll auf der Höhe, auch jetzt noch nach 650 Kilometer Fußmarsch mit dem Nötigen zum Leben auf ihrem Rücken. Sie leisten mir Gesellschaft und berichten mir von ihren

Eindrücken, die sie gesammelt haben, und es sind sehr viele, genauso wie bei mir. Wir bedauern auch, dass wir uns in La Faba nicht begegnet sind. Sofia hatte die Albergue in Las Herrerías gefallen. Außerdem war es schon spät und sie hatten Angst gehabt, kein Bett mehr in La Faba zu bekommen. Beinahe wären wir uns heute früh schon begegnet, da sie fast eine halbe Stunde vor mir aufgebrochen sind. Sie müssten also La Faba zu jener Zeit erreicht haben, als ich losmarschiert bin. Umso mehr freut es uns jetzt. Es gibt eine Menge zu erzählen und die Erfahrungen, die wir getrennt voneinander gesammelt haben, scheinen sich mit nur wenigen Ausnahmen zu gleichen.

Den ersten Kilometer gehen wir noch gemeinsam den Berg hinunter, ich fotografiere auch jede sich verändernde Einstellung in der Landschaft, aber schließlich bringt mich die Energie, die ich dabei gewinne, beinahe zum Platzen und ich bin gezwungen, meine Beine in die Hand zu nehmen und loszumarschieren. Es ist kein Abschied, wir werden uns in ein paar Tagen wiedersehen, vielleicht noch heute Abend.

Es ist offenbar der einzige Weg, der von diesem Gebirge hinunterführt. Ich erachte es als nicht notwendig, auf die Markierungen zu schauen, außerdem überhole ich auch in regelmäßigen Abständen Pilger, die meine eingeschlagene Richtung bestätigen. Nach vielen Kilometern durch das Buschwerk, denn die Bäume reichen nicht mehr als zwei oder drei Meter aus dem Boden und sind eher als hoch gewachsene Sträucher zu bezeichnen, erheben sich ein paar aus massiven Steinen geformte Häuser aus dem Erdreich. Vor einem steht ein alter Mann und wünscht mir alles Gute, auch wenn ich nicht verstehe, was er sagt, aber seinem Gesichtsausdruck nach zu urteilen meint er es gut mit mir und das gebe ich ihm auch mit einem freundlichen Lächeln zurück.

Immer schneller führt mich die breite Schotterpiste talwärts und ich durchschreite einen Zaubergarten. Der Weg ist tief ausgetreten und über ihm schließen sich die Äste der Bäume, die seinen Rand begrenzen. Sie bilden einen lebendigen Tunnel und schützen mich vor der gleißenden Sonne über mir. Das Licht der Sonne bricht sich in den Blättern der Bäume und mir ist, als hätten sich Hunderte Weihnachtsbäume über mir erhellt. Die Sprühkerzen vervielfachen sich im Glanz des Lamettas und lassen meine Augen groß werden vor Verwunderung. Welch ein Rausch der Sinne. Noch nie hat sich mir ein Tag mit solcher Wucht gezeigt wie heute und ich beginne, wie ein Schlosshund zu heulen. Bäche von Tränen ergießen sich in die staubige Erde und schaffen neues Leben. Neue Bäume und Sträucher wachsen hoch am Rande des Weges und umfassen ihn mit neuem Grün. In Zeitraffer läuft das Schauspiel vor meinen Augen ab und dann werde ich wachgerüttelt. Der Zauberweg ist breit geworden und ein uralter Kastanienbaum steht mitten darin. Ich stoße beinahe mit dem Kopf dagegen. Sein Stamm sieht versteinert aus, doch grüne Blätter darüber zeugen von Leben, dahinter Mauern, die zu Häusern werden, und mehr Häuser, aus denen Menschen blicken. Ich bin in Triacastela.

Ein Hahn steht majestätisch in einem Fensterauslass eines aus frischen Ziegeln geformten Gebäudes. Es ist Teil eines Bauernhofes, der nicht schon Jahrhunderte auf mein Vorbeikommen wartet, nein, er dürfte vor nicht mehr als 50 oder 60 Jahren seinen Standort gefunden haben. Wie ein „Beefeater", so nennt man den Wachmann des Tower of London, steht der Hahn in diesem glasfreien Fensterrahmen, starr und unbewegt. Sein Federkleid ist ein echtes Farbenspiel. Rotbraun glänzt der Halsbehang, die Brust und der Bauch teilen sich ein Gemisch aus Braun und Schwarz und die Streufedern glänzen in einem silbern schimmernden Schwarzton. Das Kammblatt ist kräftig rot und stark ausgeprägt; sein Schnabel ist geschlossen. Nicht einmal das Klicken meines Stockes hat ihn aus der Ruhe gebracht. Eine Ruhe, die ich heute vermissen werde, denn schon auf den ersten Kilometern bis hierher finde ich mich in einer Horde von Pilgern wieder. Es grenzt fast schon an ein Wunder, dass ich diesen Augenblick alleine genießen darf.

Obwohl ich gestern schon um 14 Uhr in Triacastela angekommen bin, habe ich das letzte freie Bett in einer abseits vom Zentrum gelegenen Albergue bekommen. Es war der dritte Anlauf. Ich konnte noch viele Male beobachten, wie Pilger abgewiesen wurden. Ich bemerkte auch, dass die Herbergen um zwei bis drei Euro teurer werden. Waren es früher sechs oder sieben Euro, sind es jetzt neun Euro, aber immer noch sehr günstig und diese Albergue war auch recht gepflegt und noch beinahe neu. Die Betreiberin war wirklich nett und wusch mir für drei Euro meine Wäsche, nur waschen, versteht sich. Gebügelte Hemden habe ich schon seit vier Wochen nicht mehr getragen. Eine Vierergruppe ist im Anmarsch und ich verlasse den wie versteinert dastehenden Hahn. Die Luft ist noch frisch und die Sonne verbirgt sich hinter den heute ausnahmsweise einmal links von meinem Weg gepflanzten Bäumen. Auch die leichte Erhöhung im Gelände, nicht mehr als 100 Höhenmeter, wird diesmal von der rechten Seite in Angriff genommen. Ich bin voller Elan und der Reihe nach überhole ich Pilger. Es fällt mir dabei auf, dass sie nur kleine Gepäckstücke mit sich führen. Manche Rucksäcke sind sparsam in den Ausmaßen, andere wiederum nur halb gefüllt. Ein Zeichen dafür, dass sie erst vor Kurzem den Zugang zum Camino gefunden haben.

Ich habe gestern Abend beim Abendessen noch einmal Franziska getroffen. Sie war in Begleitung des so belehrenden Mannes und der Frau mit dem schwarzen Haar und den grauen Strähnen, die die Fürbitten in der Kirche von La Faba vorgetragen hatte. Rolf und Mia saßen ebenfalls am Tisch. Franziska erklärte mir in einem beiläufigen Gespräch, dass sie bereits sehr zeitig angekommen waren und es ihnen nicht gelungen war, gemeinsam in einer Herberge unterzukommen, sie seien auch nur zum Teil zufrieden mit ihrer Unterkunft. Der Tisch war voll und ihnen wurde schon der Hauptgang gereicht. Ich habe mich dann an einen eigenen Tisch gesetzt, was sich als gar nicht so einfach herausstellte, aber schlussendlich habe ich doch einen gefunden auf der lang gezogenen Straßenseite des Restaurants. Die Speisen wurden flott aufgetragen und dann saß ich noch eine Weile unter dem Sonnenschirm, eine Flasche Rotwein vor mir, und genoss die Erinnerung an diesen wunderschönen Tag.

San Xil heißt die kleine Ortschaft auf der Anhöhe, die ich nun erklommen habe. Ein wenig außer Puste noch vom Umgehen der zahlreichen Kuhfladen und Pilger auf der Straße hier hinauf, blicke ich nun über eine grüne Weide. Sie ist durch Zäune unterteilt, um die Kühe, die darauf grasen, in die gewünschte Richtung zu lenken. Viele Bäume, auch in eine Reihe gebracht, teilen sich den Platz mit ihnen. Mir sticht eine Kuh ganz besonders ins Auge. Es ist die einzige, die völlig weiß ist, und ich kann mich nicht erinnern, wann ich zuletzt so etwas zu Gesicht bekommen habe. Aber da sind auch noch schwarze und graue Kühe, auch eher selten, und Kälber. Ich mache natürlich ein Foto. Vermutlich war es auch eine Aufforderung an die übrigen Pilger, stehen zu bleiben und es mir gleichzutun. War die Straße bisher für Fahrzeuge gedacht, auch wenn ich keines gesehen habe, führt mich der Camino jetzt auf einen nur für seine Begleiter geformten Pfad. Bäume, Sträucher und eine alte Föhre umgeben ihn. Sie steht einsam neben dem Weg. Ihre Äste sind stark verschlungen, sie wirkt breit und wild, nicht hoch und ihre Nadeln sind üppig darüber verteilt. Ich blicke mich um, niemand folgt mir und ich mache ein Foto.

Ich habe mich gestern Abend noch dazu entschlossen, heute bis Portomarín zu laufen. Die Gedanken des Tages festhaltend bei einem Glas Wein. Ich bemerkte plötzlich die Hektik um mich herum und sah die Ausgeglichenheit, die ich in den letzten Wochen in mich aufgenommen hatte, in Gefahr. Den Wettlauf um die freien Betten hatte ich schon zu spüren bekommen. Es galt, daran festzuhalten, an den schönen Momenten und ich bin reichlich von ihnen verwöhnt worden. Ich musste in die Löcher schlüpfen, die der Camino auf den restlichen 140 Kilometern bereithält. Es gab dann nur noch ein Ziel für mich, das war Portomarín. Eine Stadt, die ich ohnehin schon ins Kalkül gezogen hatte. Die alte Stadt verschwand unter den Wassermassen des 1956 in Bau gegebenen Staudamms. Das heutige Portomarín wurde über dem nun unter ihm liegenden künstlichen See neu aufgebaut. Einige Gebäude der einstigen Stadt wurden abgetragen und im neu errichteten Stadtteil wieder zusammengefügt, so wie die Kirchen San Nicolás und San Pedro. Wenn der Wasserpegel stark absinkt, kann man die Spitzen der einstigen Stadt sehen. Die heutige Stadt liegt etwas abseits der Route und schreckt vielleicht den einen oder anderen Pilger ab. Eine der Überlegungen, die ich hatte, genauso wie dass sich Portomarín bereits innerhalb der letzten 100 Kilometer befindet und somit nicht für Pilger, die es ausschließlich auf das Erlangen der Urkunde abgesehen haben, als Unterkunft infrage kommt.

Gegen Mittag erreiche ich Sarria. Für so manchen schon der Schlusspunkt seines heutigen Unterfangens. Die Übrigen, wie auch Franziska und ihre Freunde, sie hat es mir gestern Abend noch mitgeteilt, als ich mir über meine heutige Etappe noch nicht im Klaren war, wird es noch zusätzlich fünf Kilometer bis nach Barbadelo führen, viel weiter wohl nicht mehr.

Sarria hat in etwa 13.000 Einwohner und verfügt über eine große Anzahl von Pilgerunterkünften. Ich komme gerade an einer Informationsstelle vorbei. Ein Stadtplan könnte nicht schaden, ich muss dringend Geld abheben. Die Dame am Informationstresen zeichnet mir das Bankenviertel in den Stadtplan ein. Es befindet sich nur zwei Querstraßen neben der gekennzeichneten Camino-Route. Auch wenn die Zahl der Pilger stark angewachsen ist und nicht immer alle so umgänglich sind, hat sich dies im Wesen der Einheimischen nicht niedergeschlagen. Sie sind freundlich und zuvorkommend wie eh und je.

Ich bestätige die vorgegebenen 250 Euro am Automaten und erhöhe den Betrag nicht. Es sollte in jedem Fall bis Santiago reichen und auch noch für meinen Aufenthalt dort. Ich wurde zuvor von Passanten darauf aufmerksam gemacht, dass ich den gekennzeichneten Weg verlasse. Nun scheint es mir, als würden sie mich beobachten, ob ich auch wieder zurückfinde. Es war nicht sonderlich schwer, aber als Belohnung kaufe ich mir jetzt frisches Obst in dem kleinen Laden, an den mich der Camino geführt hat. Es hat mir gefehlt in den beiden Tagen zuvor. Ich kaufe zwei schöne große Pfirsiche, die ich auch sofort verzehre, und noch ein Baguette und 200 Gramm geräucherten Lachs für später. Der Tag verspricht lang und anstrengend zu werden.

Im Grunde bin ich froh, Sarria verlassen zu können. Es ist die letzte größere Stadt vor der 100-Kilometer-Zone, die zur Erlangung der Urkunde maßgeblich ist. Für Radfahrer ist diese Distanz auf 200 Kilometer ausgelegt, aber Radfahrer habe ich nicht viele gesehen. Die Stadt wird förmlich erschlagen von Pilgern. Dies erklärt auch die ungewohnt hohe Anzahl an Betten, die hier bereitgestellt werden, und nicht nur Albergues, sondern auch eine Vielzahl an Hostels und Hotels buhlen um die Gunst der Pilger.

Sarria ist eine alte Stadt und auch sie könnte mir jede Menge erzählen, hätte sie nur die Luft zu atmen, würde sie nicht bedrängt werden durch eine Schar an Camino-Touristen. Die Stadt ist an einen Hügel gebaut und ich blicke nochmals zurück, hinunter auf die verstopften Straßen, wo Menschen mit Rucksäcken auf ihrem Rücken von Haus zu Haus springen, um eine Schlafstelle für die noch weit entfernte Nacht zu ergattern. Etwas Gutes hat das Ganze aber auch. Es ist ruhiger geworden. Die meisten der Pilger, die mit mir heute gelaufen sind, bleiben in Sarria, nur wenige werden noch eine Ortschaft weitergehen. Andere, deren

Unterfangen Jakobsweg hier ihren Ursprung genommen hat, sind bereits seit den frühen Morgenstunden unterwegs und werden vermutlich gerade um die freien Betten kämpfen. Ich genieße es, dass mich von jetzt an nur noch Bäume begleiten, um mir Schatten vor der gleißenden Sonne zu spenden. Mir ist auch bewusst, dass es die letzten stillen Momente auf meiner Reise sein werden, und ich versuche, sie nochmals in vollen Zügen zu genießen.

Nach vielen einsamen Kilometern habe ich von einem Hügel aus Portomarín gesehen. Es musste Portomarín sein, ein Stück des Stausees war zu erkennen. Ich war sichtlich erleichtert nach dem langen Marsch. Meine Beine waren schwer geworden und Peaches drückte auf meine Schultern. Wiederholt habe ich den Hüftgürtel enger geschnallt und ständig schien meine Taille noch dünner zu werden. Aus lauter Freude darüber hatte ich glatt die Abzweigung zur Stadt übersehen, man muss ja den Camino verlassen, um in sie zu gelangen. Also machte ich unfreiwillig eine Zugabe von eineinhalb Kilometern.

Nun gehe ich über die unendlich lange Brücke, die den Stausee und die alte Stadt überspannt. Eine steile und breite, in Stein gekleidete Treppe empfängt mich, daneben ein Ortsschild mit der Aufschrift „Portomarín". Jetzt gilt es, nochmals alle Kraft zusammenzunehmen, um da hochzukommen. Es ist auf den Punkt 17 Uhr, ich bin bereits seit neuneinhalb Stunden auf den Beinen und habe 43 Kilometer zurückgelegt. Ich bin müde und freue mich auf etwas Kaltes zu trinken und eine Dusche. Am liebsten würde ich gleich in den Stausee springen.

In Triacastela hatte ich genügend Zeit, meine Website auf den neuesten Stand zu bringen, meine Wäsche wurde gewaschen und somit fühle ich mich frei von weiteren Verpflichtungen. Den heutigen Abend werde ich alleine und in Ruhe bei einem Pilgermenü und einer Flasche Rotwein ausklingen lassen.

Ich sehe nochmals hoch und dann auch nach links und nach rechts, um das gesamte Ausmaß zu überblicken, das mich erwartet. Bei meinem Schwenk nach rechts rastet mein Hals ein, wie Zahnräder, die mit einer Rückfallsperre gesichert sind. Er bleibt steif auf die breite Straße gerichtet, die in einem weiten Bogen steil in die Stadt mündet. Am unteren Ende, wo die Straße ansteigt, winkt mir ein Mann entgegen. Ich erkenne ihn sofort. Es ist Jean und er steckt mit seinem Rollstuhl fest. Ich weiß nicht, wie lange er schon darauf wartet, dass ihm jemand hilft. Auch wenn ich noch so müde bin, ich gehe ohne Zögern auf ihn zu und gemeinsam bezwingen wir den Hügel.

Es erstaunt mich, dass noch so viel Wasser in meinem Körper steckt. Ich bin schweißgebadet nach dieser Prozedur, aber umso überwältigender ist das Gefühl, jemandem geholfen zu haben, und das mit den letzten Reserven, die dir zur Verfügung standen.

Jean bedankt sich. Ich sage, dass es mir eine Ehre gewesen sei, auch wenn er meine Worte nicht verstanden hat, und dann bemerke ich erst, vor welchem prächtigen Bauwerk ich stehe. Es erinnert an eines dieser Herrenhäuser, die man aus Filmen kennt, welche die Zeit der großen Baumwollplantagen in den Südstaaten der USA widerspiegeln. Die breite, alles überziehende Veranda am Eingang, aus Holz natürlich, ist weiß gefärbt. Was nicht ganz dazupasst, ist das dunkelblaue, beinahe quadratische Schild mit der Aufschrift „Albergue". Aber gerade das freut mich jetzt ganz besonders und es sind auch noch genügend Betten frei, so wie ich es mir gestern schon ausgemalt habe.

Mit einer gut gekühlten Flasche Zitronenlimonade aus einem Laden um die Ecke sitze ich auf der Steinmauer der kleinen Parkanlage und lasse meine Augen auf den darunter liegenden Stausee gerichtet. Mal fixieren sie Boote und hinken der Bewegung hinterher. Dann gilt es zu entscheiden, folgen die Augen der Richtung meines Kopfes oder kehrt der Kopf wieder dorthin zurück, um die Einheit zu meinen Augen zu finden. Die Limonade schmeckt herrlich, sie ist nicht so süß, wie ich es von zu Hause gewohnt bin. Etwas anders eben, wie alles hier. Mir ist, als würde ich meinen Namen hören. Ist es nun schon so weit gekommen, dass ich die Stimme von Julien höre, nicht nur seine Gegenwart spüre?

Ein wenig erschrocken sehe ich in die Richtung, von der ich die Stimme zu vernehmen gedenke. Damit habe ich jetzt nicht gerechnet. Es ist Karl, ein alter Bekannter. Ich habe ihn und Manfred in Pamplona kennengelernt. Sie haben mir den Tipp mit der Albergue Paderborn gegeben, wo ich meinen Freunden, meiner Familie begegnet bin. Wir sind uns danach noch ein paar Mal über den Weg gelaufen, aber das ist sicher schon zweieinhalb Wochen her. Umso größer ist die Freude nun, die wir beide verspüren. Karl verblüfft mich noch mehr, als er mir gesteht, nach mir Ausschau gehalten zu haben, abwechselnd mit Manfred.

Er erzählt mir, dass sie fast täglich am Abend mit ihren Frauen telefonieren. „Erinnerst du dich noch an die Visitenkarte, die du Manfred gegeben hast?"

„Natürlich weiß ich das noch", antworte ich prompt.

„Manfreds Frau verfolgt unseren Weg über deine Website. Sie sieht, was wir sehen, und ein wenig vermag sie auch das zu spüren, was wir empfinden. Sie sagt, du schreibst sehr gefühlvoll, nur mit ein paar Tagen Abstand eben. Bereits gestern hat sie es angesprochen, dass du uns mit riesigen Schritten näher kommst und bereits in Triacastela bist. Vor einer Stunde, als Manfred mit ihr gesprochen hat, meinte sie, du würdest aller Wahrscheinlichkeit nach noch heute Portomarín erreichen."

Ich kann es nicht glauben. Ich schüttle meinen Kopf und suche nach Worten, die meiner Verwunderung gerecht werden könnten. „Das ist doch Irrsinn", sage ich und Karl betont nochmals, dass Manfred und er seit einer Stunde Ausschau nach mir halten. Ich schlucke etwas schwer und atme erst mal richtig durch. Karl klopft mir auf den Rücken.

„Ich hätte es auch nicht gedacht, dass du uns nochmals einholst, aber es freut mich."

Wir verabreden uns auf ein gemeinsames Abendessen. Und wieder hat mich der Camino voll ins Herz getroffen, kein von Menschenhand geschriebenes Drehbuch könnte es deutlicher und ausdrucksvoller hervorbringen.

Es war nicht schwer, das Restaurant zu finden. Am Beginn der Plaza mit Blick auf die Kirche San Nicolás wird der Gastgarten von der Abendsonne umschmeichelt. Manfred und Karl haben ihre Arme in die Höhe gerissen, als sie mich gesehen haben, und Manfred ist mir entgegengekommen. Wir geben uns die Hände und mit der linken Hand fassen wir uns an die Schulter.

Er sagt dabei: „Karl hat dir die Geschichte ja schon erzählt, das von meiner Frau, wie sie uns täglich über deine Website verfolgt, und sie möchte dir nochmals herzlich dafür danken, soll ich dir unbedingt ausrichten."

„Du glaubst gar nicht, wie mich das freut, hätte ich das gewusst, ich hätte noch mehr geschrieben. Das kannst du mir glauben." Ich klopfe ihm dabei fest auf die Schulter.

Zwei mir noch unbekannte Personen sitzen am Tisch. Ich sehe in ihren Gesichtern, wie amüsiert sie über dieses Ereignis sind. Manfred und Karl haben ihnen bestimmt davon erzählt.

„Das sind Alois und Peter, Brüder", sagt Manfred.

„Freut mich", sage ich und wir reichen uns die Hände.

„Wir zwei haben uns auch am Camino getroffen", sagt Peter.

Ich bin ein wenig verwirrt. „Ihr zwei habt Manfred und Karl am Camino getroffen", will ich richtigstellen.

„Auch, aber auch Alois und ich haben uns getroffen", sagt Peter. Er ist der ältere von den beiden.

Mein vermutlich dumm wirkender Anblick erheitert ihn.

„Wir sind nicht zusammen losmarschiert, verstehst du? Alois ist schon eine Woche vor mir gestartet und wir haben uns in León verabredet." Jetzt verstehe ich und wende mich zaghaft fragend an Manfred.

„Du und Karl habt die zwei aber vorher noch nicht gekannt?"

„Nein", sagt er lächelnd und erklärt mir, dass sie seit Ponferrada ein Team bilden.

Wir durchleben nochmals gemeinsam unsere Reise. So manches darin scheint sich zu gleichen, doch hat es jeder auf seine eigene Weise wahrgenommen. Niemand von uns ist versucht, seine eigenen Empfindungen als etwas Besonderes hervorzuheben, nein, wir teilen unsere Gedanken und sie bereichern uns gegenseitig. Ein gemeinsames Weitergehen mit ihnen wird es aber nicht geben. Vermutlich werden wir uns auch nicht wiedersehen. Manfred und Karl haben ihr Reiseziel sehr eng gesteckt. Sie müssen Santiago bereits in drei Tagen erreichen.

„Das ist Donnerstag", sagt Karl und bringt mir damit wieder die verloren gegangenen Wochentage in Erinnerung. Am Freitag, den 20. Juni, geht es für sie bereits zurück nach Hause. Ihre beiden Begleiter wollen dann weiter nach Finisterre.

Ich bekräftige nochmals meinen Entschluss der vier Tage.

Ich möchte in Monte do Gozo noch einmal übernachten, bevor es dann in den Morgenstunden die letzten fünf Kilometer bis nach Santiago de Compostela geht. Monte do Gozo diente den Pilgern seit jeher dazu, sich den Schmutz von ihren Leibern zu waschen und die Kleider zu reinigen, bevor es an das Grab des heiligen Jakobus ging. Auch ich will mich diesem Ritual stellen.

Es ist spät geworden und wir verabschieden uns. Manfred gibt mir noch seine Visitenkarte. Ich müsse mich unbedingt melden, bläut er mir noch ein. Karl verweist darauf, Kontakt über Manfred halten zu wollen. Ihre Häuser grenzen ja beinahe aneinander.

Noch immer in Gedanken an das Abendessen, komme ich in die Albergue. Auf der Veranda sitzen eine junge Frau und ein junger Mann. Ich habe die Frau schon gesehen. Sie liegt im Stockbett unter mir. Ich muss dabei schmunzeln. Wie irreführend doch Worte sein können, wenn sie unbedacht zu Sätzen geformt werden, deren Bedeutung sich verschiebt in der Zusammenstellung und Ausdrucksweise der gebildeten Sprache. Würde ich das Wort Stockbett weglassen und einfach nur sagen, sie liegt unter mir oder ich liege über ihr, es eventuell noch mit heute ergänzen, welch falscher Eindruck würde daraus entstehen. Der Frau entgeht meine Heiterkeit nicht und sie spricht mich an. Ich vergrabe meine Wortspiele und lenke in Richtung des zu Ende gegangenen Abendessens. Jemanden nach den vielen Tagen auf dem Camino wieder getroffen zu haben, stimmt mich fröhlich, erzähle ich ihnen. Es kommt glaubwürdig bei meinen Gegenübern an, die sich jetzt vorstellen.

Claudia kommt aus dem südlichen Teil von Italien. „Dort, wo sich der Absatz des Stiefels befindet", gibt sie mir zu verstehen, als ich mit dem Namen der Stadt, in der sie lebt, nichts anfangen kann. Sie ist im Januar 30 Jahre alt geworden und bringt es gleich zur Sprache, auch dass sie Krankenschwester ist und das erste Mal in ihrem Leben so etwas macht. Das Grab eines für sie Unbekannten zu besuchen. Ihre Ausdrucksweise erheitert mich, ein bisschen trägt dazu auch ihr italienisch gefärbtes Englisch bei. Ganz anders ist die Aussprache von Aatu, er kommt aus Finnland und spricht beinahe ein perfektes Englisch, besser als das meine. Er bekräftigt dabei, dass sein Name mit zwei A am Anfang geschrieben wird.

„Es gibt nämlich auch den Namen Artu. Klingt für Außenstehende oft gleich", erklärt er mir. Claudia scheint es bereits zu wissen. Gleich nachdem sie auf ihr Alter hingewiesen hatte, hat auch Aatu seines verraten. Er ist 28. Auch ich fühlte mich dann dazu genötigt, mein Alter zu verraten. Erstaunlicherweise hätten mich beide um zumindest fünf Jahre jünger geschätzt.

„Das macht der Weg. Er schmilzt nicht nur das Fett weg, sondern auch die Jahre", sage ich.

Im Unterschied zu Claudia, die León als ihren Ausgangspunkt gewählt hat, ist Aatu bereits seit Logroño mit dabei. Wir finden eine Menge Gemeinsamkeiten, wie zum Beispiel das Städtchen Castrojeriz. Auch er hat Mia und Mau kennengelernt. Überhaupt hat er sich viel Zeit gelassen, manchmal ist er nur zehn Kilometer an einem Tag gegangen, auch er ist in León länger geblieben, wie so viele, und jetzt erfahre ich, dass er sogar einen Tag vor mir am Camino war.

Claudia verabschiedet sich, sie will vor dem Schlafengehen ihr Knie neu bandagieren.

„Wir sehen uns", sage ich wie ein alter Ehemann. Aatu findet es komisch, auch ich muss erneut über meine Wortwahl lachen und entschuldige mich. Claudia reagiert nicht darauf, sie hat es offenbar so verstanden, wie ich es gemeint haben wollte.

Aatu ist Programmierer. Er entwickelt Apps für eine finnische Softwareschmiede. Ich höre etwas Wehmut in seiner Redeweise und er wird nun deutlicher.

„Du wirst zur Maschine in diesem Beruf, du siehst nur noch Buchstaben und Satzzeichen, arbeitest 60 Stunden die Woche, du schläfst schlecht und der Sex wird zur sprichwörtlichen Nummer. Es ist nichts anderes als eine große öffentliche Toilette, in der alle zu bequem sind, den Knopf zu drücken, um die Scheiße hinunterzuspülen. Tagtäglich findest du dich in ihr wieder, bis du den Gestank nicht mehr aushältst. Dann ziehst du die Reißleine und fünf Jahre deines Lebens werden hinweggeschwemmt, einfach in den Gully. Du fragst dich: Wer war die Frau neben dir? Und du bemerkst, dass du sie gar nicht gekannt hast. Es war der Beruf, der euch zueinander geführt hat, und du hast ihn in den Abfluss gespült, wie deine Beziehung. Ich ..."

Aatu verschluckt die Worte und blickt nachdenklich ins Leere. Er sieht mich an. „Hat sich bei dir etwas in den letzten Wochen geändert, deine Einstellung meine ich?"

Ich warte einen Moment mit meiner Antwort.

„Eine ganze Menge", sage ich nur.

„Bei mir auch", unterstreicht Aatu meine Worte.

„Ich würde sogar so weit gehen zu sagen, dass ich den Schleudersitz gezogen habe, in einem Flugzeug, das geradewegs auf einen Berg zurast." Er untermalt den Aufprall mit seinen Händen und die Lippen sorgen für den Knall. Claudia kommt noch mal vorbei. Sie fordert uns auf hineinzugehen.

„Der Mann an der Rezeption will die Tür schließen." Sie sagt es mit Nachdruck ihrer Arme, die in das Innere der Albergue weisen. Wir klatschen unsere rechten Handflächen aufeinander und folgen ihrer Anweisung, ohne zu murren. Instinktiv und gleichzeitig strecken wir beim Auseinandergehen die Daumen in die Höhe, um zu unterstreichen, dass wir auf dem richtigen Wege sind.

Das Licht ist ausgeschaltet, als ich vom Zähneputzen zurückkomme. Im Zimmer befinden sich vier Stockbetten, wobei das obere Bett im ersten und das untere im letzten frei geblieben sind. Im zweiten Stockbett liegt Claudia. Ihr Körper ist eingehüllt in einen Schlafsack, aber ich sehe deutlich die Konturen ihres Gesichts im Mondlicht. Der Abend ist lau und die Fenster sind geöffnet. Im Bett links von mir schnarcht bereits jemand und erinnert mich daran, meine Ohrstöpsel nicht zu vergessen. Bis auf die Unterhose entkleidet, klettere ich mit einem „Gute Nacht" an Claudia gerichtet in mein Seideninlett im Bett über ihr. Es folgt keine Reaktion von ihr und die weichen Schaumstoffstöpsel versiegeln meine Gehörgänge, es wird ruhig.

Aatu hat meine Einstellung, was den Jakobsweg betrifft, zurechtgerückt. Es sind nicht nur die Kilometer, die du auf ihm wandelst, von Bedeutung, viel erwirkt auch die Zeit, die du mit ihm verbringst. So kann jemand, der nur die halbe Strecke zurücklegt, dasselbe oder auch mehr in sich aufnehmen, als jemand, der den gesamten Camino Francés geht, wenn er ihm nur die Zeit dafür gibt.

31
Demut

Nebel umhüllt den Ort und nach wie vor ist die alte Stadt vom Wasser verschlungen. Das Letzte, was wir mitnehmen aus Portomarín, und wir sehen uns dabei an, Claudia und ich. Sie hatte vor mir die Albergue verlassen und wir haben uns in einer Bar an der Plaza getroffen. Sie saß alleine am Tisch mit einer Tasse Kaffee vor sich und einem Croissant in der Hand. Ich habe mich mit einer Tasse Tee, die ich an der Theke geholt hatte, zu ihr gesetzt. Dann fragte ich sie, ob hier noch frei sei.

„Macht man es so in Österreich, dass man zuerst etwas tut und erst danach fragt, ob es erlaubt ist?"

Ich musste über ihre Frage lachen. Auch sie lächelte schließlich, ein Zeichen dafür, dass sie mir verziehen hat. Wir haben nicht mehr darüber gesprochen, auch nicht ob wir den heutigen Weg gemeinsam gehen. Wir waren zusammen aufgestanden, hinuntergegangen zum Stausee und hatten Jean dabei getroffen. Alle Straßen führen hoch oder runter und er wollte unbedingt diese Straße, an der wir hinuntergingen, hochfahren an die Plaza, auf ein Frühstück. Wir schoben ihn zu zweit an das Café, in dem wir zuvor gesessen waren. Jetzt überqueren wir die lange Brücke und blicken nochmals zurück auf eine Stadt, von der wir, wie von allen anderen auch, mehr bekommen haben, als wir dort zurückließen. Ich versuche dabei auch, Überreste des alten Portomarín zu erkennen, aber der Nebel ist zu dicht.

Der markierte Weg hat uns wieder und mit ihm eine schier endlose Kette an Pilgern. Ich versuche, mich den

Möglichkeiten meiner Begleiterin anzupassen, jedoch nicht ohne sie an ihre Grenzen zu führen. Wir marschieren in zweiter Reihe an den übrigen Pilgern vorbei. Für kurze Abschnitte sind wir auch alleine auf dem Camino, dann beobachte ich Claudia. Ich lasse mich ein paar Meter hinter sie zurückfallen. Sie ist nicht viel größer als 1,60 Meter, schlank, wirkt aber durchtrainiert und ihr kurz geschnittenes schwarzes Haar wird von einem Schlapphut ähnlich dem meinen verborgen. Sie erinnert mich damit an Calimero, eine italienische Zeichentrickfigur aus meiner Kindheit. Die Serie wurde auch bei uns erfolgreich gesendet. Ein kleines Küken mit einer Eierschale auf dem Kopf. Claudia kennt diese Zeichentrickserie ebenfalls, mag es aber nicht, wenn ich sie Calimero nenne. Ich versuche, es zu unterlassen, was mir ein wenig schwerfällt.

Der Nebel verzieht sich allmählich, die Sonne dringt durch und es wird Zeit, das T-Shirt auszuziehen, welches ich wegen der frischen Temperaturen am Morgen unter meinem Hemd trage. Auch Calimero entledigt sich seines Pullis. Wir haben dazu aber eine geeignete Stelle abwarten müssen, so dicht ist das Pilgeraufkommen.

An einem kleinen Rastplatz, der mit einem Holztisch und Bänken ausgestattet ist, treffen wir auf eine Gruppe Italiener. Claudia kennt nicht alle, aber Toni, einen rassigen Enddreißiger. Sie stellt uns vor. Er spricht kein Englisch, auch kein Deutsch. Claudia dürfte ihn doch besser kennen, das sehe ich in ihrem Umgang zueinander. Mich schockiert jetzt aber etwas anderes, was ich nur von zu Hause kenne, aber bisher auf meiner Reise durch das nördliche Spanien nicht gesehen habe. Ein bis zum Rand gefüllter Mülleimer, unfähig, auch nur noch den winzigsten Teil an Abfall aufzunehmen, und so verstreut er sich über den Rasen um sich herum. Ein bunter Mix aus Plastikflaschen und Tüten, Getränkedosen und Essensrückständen. Mir fällt jetzt auf, dass die Leute keine Wasserflaschen umgehängt haben. Sie halten Cola-Dosen und Limonadenflaschen in ihren Händen und wenn sie leer sind, werden sie entsorgt, in einem Mülleimer, wenn gerade einer vorhanden und nicht schon überfüllt ist. Schreckliche Bilder, die mich zum Weitergehen drängen und auch Claudia will diesen Ort verlassen.

In einer kleinen Ortschaft kurz danach nehmen wir dann eine falsche Abzweigung. Wir haben uns mit Leuten, die dort leben, unterhalten, dank Claudias Spanischkenntnissen. Ein Eindruck, den ich unbedingt mitnehmen wollte nach diesen Impressionen am Rastplatz und der Hektik, die mich heute verfolgt. Es hat geholfen, so sehr, dass wir die falsche Straße weitergegangen sind. Eine Frau ist uns nachgelaufen und hat uns zurück auf den richtigen Weg geleitet, und, wie ich finde, auch mit ihren Worten.

Um 13.30 Uhr erreiche ich Palas de Rei, einen bescheidenen Ort, der in den Reiseführern nur erwähnt wird. Ein Ziel, das ich mir bereits gestern ausgesucht habe. Ich halte ein Prospekt in der Hand. Ein Mann hat sie noch Kilometer vor der Ansiedlung verteilt. „Albergue Outeiro" steht darauf und Bilder versprühen den Charme von Gemütlichkeit.

Ich werde die Unterkunft alleine aufsuchen. Claudia hat sich in der letzten Ortschaft von mir verabschiedet. Ihr Knie hat geschmerzt und auch die neu gefüllten Blasen haben ihr die Lust am Weitergehen genommen. Vielleicht habe ich sie auch zu sehr angetrieben, wenn ja, bedaure ich es und be- zahlen werde ich es mit Einsamkeit. Sie hat zwar noch an- klingen lassen, nachkommen zu wollen, doch ihr in Schmerz getauchtes Gesicht hat etwas anderes verraten. Es benötigt ein wenig Zeit, bis ich die Albergue finde, sie ist nicht in meinem Reiseführer verzeichnet, aber das Städtchen ist

391

überschaubar und ich kann mir als einer der ersten Gäste des heutigen Tages auch noch das Bett aussuchen. Ich wähle den kleineren Raum mit nur zwei Stockbetten und einem allein stehenden Bett für mich.

Der Abend verspricht nicht viel Schönes. Ich warte, bis das Restaurant öffnet, es macht von außen einen gepflegten Eindruck. „OPEN AT 7:00 p.m." steht mit Kreide geschrieben auf der Tafel vor der Eingangstür.

Am Nachmittag habe ich Wäsche gewaschen und bin durch den Ort gegangen. Als sehr einladend habe ich ihn empfunden. Er ist an einen Hang gebaut. Etwas oberhalb des vermeintlichen Zentrums befindet sich die Kirche San Tirso. Sie ist in einen kleinen Park eingebunden, etwas anders als in den meisten Gemeinden, durch die ich bisher gekommen bin, und viele Menschen haben sie umlagert. Die jüngeren lagen teilweise in den Grünflächen und Rucksäcke waren entlang der niedrigen Steinmauer, die das Areal umgibt, in einer Linie aufgestellt. Ständig sind neue Pilger in die Ortschaft geströmt. Der Großteil davon wird weitermarschieren.

In einer Bar habe ich mir ein kühles Bier gegönnt. Es waren keine Pilger drin, nur ein betrunkener Einheimischer, schon über 60 und ständig hat er auf mich eingeredet. Ich bin an der Theke gesessen, zwei Barhocker von ihm entfernt. Der Wirt hat ihm oft genug Einhalt geboten und ihn gewarnt, das Lokal verlassen zu müssen, wenn er sich nicht benimmt. Ich habe es zwar nicht verstanden, aber die Art, wie die beiden miteinander gesprochen haben, und die Gestik, vor allem die der Hände und Arme, haben es mir verraten. Der Mann wollte mir offenbar Angst machen, das konnte ich den einzelnen englischen Wortfetzen und auch seinen Bewegungen entnehmen. Er versuchte, mir klarzumachen, dass Pilger am Camino verschwinden, einfach so, spurlos. Er schnippte dabei mit den Fingern. Dann bremste der Wirt ihn erneut mit scharfen Worten, was aber nicht lange half. Ich solle vorsichtig sein, habe ich dann vernommen und dass erst vor Kurzem wieder jemand verschwunden sei. Dem Wirt hat es dann gereicht. Er hat sich bei mir entschuldigt und dem Mann das Bier weggenommen. Der Mann hat zu winseln begonnen wie ein kleiner Hund. Vermutlich hat er dem Wirt versichert, nichts mehr sagen zu wollen, da er ihm ein wenig später das Bier zurück auf den Tresen stellte. Er war wirklich ruhig, murmelte nur lautlos gestikulierend vor sich hin, trank sein Glas leer und dann stand er auf, setzte einen Schritt auf mich zu und blieb stehen. Etwas hat ihn erschreckt. Er hielt seinen Arm schützend vor das Gesicht. Ich sah hinter mich, da war nichts, was jemandem Angst einflößen konnte. Der Mann wich zurück, entschuldigte sich auf Spanisch, ich vermutete es, weil er dabei seinen Oberkörper mehrfach nach vorne beugte, und dann verschwand er im grellen Licht der Eingangstür. Der Wirt zeigte mir noch mit einer Handbewegung, dass der Alte ein wenig verrückt ist. Das Ganze hat mir aber dennoch einen Schrecken eingejagt.

Das Restaurant ist jetzt, nach einer zweiten Runde um den Häuserblock, geöffnet und auch schon gut besucht. Im vorderen Teil des Restaurants, dem Tresenbereich, befinden sich kleinere Tische und man bietet mir dort einen Platz an.

Noch immer spukt mir der alte Mann im Kopf herum. Warum sagt er solche Dinge und was hat ihn so erschreckt? Ich will es gut sein lassen und suche nach etwas, was mich ablenken könnte. Mir scheint, ich bin der Einzige, der sich für ein Pilgermenü entschieden hat. Fast alle essen nach Karte oder geben sich den Tagesempfehlungen hin. Es wird viel Spanisch und Französisch gesprochen. Die Leute geben nicht mehr das Bild des Pilgers wieder, wie ich es zu lieben gelernt habe, sondern vielmehr das von Touristen, die auf einem kurzen Wandertrip sind. Sie treten nun als Kollektiv in Erscheinung und sollte sich ein einzelner zwischen ihnen finden, dann ist es jemand, der schon länger unterwegs ist, so wie ich.

32
Toleranz

Ein Band aus Pilgern zieht sich durch die Landschaft. Es ist beinahe wie in den Anfangstagen meiner Reise, nur hat sich ihre Zahl vervielfacht und das Bild der Protagonisten stark verändert. Sie laufen von Albergue zu Albergue, ständig darauf bedacht, noch ein Bett zu ergattern. Verlassen bereits 6 Uhr morgens die Unterkünfte und belegen schon um die Mittagszeit die Betten. Schlafen meist am Nachmittag, gehen am Abend ausgiebig essen, à la carte, versteht sich, kein Pilgermenü und sie sind dann bereits um 21 Uhr in den Betten. Am nächsten Morgen wiederholt sich das Schauspiel. Sie stolpern kurz nach 5 Uhr früh von den Matratzen, hantieren an ihren Rucksäcken herum, geben sich an den Toiletten die Türklinke in die Hand und nun geschieht etwas Eigenartiges, etwas, was zuvor nicht da war. Die Toiletten sind länger besetzt und es stinkt nach halb verdautem Fleisch. Aus Mangel an Bewegung, frühzeitig dem Darm zugeführt und nur durch zeitraubende Sitzungen über die WC-Anlagen entsorgt.

Es ist so anders geworden, aber die Erinnerungen an meine Zeit davor geleiten mich mit einem Lächeln darüber hinweg. Auch weil ich noch etwas Glück gehabt habe bei den letzten Unterkünften, so wie gestern in Palas de Rei. Vier junge Amerikaner hatten die restlichen Betten eingenommen. Zwei sind in Burgos losmarschiert und die anderen beiden sogar von Pamplona, also fast von Anfang an, und ich meine, sie schon gesehen zu haben, auch wenn sie bereits zwei Tage vor mir auf die Reise gegangen sind. Wir haben uns auf Anhieb verstanden und sie waren auch keine Frühaufsteher.

Ebenso wie gestern ist es bereits 8 Uhr, als ich meine Reise nach einem kleinen Frühstück fortsetze. Nur mit dem Unterschied, dass mich gestern Claudia begleitet hat. Wie mag es ihr wohl gehen? Sind ihre Blasen aufgebrochen? Sind die Schmerzen in ihrem Knie wieder erträglich geworden? Ich fühle ein wenig mit ihr, habe ich doch selbst lange darunter zu leiden gehabt und nach wie vor bereitet mein Knie mir ein wenig Sorgen.

Es scheint heute ein besonders heißer Tag zu werden. Die Gegend ist flach, leicht abwärts gerichtet. Laut dem Landschaftsprofil in meinem Reiseführer geht es seit Hospital de Cruz, wo ich mich von Claudia getrennt habe, nur noch abwärts. Waren dort noch 678 Meter in der Höhe eingezeichnet, so sind es in Santiago de Compostela nur noch 260 Meter. Kurz davor gibt es allerdings noch einen kaum nennenswerten Anstieg auf den Monte do Gozo. Ich knöpfe jetzt schon nach nicht einmal zwei Stunden mein Hemd auf. Auf das T-Shirt hatte ich schon zu Beginn verzichtet. Allmählich fangen die wenigen Bäume am Wegesrand an, Schatten zu spenden. Die Sonne versucht, mich auf der linken Seite zu überholen, es sind nur vereinzelt Bäume zwischen uns, die mir ihre Position weisen. Bis sie mich aber zur Gänze überholt haben wird, werde ich meinerseits bereits zahlreiche Pilger überholt haben. Meine Wasserflasche ist voll, die Schritte sind kräftig und die Frequenz ist hoch.

Doch ich werde gestoppt, unerwartet und überraschend, aber aus freudigem Anlass. Die jungen Großeltern mit ihrem sechsjährigen Enkelsohn haben neben der Straße haltgemacht. Der Kleine schlüpft gerade aus dem Kinderanhänger. Eine vierköpfige Gruppe steht daneben und macht noch schnell Fotos von den dreien, bevor sie einer etwas größeren Schar, die schon aufgebrochen ist, nacheilt. An die hatte ich nicht mehr gedacht, umso mehr freut mich nun unsere Begegnung. Auch sie freuen sich, zur Abwechslung mal ein bekanntes Gesicht zu sehen. Sybille lässt sich über die Pilger aus.

„Es ist schrecklich geworden in den letzten Tagen. Ständig werden wir auf Patrick angesprochen, wie süß der Kleine doch ist mit seiner Bike-Box, so nennen sie den Anhänger, und sie suchen nach den Fahrrädern. Wenn wir ihnen dann zu verstehen geben, dass wir zu Fuß unterwegs sind, schütteln sie den Kopf und zeigen uns damit ihr Unverständnis."

„Ja, es ist schlimm", sagt auch Walter.

Ich kann mich immer noch an ihre Namen erinnern, auch an den von Patrick. „Das kann ich mir vorstellen", sage ich und bekräftige es noch mit: „Ich fühle mich auch nicht mehr wohl."

„Und dann hat auch noch der Kampf um die Betten begonnen", fährt Walter fort und dann wieder Sybille: „Wir sind auch schon auf Hostels ausgewichen, wenn wir gar keine Möglichkeit mehr gesehen haben, zusammen zu übernachten, aber unsere Mittel sind begrenzt."

„Meistens sind wir so lange gelaufen, bis wir etwas gefunden haben."

Sie sprechen jetzt abwechselnd und sie erklären mir auch, dass sie übermorgen in Santiago sein wollen, also genau wie ich. Erstaunlich auch, wie sich Patrick gehalten hat. Ich sehe ihm die Strapazen nicht an, im Gegenteil, er wirkt richtiggehend fröhlich. Er wird viel zu erzählen haben, wenn er zurück nach Hause kommt. Nur selten wird ein so kleiner Junge diesen Weg gegangen sein, heutzutage. In früheren Jahrhunderten vermutlich öfters, gezwungenermaßen, und mich überfällt etwas Sehnsucht bei diesem Gedanken.

„Wir haben es ja bald geschafft", sagt Sybille und streicht mit der Hand über Patricks Haare.

„Ja, und ich weiß jetzt schon, dass ich diese Zeit vermissen werde." Ich sage es mit einem Ausdruck von Traurigkeit in meiner Stimme. Der Gedanke lässt mich nicht los, dass sie etwas in ihrem Leben zurechtzubiegen haben. Wie kommt es, dass ein sechsjähriger Junge mit seinen Großeltern den Jakobsweg geht, noch dazu den gesamten Camino Francés? Ich will es gar nicht wissen, aber insgeheim wünsche ich ihnen von ganzem Herzen, sie mögen das erlangen, wonach sie Ausschau halten, und das unbekümmerte Lächeln von Patrick lässt meine Augen feucht werden. Vermutlich habe ich damit auch Sybille angesteckt. Sie wischt sich mit dem Handrücken übers Gesicht. Es wird für mich Zeit, aufzubrechen.

„Wir sehen uns in Santiago", sage ich beim Weggehen und diesmal bin ich mir sicher, dass es auch so geschehen wird.

Eingemeißelt in einen Stein, auf den eine blaue Jakobsmuschel gemalt ist, steht „58,7 km". Die Zahlen begleiten mich, seit ich nach Sarria gekommen bin, so kommt es mir vor. Dort sind mir die Kilometerangaben auf den Wegweisern das erste Mal aufgefallen. Von den anfangs 800 Kilometern sind nur noch 60 geblieben. Vor vier Wochen noch war es nicht mehr als ein Name. „Camino Francés – der Jakobsweg". Ich stand am Fuße der Pyrenäen, machte mir Sorgen über den sich ankündigenden Regen und ich war meiner Handlung noch so unschlüssig, wie ich es schon bei meiner Planung war. In mir lagen Unsicherheit und Ängstlichkeit. Die Unsicherheit ist verflogen, auch die Angst vor dem Unbekannten. Ich habe Freunde gefunden und sie wieder verlassen, nur physisch, nicht aber im Geiste. Ich bin Hunderte Kilometer alleine gegangen, habe auch stundenlang niemanden zu Gesicht bekommen, doch ich war nie einsam. Unter der Majorität der Pilger macht sich nun Einsamkeit in mir breit. Sie hindert mich, nachts zu schlafen, und treibt mich morgens aus den Federn. Mein Kopf ist schwer geworden unter den zahlreichen Eindrücken, die sich in ihm festgesetzt haben. Sie haben ihn auch mit Ungewolltem und scheinbar Nutzlosem gefüllt, aber nur scheinbar. Denn gerade dies zeigt mir Wege, die ich so nicht gefunden hätte, geschweige denn gegangen wäre. Zum Überschwang geraten, aus wenigem, durch das plötzliche Auftreten. Erwartet man etwas nicht und es gerät einem fortlaufend in den Sinn, so kann es zur Präsenz werden. So wie sich die Augen an die Dunkelheit gewöhnen und man in ihr zu sehen beginnt, so schieben sich Dinge in deine Wahrnehmung, die du anzuerkennen zuvor nie imstande gewesen wärst. Und sie erscheinen dir mit einem Mal so intensiv und kräftig und du behältst sie in dir, vergräbst sie dort, wo sie niemand suchen würde, und sie bleiben an diesem Fleck verborgen, abrufbereit für den einen entscheidenden Augenblick und du kennst ihre Namen.

Einheimische waschen ihre Wäsche am Fluss und werden zur Attraktion. Scheinbar etwas ganz Banales, doch unter den Blicken der vorbeiziehenden Menschen etwas Befremdendes. So mutiert Einfaches und Gewöhnliches zu Sonderbarem und Exotischem. Ich durchstreiche nicht nur Provinzen und Regionen, ich durchstreiche Sinne und Wesenszüge. Tauche ein in das Grundlegende und dabei spielt Zeit keine Rolle. Zeit gibt es nur für die Menschen, sie wurde für sie erfunden, um ihre Ungeduld und Unruhe zu stillen. Um ihre Daten bemessen zu können, und sie macht sie vergänglich, so wie unseren Körper, aber nicht unseren Geist. Der Körper ist wie eine Pflanze, er blüht und verwelkt. Der Geist bleibt ewig bestehen, sei es in Schriften oder Bildern oder einfach nur durch Überlieferungen. Manchmal in einer für uns nicht verständlichen Form und wir versuchen, dagegen anzukämpfen und ihnen den Zugang in uns zu versperren. Ich aber habe es geschehen lassen.

Vieles mag sich geändert haben im Wesen der Menschen, nicht aber der Durst, nicht der Hunger, nicht das Bedürfnis nach Schlaf und nicht der Wille zu leben. Der Mensch hat das Grundrecht auf Luft und Wasser, so ist es in unsere Verfassung geschrieben, ihm wird auch das Nötigste an Nahrung zugebilligt. Nicht aber Geld. Wäre es so, dann müsste jeder ein Grundeinkommen beziehen, unabhängig davon, ob er arbeitet oder nicht. Dem ist aber nicht so und somit gehört Geld nicht zu den Grundbedürfnissen der Menschen. Es ist im Grunde genommen nichts, was wir benötigen, um zu leben, sondern vielmehr eine Krankheit, vor der man sich schützen sollte. Teilt man etwas in zwei gleiche Teile und gibt einen Teil davon jemandem, der nur wenig oder nichts besitzt, wird er vor Freude strahlen. Gibt man den zweiten Teil jemandem, der viel besitzt, so wird er es höchstens belächeln.

Die Restaurants und Bars, an denen ich vorbeikomme, sind permanent überfüllt. Eingenommen von einem Schwarm von Pilgern, die ihre Stöcke und Rucksäcke über die noch größere Zahl an Stühlen verteilen, um schlussendlich alles zu verschlingen. In regelmäßigen Abständen wiederholt sich dieses Schauspiel und ebenso regelmäßig lehne ich es ab, daran teilzunehmen, halte meine Lust auf eine Tasse Kaffee in Zaum und entsage es mir, einer Aufführung beizuwohnen.

Der nächste Gastgarten blickt mir mit einer ganzen Reihe an leeren Stühlen entgegen. Es ist die äußerste Reihe der in

Linien aufgestellten Tische. Die Linie, die nicht mit Schatten belegt ist und von Sonnenschirmen umspannt wird. Ich bette Peaches auf einen Stuhl und bediene mich selbst. Mit einer heißen Tasse Cappuccino setze ich mich an den von der frei am Himmel stehenden Sonne geschmückten Tisch. In Szene gebracht nur für mich und verschmäht von den übrigen Gästen. Gerade als ich anfange, mich zu entspannen, wird mein Rücken in Eis getaucht. Stimmen überziehen ihn mit Gänsehaut. Vergleichbar mit Styropor, das man aneinanderreibt, oder dem glatten Holzstückchen, über das man leckt, wenn sich das darüber befindliche Eis zu Ende neigt. Es ist eine Sprache, die mir sehr vertraut ist und doch ist sie in diesem Augenblick so befremdend für mich.

Zwei Tische von meinem entfernt, unter zwei Sonnenschirmen, vermutlich stand einer davon zuvor an meinem Tisch, muss ich dem Gespräch einer Handvoll Pilgern lauschen. Ich kann meine Ohren davor nicht verschließen, zu nah sind sie und zu laut sprechen sie. Ihre unüberhörbare Unterhaltung verrät mir, dass sie den Jakobsweg gemeinsam gehen und das seit dem Wochenende. Sie lassen sich über die Sauberkeit und den Komfort der Hotelzimmer aus, die sie schon von zu Hause aus gebucht haben. Sie betonen dabei, wie anders die Beschreibung im Internet doch war. Aber niemals würden sie in einer dieser Massenunterkünfte für Pilger übernachten. Zusammengepfercht mit 30 oder 40 Menschen, die nach Schweiß stinken. Nicht nach Geschlechtern getrennt. „Ekelig", sagt die schlankere Frau.

„Vermutlich duschen sie auch noch gemeinsam", sagt die andere darauf.

„Vermutlich habt ihr mal eine angesehen", bin ich versucht zu sagen. Ich bemühe mich wegzuhören, doch meine Ohren werden weiter gequält. Jetzt bemängeln sie das Essen, nur das Pilgermenü in den Spelunken, die Speisen in den

Hotels werden sogar hervorgehoben. Mich erstaunt es, dass sie doch auch etwas Angenehmes in ihrem Unternehmen Jakobsweg ans Licht bringen. Ein guter Zeitpunkt, das Geschehen zu verlassen.

Eigenartig, wie sich alles verändert. Früher hätte mich so etwas nicht gestört. Wie oft habe ich die Leute in den Urlaubsorten über alles Mögliche lästern hören. Mir hat auch nicht immer alles gepasst. Der Camino verändert deine Persönlichkeit, das wird mir jetzt immer bewusster. Ich stoße nun mit Menschen aneinander, deren Naturell dem meinen hinterherhinkt, was dieses Unterfangen betrifft. Keinesfalls darf man die Charaktere nach Nationen unterteilen. Das eben Erlebte hat sich über die Sprache kristallisiert. Deutsch, eine Sprache der ich mächtig bin, doch dem Großteil der in einer grotesken Geschwindigkeit entstandenen Camino-Touristen kann ich über die Sprache nicht mehr folgen und ich bin mir sicher, deren Gedankengut ist dem dieser Pärchen ähnlich. Ebenso wie die verschiedenen Nationen, die mich bis hierher begleitet haben, gereift sind und deren Verpackung ihren Inhalt nur für ihresgleichen zu erkennen gibt.

Bereits jetzt beginnt es in mir zu ringen, in Anbetracht der Zeilen, mit denen ich diesen Eindruck auf meiner Website hinterlassen werde. Muss ich es so darstellen, wie ich es empfunden habe, reicht nicht eine kleine Andeutung oder lasse ich es völlig weg, verschweige ich diese Empfindungen meinen Begleitern zu Hause? Ist es ehrlich ihnen gegenüber, mir gegenüber, einen Schleier des Gleichklangs über all das zu legen? Eine Gemeinsamkeit anklingen zu lassen, vor der uns Hunderte von Meilen trennen und die ich nicht erkennen kann, so nah ich ihnen auch kommen mag. Wenn doch, dann werde ich mich bei all jenen zu entschuldigen haben, deren Freude ich nicht teilen kann, die mir fremd geworden sind in den Wochen, die hinter mir liegen, und ich werde die Aufrichtigkeit, mit der ich die Worte der Entschuldigung schreibe, unterstreichen müssen, denn zu oft hat sich Unverständnis in den letzten Tagen in mich gezwängt, und sie wird auch nicht davon ablassen in den Tagen, die noch folgen werden. Zu befremdend sind die Menschen um mich geworden, dasselbe Ziel vor Augen, und doch wird das Ende ein anderes sein. Vergleichbar mit dem einer Sportveranstaltung, eines Wettkampfs, und der Ausgang wird unterschiedliche Reaktionen mit sich bringen. Ich werde meine Mitstreiter bitten müssen, Nachsicht mit mir zu haben, meiner Emotionen nicht Herr gewesen zu sein und sie ausgeschüttet zu haben, ohne dabei darauf Bedacht zu nehmen, jemanden verletzen zu können.

Im Wandel der Jahre hatte der Camino zu lernen. Galt es einst, seinesgleichen vor physischen Angriffen zu schützen, so sind es heute die Schläge auf die Psyche. Hatten früher die Leute um ihren Körper Sorge zu tragen, ist es heutzutage der Geist, den es zu behüten gilt. Der Camino gibt dir Obhut und zeigt es dir auf seltsamste Weise, wie auch jetzt wieder. Ich überhole gerade eine Schar von Pilgern. Kurzzeitpilger, ich erkenne es an ihren spärlichen Gepäckstücken. Es sind junge Leute, Mädchen und Burschen, nicht älter als 18 oder 19 Jahre. Sie singen und versprühen Fröhlichkeit. Ein Balsam auf meiner Seele. Ich verstehe zwar den Text nicht, aber es ist der Klang in ihren Stimmen, der mich an ihnen vorbeiträgt, und ich lausche noch, nachdem ich sie hinter mir gelassen habe. Es sind gerade diese Momente, die dein Seelenheil behüten und nicht Dazupassendes aus dir verbannen.

Mit jeder Ortschaft, die ich heute durchlaufe, verschwinden Pilger. Es ist beinahe so, wie es mir der alte Mann in der Bar prophezeit hat, nur dass sie verschlungen werden von den zahlreichen Unterkünften in den Ortschaften. Albergue oder Hotel, es spielt keine Rolle mehr. Es ist nicht einmal noch Mittag und ich beobachte, wie die Leute auseinanderströmen, den Pfeilen folgend, die ihnen ein Bett verheißen, und nicht selten kehren sie zurück und tauchen erneut unter in anderen Gassen.

So wiederholt es sich bis Arzúa. Ein Platz, den ich mir ausgesucht habe. Auch er liegt abseits der markierten Ziele und meine Begleiter sind nach nunmehr 30 Kilometern auf vereinzelte Personen zusammengeschrumpft. Ich sehe ein Schild, es ist nicht zu übersehen, denn es blockiert beinahe den Gehsteig. Es kündigt die Neueröffnung einer Albergue an, neben spanischer auch in englischer Sprache. Eine farbige Skizze und ein Pfeil, der ins Zentrum führt, danach nach links. Ich präge es mir ein, ebenso den Namen – „Vía Láctea".

Ich erhalte eines der wenigen noch freien Betten, die Preise sind nach wie vor moderat. Sechs Stockbetten befinden sich in jedem der drei Räume, die Betten sind parallel gegenübergestellt. Ein Mitarbeiter der Albergue führt mich an das mittlere auf der linken Seite.

„Das untere Bett ist noch frei", sagt er.

Auf meine Frage hin, was mit dem daneben ist, sagt er nur, dass es reserviert sei. Da habe ich ja wirklich Glück gehabt, denke ich mir. Rechts neben mir, auch im unteren Bett, sitzt ein junges Mädchen. Es bandagiert eines seiner Knie und die Füße sind mit Blasenpflastern übersät.

Auch eine Neueinsteigerin, so erweckt sie den Eindruck in mir. Ich sage „Hallo".

Sie antwortet mit „Hola".

Ich versuche es weiter mit Englisch, aber sie schüttelt nur den Kopf. Sie scheint mich nicht zu verstehen und sagt ein paar Worte auf Spanisch. Jetzt verstehe ich nichts. Sie zuckt mit den Achseln und wickelt weiter den Verband um ihr Knie. Aber es ist noch viel mehr, wodurch meine Blicke auf sie gezogen werden. Ihr langes schwarzes Haar, das zu einem Zopf geflochten ist und auf der Vorderseite ihrer linken Schulter liegt. Über einem türkisfarbenen T-Shirt mit einer perfekten Wölbung unter den darüber baumelnden Haarspitzen. Eine wahre Augenweide, die man an und für sich nur in Filmen und auf Plakaten zu finden gedenkt, mit kiloweise Make-up im Gesicht und doch ist es Realität. Ich bin schlichtweg verzaubert von dieser natürlichen Schönheit. Ich versuche, meine Bewunderung in Zaum zu halten und sie nicht unentwegt anzustarren. Mir schiebt sich sofort das Bild von Portomarín in den Vordergrund. Am Abend, als ich mich von Aatu verabschiedet habe und Claudia gefolgt bin. Es ist mir noch immer schleierhaft, welcher Geist mich da geritten hat. Ich habe meine rechte Hand an den Hintern von Claudia gelegt, nicht flach, sondern aufrecht und meine Finger haben sich zwischen ihren Pobacken nach oben bewegt. Nicht fest, nur leicht. Claudia hat sich umgedreht und mir eine Ohrfeige verpasst. Sie sagte nichts. Ist es Enthaltsamkeit, die abermals meine Hände ins Zucken bringen, oder verliere ich langsam die Gewalt über mich? Ich fühle mich wie ein kleines Kind, das Eiscreme vor sich auf dem Teller hat, sie aber nicht essen darf.

Ich verlasse den Raum und hole mir in der Ortschaft etwas zu trinken. Es ist aber schon nach 14 Uhr und die Geschäfte haben geschlossen. Wieder zurück in der Unterkunft, drücke ich mir eine Dose Cola aus dem Automaten und setze mich in den Gastgarten. Brot und eine Dose Fisch habe ich noch.

Bei meinem dürftigen Mittagessen werde ich von drei Frauen beobachtet. Sie sitzen einen Tisch hinter mir, etwas seitlich, sodass ich sie im Augenwinkel sehen kann. Eine davon ist etwa 40. Die beiden anderen maximal knapp über 30. Sie sprechen über mich. Ich spüre es, auch wenn ich sie nicht verstehe, in ihrem Spanisch. Ich drehe meinen Stuhl zur Seite und kann jetzt hinter mich sehen. Die Frauen lächeln mir zu. Ich nicke und nachdem ich mein Baguette hinuntergeschluckt habe, lächle ich sogar. Zwei Frauen kommen aus dem Gebäude und gehen auf die drei zu. Sie unterhalten sich, mir den Rücken gekehrt und nun drehen sie sich um und sagen „Hola". Ich verschlucke mich beinahe am Baguette und bringe ebenfalls ein „Hola" mit vollem Mund zustande. Alle fünf lachen, aber ich habe nicht das Gefühl, dass sie mich auslachen würden, eher im Gegenteil. Zu einer Konversation kommt es aber nicht, dafür ist ihr Englisch zu schwach und mein Spanisch gar nicht vorhanden. Es bleibt bei ein paar Nettigkeiten, die wir uns zuwerfen. Ich genieße noch ein wenig die Sonne und wasche meine Unterhose und das Hemd, das ich heute getragen habe.

Am Abend sehe ich doch noch ein bekanntes Gesicht. Es ist Josef, der als kleiner Junge von Deutschland nach Spanien gekommen war. Und ich erinnere mich, wie es Sherri Angst gemacht hat, weil er uns mit seinem Fahrrad gefolgt ist. Es war aber mehr meine Aussage, denke ich, ihn als Wegelagerer zu bezeichnen. Sei's drum, ich freue mich, ihn zu sehen. Auch er erinnert sich an mich, obwohl ich der Meinung war, dass er nur Sherri und Kristi zur Kenntnis genommen hat. Es ist schon eigenartig, finde ich jetzt, dass er mit dem Rad fährt und nicht schneller als ich vorangekommen ist.

Ich habe mich nach dem gemeinsamen Abendessen mit Josef in eine Kneipe verzogen, alleine, und werde nun von der Gegenwart eingenommen. Fußball flimmert über einen breiten Bildschirm an der Wand. Es ist 21 Uhr und das Spiel Spanien gegen Chile ist eben angepfiffen worden. Nach der 5 : 1 -Niederlage müssen sich die Spanier heute Abend beweisen, denn sonst könnten sie bereits vorzeitig aus dem Wettbewerb fliegen. Niemand in der Bar scheint auch nur ansatzweise an Spaniens Fähigkeiten zu zweifeln.

Ich sitze an der Theke und es gibt Gratis-Rippchen für alle. Neben mir sitzen drei einheimische Männer, bestimmt schon an die 70. Sie schlürfen ihren Rotwein aus handtellergroßen, flachen Keramikschalen. Ich habe das so noch nicht gesehen und es erweckt meine Neugier, mehr als das Fußballspiel. Zur Halbzeit liegt Spanien 0 : 2 zurück und ich verlasse ein etwas still gewordenes voll besetztes Lokal.

Ich ziehe mir noch eine Dose Bier aus dem Automaten der Albergue und setze mich damit in den Garten. Der Abend ist lau. Ich beobachte, wie sich die Sonne in einem Meer aus Blumen, die eine brusthohe Steinmauer schmücken, vom heutigen Tage verabschiedet. Vereinzelte Sonnenstrahlen schaffen es noch, eine Zeit lang zwischen den Blättern durchzudringen. Eine der Frauen vom Nachmittag steht an der Mauer. Das Licht, das es durch das Blätterwerk schafft, beleuchtet ihr Gesicht und macht es für mich im Profil sichtbar. Es ist schön und warm und meine Gedanken beginnen zu wandern. Ich vermeine Knöpfe an ihrer Bluse zu sehen, wo zuvor keine waren, und doch sind sie da. Meine Finger berühren sie, nachdem sie die Bluse geöffnet und zur Seite geschoben haben. Sie sind hart und doch weich wie Samt und ihre Haut ist glatt wie Seide, sogar ein klein wenig kühl fühlt sie sich an, als meine Hände über ihren Rücken streichen. Langsam streift sie das Hemd von meinen Schultern und ihre Fingernägel verwandeln meine Haut zu einem Meer aus winzigen Hügeln. Mir ist, als würden Fische darin schwimmen, mit gleichmäßigen und sanften Schwüngen.

Die Kuppen meiner Finger betasten ihren Po. Er ist fest und schreit danach, umschlossen zu werden. Meine Hände geben seinem Wunsch nach und pressen sich, aller Hindernisse beseitigt, um beide Backen. Unsere nackten Körper werden nun vom weißen Mond, der über uns schwebt, beleuchtet. Sie hebt ihr rechtes Bein und schmiegt ihren Oberschenkel an dem meinen empor, langsam, aber mit genügend Druck. Ich halte es fest. Meine Zunge schmeckt ihre Lippen, sie öffnen sich und die meinen pressen sich dagegen. Unsere Zungen stoßen aufeinander, kämpfen um die Vorherrschaft und unsere Lungen vibrieren im Sog des Luftschwalls, der sie durchfließt. In meinen Lenden setzt sich eine Feuersbrunst in Gang. Sie entfacht ein Stück Fleisch, das zuvor lose daran hing, sie durchtränkt es mit frischem Blut und es erwacht aus seiner Ruhe. Es streckt sich empor und entledigt sich der Haut, die es geschützt hat. Es sucht einen neuen Schutz und findet ihn in ihrem Schoß, leicht geöffnet durch meinen Arm, der ihr Bein daran hindert, es zu schließen. Ich dringe in sie, spüre, wie sich mein Fleisch an dem ihren reibt. Sie will es, denn Feuchtigkeit begleitet ihr Verlangen. Ihre Zunge findet mein Ohr, sie bohrt sich hinein, dann beißen ihre Zähne auf mein Ohrläppchen, nicht fest, nur um zu zeigen, dass sie hier sind. Das Pochen ihres Herzens gibt mir den Rhythmus vor und über die eben noch seidene Haut legt sich Schweiß. Wasser wird durch unsere hämmernden Bewegungen an die Oberfläche gepumpt und ergießt sich über unsere Leiber. Und dann durchfließt etwas unser Inneres, warm und untermalt vom Bild einer aufplatzenden Samenkapsel. Den Spannungen unterlegen und doch befreit. Meine Muskeln entkrampfen sich, alles wird wieder weich. Ich entlasse den Oberschenkel aus meinem linken Arm und fasse an ihren Nacken. Nochmals saugen sich meine Lungen mit ihrem Atem voll und ich lasse erst ab, als sie sich zu wehren beginnt, eine Zeit lang bewegen sich unsere Körper in vollkommener Harmonie. Das Mädchen ist bereits gegangen und hat mich zurückgelassen mit Erinnerungen an eine längst vergangene Zeit. Mein Ziel ist nur noch 40 Kilometer von mir entfernt, doch ich sehe es nicht mehr als Ziel, sondern als Anfang. Um mich herum versinkt alles in Schlaf und neben mir dieses bezaubernde und sinnliche Geschöpf.

33
Freude

Meine Augen sind noch halb verklebt, als ich nach der Uhrzeit schiele. Der Raum sollte dunkel sein, doch er wird von Lichtquellen, die sich zwischen den Stockbetten befinden, erhellt. Zu wenig aber, um mein Ziffernblatt zu erkennen. Ich habe vergessen, die Stirnlampe ans Bett zu hängen. Der Schein einer Taschenlampe bewegt sich unmittelbar neben mir. Das Mädchen ist bereits hellwach und bindet sich seine Turnschuhe. Es bemerkt, dass ich verzweifelt versuche, nach der Uhrzeit zu sehen, und sagt etwas. Seine Lippen bewegen sich, aber durch die Stöpsel, die meine Ohrgänge verschließen, höre ich es nicht. Ich nehme sie heraus und interpretiere das Wort, das das Mädchen für mich wiederholt, als „sinco", was so viel wie fünf bedeutet. Das kann nicht sein, denke ich mir und versuche weiterhin, die Zeiger zu erkennen. Meine Bettnachbarin richtet den Strahl ihrer Taschenlampe auf meine Uhr. Tatsächlich, es ist 5.10 Uhr. Die sind doch alle verrückt, denke ich mir und versuche weiterzuschlafen. Ich bin bereits wach und die Geräusche um mich herum sind auch nicht gerade hilfreich, um in den Schlaf zurückzufinden, daran ändert auch ein nochmaliges Verschließen meiner Ohren nichts. Ich döse also vor mich hin, bis der halbe Raum leer ist und die noch verbliebenen Akteure mit ihrem Spielchen beginnen.

Um 7 Uhr verlasse ich die Albergue, viel früher als an den Tagen davor. Eine Bar öffnet gerade die Tore und ich gönne mir einen heißen Tee, dazu mein lieb gewordenes Croissant. Es ist noch kühl und Wolken haben sich während der Nacht über die Ortschaft geschoben. Vermutlich entstanden aus Tränen der Enttäuschung über die gestrige Niederlage ihrer Fußballnationalmannschaft. Diese prangert in den Gazetten der Tageszeitungen, die am Tresen liegen. Ich muss kein Spanisch können. Ein fettes „0 : 2" auf dem Titelblatt sagt alles.

Die ersten 20 Kilometer bis O Pedrouzo habe ich flott hinter mich gebracht und ich überlege kurz, ob ich nicht hierbleibe, verwerfe den Gedanken aber sofort wieder. Es ist erst 11.15 Uhr und die Sonne beginnt gerade, eine Bahn durch das Wolkenfeld zu ziehen. Ich sehe auch Pilger, die den heutigen Marsch bereits beenden. Dies vermag aber ihre Anzahl nicht zu verringern. Ich bin heute Teil einer fast geschlossenen Menschenkette. Pilger barfüßig in Turnschuhen. Pflaster blicken darüber hervor, Stöcke rattern am Asphalt und Mobiltelefone schmücken ihre Ohren.

Ich habe mit meiner Camino-Familie einmal über Burnout diskutiert. „Eine Krankheit, die es früher nicht gab." So brachte ich das Gespräch in Gang. Sofort gab es die üblichen Einwände. Dass man einige Krankheiten früher nicht einschätzen konnte, heute aber doch und dass es im Grunde genommen nichts Neues sei. Ich konnte das so nicht stehen lassen und wurde deutlicher.

„Meint ihr, dass die Fabriksarbeiter im vorigen Jahrhundert, bevor es die Gewerkschaften gegeben hat, die nicht selten mehr als 80 Stunden die Woche gearbeitet haben, also doppelt so viel wie heutzutage, und ständig um ihren Arbeitsplatz zittern mussten, alle Burn-out hatten?"

Einige bestimmt, hörte ich von allen Seiten.

„Das meint ihr doch nicht im Ernst. Burn-out ist eine Krankheit der Psyche, sie entsteht im Kopf. Diese armen Menschen damals hatten mit Sicherheit geschundene

Gliedmaßen, aber keinesfalls Burn-out. Ich denke, dass diese Krankheit ihre erste Erwähnung nicht vor 40 oder 50 Jahren erfahren hat, im Übergang vom Industriezeitalter zum Informationszeitalter. Die geistige Arbeitskraft trat in den Vordergrund und sie brachte auch ihre Schattenseiten mit sich. Die Maschinen wurden nicht mehr von Menschen, sondern von Computern gesteuert und die Bedienung der Computer erforderte keine körperliche, sondern nur noch geistige Kraft." Von Chris und auch von Steve erhielt ich Zuspruch, doch Gina wehrte sich vehement dagegen. Sie berief sich auf den Faktor Stress und den hätte es auch schon früher gegeben. Ich konnte gegen Stress nichts einwenden, denn auch meine Begründung resultierte daraus und unsere Diskussion versiegte, ohne klare Fronten zu schaffen.

Jetzt könnte ich es auf den Punkt bringen, bin ich mir sicher. Ich beobachte die vielen Menschen neben mir. Der überwiegende Teil davon hat sich nicht mehr als ein paar Tage oder eine Woche Zeit genommen, um den heiligen Jakobus zu besuchen. Auf dem Weg dorthin spielen sie mit ihren Smartphones, manche telefonieren auch oder schreiben Nachrichten, versenden Bilder. Ich denke, das ist der entscheidende Punkt. Es ist nicht die Arbeit, die die Menschen krank macht, sie sind es selbst. Die Ursache für die Krankheit Burn-out liegt in ihnen selbst. Sie gönnen ihrer Psyche, ihrem Gehirn keine Pause mehr. Ständig tippen sie auf ihren elektronischen Begleitern herum und rufen Informationen daraus ab.

Ich denke zurück an mein Arbeitsumfeld. Ich sehe meine Arbeitskollegen, wie sie in der Mittagspause über ihren Broten sitzen und ständig eine Hand am Smartphone haben. Nach Dienstschluss ging das alles selbstverständlich weiter. Und jetzt schon wieder das gleiche Bild. Sie geben ihrem

Gehirn keine Chance mehr, sich zu regenerieren, sie halten es ständig auf Speed. Sie stehen fortlaufend unter Spannung, sie schaffen es nicht, runterzukommen. Letztlich überfordern sie ihre Psyche und sie ist gezwungen, Abwehrmaßnahmen in Gang zu setzen, und das möchte ich als Burn-out bezeichnen.

Noch eine kleine Episode fällt mir dazu ein: Eine Freundin hat mir einmal vorgeworfen, dass sie auch nach Dienstschluss und in ihrer Freizeit ständig erreichbar sein muss, und das mache sie krank. Sie fühle sich sehr stark Burn-out-gefährdet. Ich habe sie dann gefragt, wie oft sie in den letzten sechs Monaten von ihrem Arbeitgeber am Abend, am Wochenende oder in ihrem Urlaub angerufen wurde.

„Kein einziges Mal", musste sie zugeben.

„Und das macht dich krank?", war meine Frage darauf. Sie blieb still, ich erwartete mir auch keine Antwort, sie tippte nebenbei auf ihrem Mobiltelefon herum. Ich weiß auch, dass viele ihre mobilen Alleskönner am Nachttisch liegen haben, um ja keinen Anruf und ja keine Nachricht zu verpassen. Sie tun sich schwer beim Einschlafen, weil sie auf ein Geräusch warten. Einen Ton aus ihrem Smartphone, der eine Nachricht ankündigt, aber alles, was es ankündigt, ist eine Krankheit.

Ich entschließe mich dazu, Mittag zu machen. Einfach so am Straßenrand, auf einer hüfthohen Steinmauer, umgeben von einem schmalen grünen Streifen. Das Wolkenband ist verschwunden und ich sitze in der prallen Sonne. Es gefällt mir. Ich beiße von einem Apfel und Tränen kullern über meine Wange, sie tropfen auf meine Jeans. Ich schwenke mein Bein zur Seite und beobachte, wie ein Tropfen auf einen Grashalm fällt. Der Grashalm wirkt wie eine Feder. Er fängt ihn auf, leitet ihn nach unten weiter in den Boden und schafft Nahrung für einen neuen Halm. Die Natur ist so einfach gestrickt und gerade das macht sie so einzigartig. Menschen sind wie Bazillen, sie nisten sich in sie ein, beuten sie aus und am Ende werden sie alles zerstört haben, sofern sich die Natur nicht rechtzeitig zur Wehr setzt, oder sie werden auch von ihresgleichen zur Vernunft gebracht. Es ist das Ende, das naht, was mich traurig macht. Erneut einzutreten in den Alltag und diese Unbekümmertheit hinter mir zu lassen, sich wieder dem Leben stellen zu müssen, doch es liegt an mir, wie. Ich hatte einen ausgezeichneten Lehrmeister entlang des Weges, vielleicht waren es sogar viele, und wenn ich nur ein wenig davon behalte, sollte es so schlecht nicht werden.

Vor ein paar Tagen erhielt ich eine E-Mail von Sherri über meine Website. Es geht ihr bestens, auch den anderen, sie halten Kontakt über ein soziales Netzwerk, dem ich mich ja seit Beginn der Reise verschließe, aber diese eine Nachricht habe ich über meine eigene Plattform entgegengenommen und auch darauf geantwortet. Dem Sinn nach, dass wir alle auf dem richtigen Weg sind.

Inzwischen sind halb Spanien und Frankreich an mir vorübergelaufen, es macht zumindest den Eindruck. Ein bisschen übertrieben, aber die Laute, die ich vernommen habe, stammen ausschließlich aus diesen Ländern.

Das Gelände ist doch mehr in Bewegung, als ich erwartet habe. Ständig sind kleine Anstiege zu erklimmen, stille Bäche zu überqueren, auch eine Autobahn, die noch nicht mit Asphalt bedeckt ist, sondern noch ihr Kleid aus brauner Erde trägt. All das nehme ich mehr in mein Bewusstsein auf als die Massen an Menschen, die neben mir herziehen. Nicht dass ich mich ihnen versperren würde, ich bin es, der keinen Zugang zu ihnen findet.

In der letzten Stunde bin ich gelegentlich an kleinen Herbergen vorbeigekommen. Es war eintönig, ständig die gleiche Antwort auf meine Frage zu hören. Alles reserviert. Ich erreiche Monte do Gozo, die letzte Möglichkeit zu übernachten. Ein alles einnehmender Komplex aus Beton verschlingt die Natur. Es dürfte mit Sicherheit kein Problem sein, hier ein Bett zu bekommen. Aber erhalte ich auch eine Decke für die Nacht? Ich bezweifle es und außerdem, es gefällt mir ganz und gar nicht. Ein wenig ringe ich noch mit mir, dann entschließe ich mich zum Weitergehen. Es war so, als wolle man sich etwas ansehen und die Füße marschierten einfach weiter. Sie warten die Entscheidung erst gar nicht ab, als würde sie jemand anders befehligen.

Mir werden nochmals 40 Kilometer an einem Tag aufgezwungen. Der Frevel, den ich mit meiner Busfahrt nach Nájera vielleicht begangen haben mag, sollte damit gesühnt sein, denke ich dabei und dann ist es so weit. Zwischen den mit dichtem Blattwerk geschmückten Bäumen zwängt sich eine Straße, schlängelt sich den Berg hinunter und nach einer der vielen Kurven, denen ich gefolgt bin, lässt sich die Straße in einer Geraden nach unten fallen und gibt mir die Sicht frei auf eine Stadt, der ich 800 Kilometer lang gefolgt bin – Santiago de Compostela. Ich bleibe stehen und atme tief durch. Es ist ein Moment, in dem ich völlig alleine bin, doch wie gerne hätte ich ihn mit meinen Freunden genossen.

Ich bin aber noch nicht am Ziel meiner Reise, mir wurde lediglich vor Augen geführt, dass ich unmittelbar davor stehe. Auch wenn das Bild etwas befremdend wirkt. Ich sehe keine alte Stadt und auch keine Kathedrale, die mitten in ihr emporragt. Ich sehe vorerst nur weit gestreute Betonbauten, die sich einem Kampf mit dem Grün stellen, das mich umgibt. Aber ich weiß, dort unten liegt er, der Grund für die Strapazen, die so viele Menschen bereits seit Hunderten von Jahren auf sich nehmen.

Ich gehe weiter, niemand folgt mir. Die Pilger von heute sind zum Teil bereits in Santiago angelangt und die anderen haben sich in den hinter mir liegenden Unterkünften verkrochen. Ich schließe auf eine etwas betagte Pilgerin auf. Sie ist bestimmt schon weit über 60. Ihr riesiger Rucksack hängt schief auf ihrem Rücken. Ich spüre, wie er sie quält, doch sie lässt sich nicht helfen. Sie will auch keine Pause machen. „Es ist nicht mehr weit", sagt sie wiederholend. Sie kommt aus Dänemark, genauer gesagt von den Färöer-Inseln, Tórshavn, verrät sie mir. Es ist aber nicht mehr die Zeit, nach ihrem Ausgangspunkt auf dem Camino zu fragen, sondern sich vielmehr auf die Ankunft vorzubereiten. Aber der Größe ihres Gepäckstücks und ihren zerschlissenen Wanderschuhen nach zu urteilen wird sie schon lange unterwegs sein, vielleicht sogar länger als ich.

Das Zentrum rückt näher. Die Betonbunker weichen Bauten aus Ziegel und Stein und immer älter scheinen sie zu werden. Ich brauche mich in den Schritten gar nicht zurückzunehmen, so schnell läuft die alte Dame vor mir her. Sehr krumm zwar und andauernd habe ich Angst, dass sie jeden Augenblick zusammenklappen könnte. Jetzt geht es nur noch abwärts. Noch über ein paar Stufen durch ein Mauerwerk hinab und dann betrete ich den mit Steinplatten gepflasterten Platz, der sich über die gesamte Vorderfront der Kathedrale ergießt. Im Überschwang der Freude habe ich meine Begleiterin überholt und halte sie nun mit meinen Armen aufrecht. Ich spüre eine Last in meinen Händen, die nun anscheinend selbst nicht mehr imstande ist, sich zu tragen. Sie setzt sich auf das von der Sonne vorgewärmte Pflaster, den Rucksack als Stütze an ihre Hüfte geschoben. Sie beteuert mir, völlig in Ordnung zu sein, ich könne sie ruhig alleine lassen, sie muss nur ein wenig verschnaufen, bevor sie den letzten Akt der Reise vollziehen kann.

Es ist die Umarmung einer Statue, die mitten aus dem Altar auf ihre Besucher blickt. Erreichbar über eine Stufe und nun lehne ich am Rücken des heiligen Jakobus, lege meine Arme um ihn, blicke vom Altar aus auf die Pilger unter mir und bin beseligt von einem Übermaß an Zufriedenheit.

Heute ist der 19. Juni 2014 und es war fast genau auf die Minute 16 Uhr, als ich mit meinen Händen die Statue des heiligen Jakobus berührte. Ich habe die Kathedrale wieder verlassen, der Platz davor wirkt beinahe leer, nur vereinzelt sehe ich Menschen auf ihm herumspazieren. Die alte Dame hat die Kathedrale betreten, als ich zum Ausgang ging. Wir haben uns alles Gute gewünscht, still und ohne Worte. Ich verweile noch einige Momente vor dem monumentalen Gotteshaus und bitte einen Pilger, ein Foto davon mit mir im Vordergrund zu machen. Der linke der hoch aufragenden Türme ist auf Leinwand gemalt und die Staffelei reicht vom Portal aus bis an seine Spitze. Tausende von Metallstangen müssen dafür herhalten und sie beginnen, sich auch bereits über den rechten der beiden Türme auszustrecken. Ein notwendiges Übel, das mir den vollständigen Anblick raubt, aber wenn die Restaurationsarbeiten einmal abgeschlossen sind, werden die Türme im neuen Glanz erstrahlen.

Es wird Zeit, mir ein Nachtlager zu suchen. Ich gehe in die Gasse, in der die meisten Leute, seit ich auf dem Platz stehe, verschwunden sind. Zwei Abzweigungen weiter erwartet mich eine Menschenschlange, gebildet aus den heute angekommenen Pilgern. Es ist das Pilgerbüro, in dem man seine Urkunde erhält. Die Schlange ist mir einfach zu lang und so versuche ich zuerst, eine Schlafgelegenheit zu finden. Endlich einmal ein ganzes Zimmer für mich alleine. Ich bin fest entschlossen, mir für die vier Nächte bis zu meinem Abflug nach Barcelona ein Hotelzimmer zu leisten. In derselben Gasse finde ich ein Tourismusbüro, das einzig Erfreuliche, abgesehen von den freundlichen Angestellten. Die Dame erklärt mir, dass ich unter 70 Euro kein Hotelzimmer für die Nacht bekommen werde. Ich lasse mich gezwungenermaßen auf ein Hostel umstimmen und mir drei davon, die sich im näheren Umkreis befinden, in den Stadtplan einzeichnen. Die junge Frau sagt noch, ich solle es als Erstes im Hostel The Last Stamp versuchen, es sei neu und wirklich sehr nett, liegt auch mitten im Zentrum und ist das nächstgelegene laut Karte. Etwas in meinem Frohsinn gedrückt, trete ich zurück auf die Straße und die Aufheiterung erfolgt im Gegenzug. Manfred und Karl sitzen im Café nebenan. Ich habe sie zuvor nicht gesehen, sie aber mich und Manfred hat sich vor die Tür der Touristeninformation gestellt.

„Mit dir haben wir heute nicht mehr gerechnet", sagt er und klopft mir, wie schon gewohnt, auf die Schulter.

„Ich selbst nicht, aber ich habe keine Unterkunft mehr gefunden und bin einfach weitergegangen."

„Du bist immer gut für Überraschungen", bekräftigt Manfred meine Entscheidung und drängt mich zu Karl an den Tisch. Ich mache ihnen sofort klar, dass ich nicht bleiben kann, ich muss zuerst nach einer Schlafstelle suchen und will später nochmals vorbeikommen. „Wir können dann auch gemeinsam zu Abend essen", füge ich noch hinzu, bereits mit einem Schritt auf der Straße.

Das The Last Stamp sieht wirklich sehr schön aus und befindet sich lediglich zwei Querstraßen oberhalb der Kathedrale. Leider sind heute alle Betten bereits belegt, morgen ist noch etwas frei. Ich lasse mich für morgen eintragen. Das Mädchen telefoniert noch für mich und reserviert mir ein Bett in einem anderen Hostel. Es liegt am Rande des Zentrums auf der anderen Seite.

Ich bedanke mich und laufe mit dem Stadtplan in der Hand quer durch die Stadt. Für 15 Euro bekomme ich ein Bett, nicht mehr ganz neu, aber für heute Nacht sollte es reichen und nun bin ich auch geschafft. Die 41 Kilometer Fußmarsch und die Hetze durch die Stadt haben ihre Spuren hinterlassen. Ich bedaure es, Manfred und Karl warten zu lassen, aber einer Dusche kann ich jetzt nicht widerstehen. Wir finden uns schließlich am Abend und essen noch gemeinsam. Auf einen Zapfenstreich müssen wir nicht mehr Rücksicht nehmen, etwas ungewohnt noch. Ich werde mich daran zu gewöhnen haben, da ich noch drei weitere Nächte in der Pilgerstadt verbringen werde. Für Manfred und Karl geht es morgen schon nach Hause. Wir haben unsere Adressen ausgetauscht und ich bin mir sicher, wir werden voneinander hören. Morgen werde ich gleich in der Früh meine Pilgerurkunde holen und vermutlich danach erst so richtig realisieren, wo ich mich überhaupt befinde.

34
Compostela

Ich bin es nicht mehr gewohnt, lange zu schlafen, und deshalb finde ich mich schon um 7.30 Uhr in den schmalen Gassen der Altstadt wieder. Vor dem Pilgerbüro hat bereits eine Handvoll Pilger Stellung bezogen, obwohl es erst um 8 Uhr öffnet. Ich schlendere durch die noch leeren und stillen Gassen. Ich habe sie für mich alleine. Beinahe, und als ich dann mit etwas Verspätung erneut an das Gebäude komme, an dem ich ein Dokument erhalten werde, das bestätigt, dass ich ein Jakobspilger bin, hat sich eine kleine Schlange von etwa 25 Personen geformt.

Nach weiteren 20 Minuten ist es dann so weit, ich halte ein Schriftstück in Händen, das Zeugnis über die zurückliegenden 30 Tage ablegt. Aus Reinhard wurde Renardum und es spiegelt auch die Änderung in mir selbst wider. Anfangs wollte ich den Camino bespringen wie ein streunender Rüde, in ihn dringen, als gäbe es kein Morgen, als müsste ich mich sofort mit ihm vereinen. Doch Legenden werden nicht an einem Tag erklommen, es bedarf vieler davon und mit jedem Tag mehr tauchst du immer tiefer, bis du schlussendlich ein Teil davon wirst.

Nicht das Ziel ist von Bedeutung, sondern wie man es erreicht. Der Weg dorthin wird dich prägen und das Ende wird der Anfang sein. Einst war der Beweggrund das Erlassen der Sünden. Heute gehen ihn viele, um Zeugnis in Form einer Urkunde zu erhalten. Sie wird ihr Heim schmücken und vielleicht auch Bewunderung hervorrufen. Ihr Lebenswandel wird sich nicht großartig ändern. Es gibt aber auch jene, deren bisheriges Dasein nur wenig Zugang zur Gesellschaft gefunden hat oder die auch von ihr überfordert wurden, auch nicht verwöhnt worden sind vom Leben, nein, darum kämpfen mussten, um darin zurechtzukommen. Und es sind gerade diese Menschen, derer sich der Camino annimmt, denn es sind meist auch diese Leute, die sich Zeit nehmen, um seiner Aufmerksamkeit gerecht zu werden. Sie werden seine Zuhörer sein und sie werden lernen, sie werden zu verstehen beginnen und das, was für andere das Ziel ist, wird für sie der Anfang sein. Wer es nur auf das Ziel abgesehen hat, wird mit dessen Erreichen nicht großartig berührt sein, vielleicht sogar enttäuscht, denn er ist den falschen Weg gegangen.

Bei der Pilgermesse werden die Nationen genannt, die von Saint-Jean-Pied-de-Port aus auf die lange Reise am Camino Francés gegangen sind, und auch jene, deren Weg sie von noch weiter her zum Grab des heiligen Jakobus geführt hat. Es waren nur ganz wenige und Österreich ist heute unter ihnen. Die riesige Kathedrale ist bis in die letzten Winkel mit Pilgern gefüllt, herangekommen aus aller Herren Länder, und als finaler Höhepunkt der Messe wird der Weihrauchkessel geschwenkt. Er ist in etwa einen halben Meter hoch und an einem besonders dicken Tau befestigt. Acht Priester ziehen ihn über Stricke hoch bis an die Decke. Er schwingt sich über das Querhaus, ausgehend vom nördlichen Portal ans südliche, und wiederholt es viele Minuten lang, sodass es auch jedem einzelnen Pilger ersichtlich ist. Dann dauert es nochmals viele Minuten, bis er wieder seinen Ruhepunkt gefunden hat. Ein Gewitter aus Blitzlichtern untermalt das Geschehen. Arme sind hoch in die Luft gestreckt, Smartphones und Kameras umschließend, und sie drängen nach vorne. Sie lenken meine Aufmerksamkeit auf sich. Mich überrascht die Logik der Menschen, wie sie Hin-

421

dernisse zu überwinden versuchen oder wie sie anderen zuvorkommen wollen. Ein Meer aus Armen breitet sich vor mir aus, sie halten Kameras in ihren Händen, immer höher werden sie gestreckt und die Displays verlieren den Kontakt mit den Augen ihrer Träger. Man könnte fast meinen, sie strecken Gottes Gaben empor. Aber weiterhin wird gefilmt und es werden Bilder geschossen. Ein paar ganz Schlaue setzen nun ihre Partnerinnen auf ihre Schultern und vermutlich werden sie die wenigen sein, die ein paar Zufallstreffer einheimsen. Die Übrigen werden aller Ansicht nach lediglich die Rücken ihrer Vorderleute abbilden, Arme, Hände und eine Vielzahl an elektronischen Geräten. Ich darf dieser Aufführung noch zweimal beiwohnen und halte Ausschau nach einem geeigneten Standort. Ich meine, einen gefunden zu haben, und verlasse das Geschehen. Eine innere Ruhe umgibt mich, sie hält sich an mir fest und begleitet mich.

Bereits vor der Messe habe ich mein neues Quartier bezogen. Ich konnte den Drucker dort benutzen, mein Flug nach Barcelona war noch zu bestätigen und ich musste das Ticket ausdrucken. Das Hostel nennt sich im vollen Wortlaut „Die Albergue des letzten Stempels". Den werde ich mir aber woanders holen. In der Franziskanerabtei, die sich am verlängerten Arm der Kathedrale befindet. Etwas abseits des Getümmels. Auch der heilige Franz von Assisi ist nach Santiago gepilgert. Es war vor 800 Jahren – „Anno Domini Nostri Iesu Christi 1214" – und er ließ dort ein Kloster erbauen. Zum runden Jubiläum erhalten alle Pilger eine Urkunde, ausgestellt vom „Conventus Sancti Francisci". Ein Dokument, das es nur alle 100 Jahre zu erlangen gibt, erklärt man mir. Es ist mit meinem Namen versehen und ich hüte es wie einen Schatz. Schätze findet man nur selten, wenn man nach ihnen sucht. Ich wusste zu Beginn meiner Reise nicht, wonach ich suchen sollte, und nun ist jede Ritze bis tief in mein Herz hinein ausgefüllt. Mein Gehirn ist vollgestopft mit Eindrücken dieser Tage, aufgesammelt und aufgenommen.

Ich werde mir heute auch noch die Beichte abnehmen lassen. Ich werde vor den Pfarrer treten, er wird mich nach meinen Sünden fragen und ich werde mich keiner erinnern. Mir wird bewusst werden, dass sie verloren gegangen sind auf dem Weg hierher. Ersetzt durch neue Erinnerungen, schön und warm fühlen sie sich an und der Geistliche wird mich fragen: „Hast du geweint auf dem Weg hierher?"

Und ich werde antworten: „Ja, viele Male."

„Wegen der Schmerzen?", wird er weiterfragen.

„Nein, aus Freude."

„Die Menschen weinen vor Freude oder auch aus Leid, nicht aber wegen der physischen Schmerzen, die ihnen widerfahren. Man kann dies lediglich bei Kleinkindern beobachten, wenn sie sich wehgetan haben, und dennoch weinen sie nicht vor Schmerz, sondern sie suchen Trost und Mitgefühl und im Schoße ihrer Angehörigen werden die Tränen versiegen. Werden die Kinder erwachsen, richten sich ihre Tränen an Gott. Sei es aus Freude oder Trauer, sie suchen Halt und Hoffnung und manchmal bedanken sie sich einfach nur. Du sagtest, du hast aus lauter Freude geweint, und ich sage dir, Gott hat es vernommen und ich will dir dafür danken und dir etwas anvertrauen. Der Augenblick macht mich glücklich, aber ich weine nicht mehr vor Glück, meine Tränen sind das Lächeln und dieses Lächeln entsteht nicht durch das Bewegen meiner Mundwinkel, sondern tief in meinem Herzen. Der Augenblick unterscheidet nicht zwischen Gegenwart, Vergangenheit und Zukunft. Legt man seine Gedanken übereinander und entfernt das Raster der Zeit, so werden sie zur Einheit. Ineinander verschmolzen und nicht trennbar. Es gibt kein Gestern und kein Morgen.

Vergangenes wird zur Gegenwart und die Zukunft ist heute. Trauer verliert ihre Berechtigung, denn ein Verlust hat nie stattgefunden und auch die Sehnsucht nach längst Vergangenem, denn es ist noch immer bei dir und wird dich auch nie verlassen. Ebenso erlischt der Gedanke an morgen und mit ihm die Hoffnung, denn wo nie etwas geschehen ist, gibt es auch nichts gutzumachen."

Und erneut wird sich Wasser in meinen Augen sammeln bei diesen Worten und die Stimme wird weiter zu mir sprechen. Sie wird mir klarmachen, dass meine Gedanken bereits verschmelzen, dass mir der Camino die Namen der Tage genommen hat und dass die Vergangenheit zur Gegenwart wurde. Und dass meine Tränen versiegen werden und an ihres statt wird sich ein Lächeln setzen, danach werden wir gemeinsam ein „Vaterunser" beten.

Ich sitze in einer Bar. Sie befindet sich neben der Straße, welche die ankommenden Pilger an die Kathedrale führt. Eine Nische, lediglich Platz für zwei Tische, hat mich eingeladen, in ihr Platz zu nehmen. Sie ist verglast und lässt mich auf die Menschen blicken, die des Weges kommen. Meinen mobilen Computer habe ich auf den Tisch gestellt. Ich hämmere unaufhaltsam meine Eindrücke in das kleine Ding, als würden sie verloren gehen, täte ich es nicht.

Ich beobachte drei junge Mädchen. Sie fallen sich in die Arme, sie haben ihr Ziel erreicht. Für sie ist es nicht entscheidend, von wo sie losgegangen sind, wie weit ihr Weg war, aber sie sind sichtlich glücklich und sie können ihre Freude teilen.

Ohne auf etwas Bestimmtes bedacht wandere ich durch die alten Straßen und komme an der Kathedrale vorbei. Dabei begegne ich Franziska und wir umarmen uns. Ich treffe Sybille, Walter und den kleinen Patrick und wir umarmen uns. Beinahe haben sie es verabsäumt, die Statue des heiligen Jakobus zu umarmen. Ich erinnere sie daran, da ich meine, dass es ihnen ganz besonders am Herzen liegen muss. Noch ein paar vertraute Gesichter sehe ich, so auch Tamas und Sofia. Ich sitze am schmalen Tisch in der Nische der Bar und sehe dem Regen zu. Er ist heftig, Wassertropfen klatschen auf die heißen Pflastersteine, umspülen sie mit Nässe, ein kleines Bächlein bildet sich inmitten der abfallenden Straße und die Regentropfen zaubern ein Muster hinein. Pilger stehen an den Fassaden der Häuser, den Blick nach oben gerichtet, in diese Fülle von Tränen. Der Klang der Tasten erfüllt den stillen Raum. Ich sehe Martin und Daniel, der von Bonn aus losgezogen ist, eine Strecke von 2300 Kilometern, und Leni, die zu Fuß in Santiago ankommt. Noch einem Mädchen begegne ich. Es fällt mir um den Hals und beginnt zu weinen. Ich lächle für es.

Ich sehe aus dem Fenster und ich sehe Rauch, 70 Jahre, die das Leben beobachten. Ein Mann und seine Zigarre. Ich vermag nicht, in die Gedanken dieser 70 Jahre zu blicken, wohl aber 880 Jahre in die Vergangenheit. Ich sehe sechs Menschen, zum Teil noch Kinder. Sie hungern, dürsten und frieren. In den schmalen Gassen der Altstadt warte ich auf das Öffnen des Pilgerbüros. Auf ein Blatt gezeichnet sind die horizontalen Gassen in Schatten getaucht und die vertikalen Straßen von Sonnenlicht durchflutet. Ich bleibe in einer der halbdunklen Gassen stehen und blicke auf eine Gestalt vor mir. Die Helligkeit der Quergasse, die den Schatten durchbricht, blendet mich, aber ich sehe einen kleinen, schmächtigen Jungen. Sein Haar vereint sich mit dem ins Gelbe verlaufenden Hintergrund. Er ist barfuß und er winkt mir zu. Neben ihm noch ein Junge, etwas älter, aber nicht größer von der Statur, ein wenig kräftiger und er reicht ihm

425

die Hand. Sie biegen ein in die hell beleuchtete Gasse. Ich folge ihnen, doch ich sehe sie nicht mehr.

So wie die Nacht hereinbricht, erwacht auch der Morgen. Mit dem Mond kommt Dunkelheit in die Stadt und mit der Sonne verschwindet das Schwarz aus ihr. Ich sitze am Fenster der Bar und schaue auf die Straße. Unentwegt ziehen Pilger vorbei. Ich folge einer vierköpfigen Gruppe und am Platz vor der Kathedrale rufe ich den Namen von Chris. Er dreht sich um und meine Arme umschließen ihn, ebenso die seinen mich. Anita und Tiffany sind bei ihm, auch unsere Körper berühren sich und ich schüttle die Hand eines weiteren Pilgers, auch er ist am selben Tag in Saint-Jean-Pied-de-Port losgegangen, ich erinnere mich, aber ich habe es verabsäumt, ihn näher kennenzulernen. Ich führe Chris zu meiner Bar und erteile ihm den Auftrag, nach unserer Familie Ausschau zu halten. Sherri und Kristi sollten die Nächsten sein, die in diese Stadt kommen, und wenn auch Gina Santiago erreicht, wird das Bild vollendet sein. Es liegt in ihren Händen, nicht mehr in den meinigen.

Die Nische in der Bar mit dem großzügigen Fenster in die Stadt ist ausgefüllt. Chris, Anita und Tiffany leisten mir Gesellschaft und dann verlasse ich sie. Im Geflecht der Gassen schieben sich Leute entlang und ich meine, jemanden von ihnen zu erkennen. Ein Mann, ich sehe nur seine Rückenansicht, doch der Gang scheint mir vertraut. Ich zwänge mich durch die Menschenmenge und rufe: „Steve?"

426

Nachwort!

Ich möchte an dieser Stelle noch etwas verraten, weil ich oft danach gefragt werde. Die Pilger aus der Vergangenheit haben sich mir tatsächlich auf dem Weg zu erkennen gegeben. Die Geschichte selbst ist erst beim Schreiben entstanden, auch in mir. Ich habe mich vor den Computer gesetzt und meine Finger haben zu tippen begonnen. Weder wusste ich zuvor, wie die Geschichte beginnt, noch, was geschehen würde, und schon gar nicht, wie sie zu Ende gehen sollte. Mir war, als würde sie mir jemand erzählen. Aber war es wirklich nur eine Geschichte?

Nun, vieles davon konnte ich in historischen Dokumentationen wiederfinden und es hat sich mir dargelegt, bis hin zu den kleinsten Details.

Sollten einige Passagen unbeantwortet geblieben sein, dann, weil ich es so wollte. Nicht alles wird einem beantwortet im Leben und es liegt an einem selbst, die Antworten darauf zu finden. Es ist auch nicht entscheidend, ob bewiesen werden kann, dass der Leichnam des heiligen Jakobus dort begraben liegt, was zählt, ist der Gedanke. Wie es auch von Bedeutung ist, seine Empfindungen wandern zu lassen, sie abzutrennen von der Last des Alltags und losgelöst davon frei zu sein für Verborgenes, neue Sichtweisen zu erklimmen und sein Gemüt ins Reine zu bringen, zurückzufinden in die Kindheit des Geistes. Eine Zeit des Fastens sollte es sein für die Seele, und es bedarf vieler Tage, um sie reinzuwaschen von den Krusten und Schwielen der Gewohnheit, die alles umschließen. Der Camino Francés ist eine Möglichkeit, sich zu befreien, es kann aber auch jeder andere Weg sein, entscheidend ist nur, dass man ihn geht.

Dankeschön!

Ganz zu Beginn bedanke ich mich bei Ferdinand Kochauf, dem Pfarrer meiner Heimatgemeinde Judenburg und mittlerweile im Ruhestand. Vielleicht war es gerade sein Segen, den er mir mit auf die Reise gegeben hat, der mir die Geschichte für dieses Buch geöffnet hat.

Ich bedanke mich für die Freundlichkeit und Hilfsbereitschaft der heimischen Bevölkerung entlang des gesamten Camino Francés. Sie wurden mir als etwas so Selbstverständliches entgegengebracht, wie ich es zuvor noch nie erlebt hatte. Dank gebührt auch allen beteiligten Stellen, öffentlicher, gemeinnütziger und privater Natur, die diesen Weg zum Erlebnis für jeden werden lassen. Sie sorgen für die äußerst preiswerten Unterkünfte und Mahlzeiten über die gesamte Strecke hinweg, die stets übersichtlich und gut erkennbar markiert war.

Viele Gedanken und Eindrücke von Pilgern und weiteren Personen, denen ich auf dem Weg begegnet bin und die ich kennenlernen durfte, haben die Geschichte lebendig werden lassen. Ihr Beisein hat das Geschriebene mit Bildern untermalt, für mich – und ich hoffe auch für alle, die dieses Buch gelesen haben. Jene Personen mögen es mir bitte verzeihen, mit denen ich zu hart ins Gericht gegangen bin. Es waren Empfindungen, die ich zu diesem Zeitpunkt verspürte, aber sie haben sich am Ende verloren.

In Dankbarkeit trage ich die Erinnerung in mir an diese Menschen und an die fünf Freunde, die mit mir auserkoren wurden, teilzunehmen an einer Geschichte, die es zu Ende zu bringen galt – Kristi Meier Easterlin, Sherri Beyer Brown, Chris Barnwell, Gina Cornejo und Steve.

In Gedenken an meine Eltern, Hermann und Hermine, die beide, zuerst meine Mutter und ein halbes Jahr danach mein Vater, während der Arbeit an meinem Buch verstorben sind.